MARC CHERNICK

ACUERDO POSIBLE
Solución negociada al conflicto armado colombiano

SEIS DÉCADAS DE VIOLENCIA
VEINTICINCO AÑOS DE PROCESOS DE PAZ

ACUERDO POSIBLE
Solución negociada al conflicto armado
colombiano

Ediciones Aurora

Bogotá, 2008

Chernick, Marc.
    Acuerdo posible: solución negociada al conflicto armado colombiano / Marc Chernick. -
Bogotá: Ediciones Aurora, 2008.
    256 p.; 24 cm.
    ISBN 9789589136386
    1. Violencia – Colombia 2. Conflicto armado – Colombia 3. Paz – Colombia
    4. Conflicto armado – Aspectos políticos – Colombia I. Tít.
303.69 cd 21 ed.
A1148096
                    CEP-Banco de la República-Biblioteca Luis Ángel Arango

Los manuscritos para este libro fueron hechos en inglés. Hasta ahora no existen como publicación en ese idioma.

PRIMERA EDICIÓN: Bogotá, 2008

TRADUCTOR PRINCIPAL
Juan Fernando Esguerra

COLABORADORES
Andrés Felipe Villamizar
Verónica Guzmán

APOYO EDITORIAL
Gabriela de la Parra

DIAGRAMACIÓN
Santiago Rohenes

PORTADA
Fernando Botero
Medellín, 1932
Manuel Marulanda "Tiro fijo", 1999
Óleo sobre tela
45,72 X 33,02 cm
Museo Botero, Bogotá
Colección Banco de la República de Colombia, registro 3237

ISBN: 978-958-9136-38-6

IMPRESO Y TERMINADO
Panamericana Formas e impresos S.A.

IMPRESO EN COLOMBIA
PRINTED IN COLOMBIA

A Tulia Camacho

ÍNDICE

PRÓLOGO

Comencé a trabajar en este libro hace ya varias décadas. Un poco antes de mi llegada a Bogotá en 1980, el M-19 capturó la atención mundial al tomarse la embajada de la República Dominicana en la capital colombiana. Aunque no era claro en ese momento, esta toma terminó siendo el primer paso en lo que se convertiría en un esfuerzo de décadas por llegar a una solución política negociada del prolongado conflicto colombiano. El presidente de entonces, Julio Cesar Turbay Ayala, sorprendió tanto a sus opositores como a partidarios al iniciar negociaciones con el M-19. Aún más sorprendente resultó el hecho de que el histórico episodio finalizó de manera pacífica cuando el gobierno nacional garantizó el seguro viaje de los guerrilleros a Cuba. En la culminación de este acontecimiento, el presidente nombró al ex presidente Carlos Lleras Restrepo como comisionado de paz y posteriormente aprobó una amnistía condicional.

Regresé a Colombia en 1984, gracias a una beca para una disertación doctoral otorgada por la Comisión Fulbright. Meses antes de mi llegada a Colombia, las FARC, el M-19, el EPL y el ADO habían firmado acuerdos separados de cese al fuego con el gobierno, y mi intención era estudiar el proceso de paz en el mismo momento en que comenzaba a desarrollarse. Fue una experiencia enriquecedora y activa donde los muros de Bogotá estaban colmados de consignas y símbolos de paz y con una expectativa real de que el conflicto colombiano iba a finalizar mediante las negociaciones de paz. Dediqué los siguientes años a la docencia en calidad de profesor invitado del Departamento de Ciencia Política de La Universidad de los Andes, donde dicté un seminario sobre mi investigación, al mismo tiempo pude entrevistar a los protagonistas centrales del proceso.

Durante este periodo, mis inquietudes investigativas se concentraron en la propuesta de incorporar a insurgentes armados en la arena política y en la democratización del régimen y de la sociedad mediante reformas tales como la elección directa de alcaldes y una reforma agraria y de desarrollo rural integral. Éstos eran los asuntos que tanto la guerrilla como diversos sectores de la política y de la sociedad civil habían demandado por mucho tiempo.

Sin embargo, la euforia no perduró mucho. En el transcurso de un año el M-19 rompió las conversaciones acusando al gobierno de violar los acuerdos. El 6 de noviembre de 1985, el M-19 se tomó el Palacio de Justicia de manera violenta en un intento por repetir el éxito obtenido años atrás con la toma de la embajada dominicana. Yo vivía por esa época en el barrio colonial La Candelaria, en el centro de Bogotá, y desde la azotea de mi casa fui testigo de los esfuerzos de los tanques de fabricación brasileña Urutú y Cascabel por derrumbar la puerta principal del Palacio, de las operaciones de combate de los soldados en plena Plaza de Bolívar, de las fuerzas especiales descendiendo de helicópteros sobre el techo del palacio en la medida en que las fuerzas armadas intentaban recuperar el emblema de la justicia colombiana. Desde la terraza escuchaba también, por radio, a Alfonso Reyes Echandía, entonces presidente de la Corte Suprema de Justicia, cuya voz llena de temor y desesperación rogaba porque alguien, cualquier persona, contactara al Presidente de la República. Todavía puedo recordar sus palabras desesperadas sin eco transmitidas en la tarde bogotana: "Por favor, que cese el fuego inmediatamente... Es de vida o muerte. Que el presidente de la República dé la orden de cese al fuego."

La política muy raras veces concuerda con los confines de un proyecto de investigación académica estructurado. Estos años siguieron pasando. Lo que comenzó como un tema de disertación, terminó convirtiéndose en un compromiso de vida y en una batalla por comprender las causas de este muy particular subgénero de conflicto interno armado que se presencia en la prolongada violencia política de Colombia. Más importante aún, continué estudiando la literatura y la práctica de los procesos de paz en Colombia y en otras partes del mundo, tanto como académico como consultor de organizaciones internacionales y gobiernos. Culminé mi doctorado, me vinculé al profesorado de Columbia University y serví como Director Adjunto del Instituto de Estudios Latinoamericanos e Ibéricos de la misma institución. En 1992, regresé a Bogotá para radicarme durante varios años gracias a una beca otorgada por la Fundación Harry Frank Guggenheim encaminada a realizar una investigación comparativa de violencia política entre Colombia y Perú, al mismo tiempo que fui profesor invitado del Instituto de Estudios Políticos y Relaciones Internacionales de la Universidad Nacional de Colombia. Allí disfruté de un ambiente académico, así como del *Gólgota*, el famoso seminario interno, donde varios trabajos en desarrollo se discutían y criticaban permanentemente.

De vuelta a Estados Unidos tomé un cargo en la Escuela de Estudios Internacionales Avanzados de Johns Hopkins University, en Washington D.C. y posteriormente ingresé al Departamento de Gobierno y al Centro de Estudios Latinoamericanos de Georgetown University, donde he dictado clases durante los últimos once años. En Washington también comencé a ejercer como consultor en varios proyectos relacionados con asuntos de violencia y paz en Colombia. Esta actividad no sólo profundizó mis conocimientos sobre estos temas, sino que también me dio una nueva perspectiva para analizar los procesos que había venido estudiando durante tanto tiempo. En el Banco Mundial, participé en dos proyectos pilotos que reflejaban una nueva visión emergente para ese entonces en el Banco, que estudia la relación entre pobreza, desarrollo económico y conflicto armado. El primero de estos proyectos fue un pequeño préstamo para apoyar la creación de unas zonas de reservas campesinas, un instrumento presente en la legislación de la reforma agraria de 1994, que buscaba el establecimiento de comunidades de desarrollo agrícola de pequeña escala a lo largo y ancho de la frontera agrícola de Colombia y en zonas de conflicto y débil presencia estatal. El otro proyecto, Proyecto de Paz y Desarrollo del Magdalena Medio, apoyaba una iniciativa regional para introducir mecanismos locales y de participación para la planeación comunitaria, el desarrollo económico y los diálogos locales entre los actores en conflicto en veintinueve municipios. Ambos proyectos fueron previstos como esfuerzos locales que eventualmente servirían como modelos de desarrollo y paz en el marco de un proceso de paz nacional. Varios años después, este proyecto se expandió para apoyar otras cuatro zonas de paz y desarrollo financiadas con la ayuda del Banco Mundial en el este antioqueño, Cauca, Norte de Santander y Montes de María.

Para el Programa de las Naciones Unidas para el Desarrollo (PNUD), reuní a una serie de colegas y estudiantes de posgrado en Georgetown en un proyecto multianual para desarrollar una metodología regional en alertas tempranas y prevención de conflicto. Una vez desarrollada esta metodología, contratamos un primer equipo de científicos sociales colombianos para probar dicha metodología en Colombia. Para la Agencia de los Estados Unidos para el Desarrollo Internacional (USAID), lideré el diseño de un equipo para elaborar un programa de derechos humanos en Colombia para el periodo 2000-2005. Este trabajo conllevó al desarrollo y financiamiento de un sistema de alertas tempranas para prevenir violaciones masivas de derechos humanos, administrado por la Defensoría del Pueblo, así como de otra serie importante de programas de derechos humanos. Unos años después, regresé para liderar una evaluación del sistema de alertas tempranas de la Defensoría.

Al mismo tiempo, continué con mi investigación académica. En 2001, recibí una beca del Instituto de Paz de Estados Unidos para estudiar los elementos centrales que probablemente constituirían un proceso de paz amplio e incluyente. Este esfuerzo produjo la publicación de varios capítulos de libros sobre distintos aspectos del proceso de paz colombiano. Participé también en interesantes proyectos académicos y de políticas públicas que comparaban grupos insurgentes y procesos de paz en el mundo entero. En cada uno de estos proyectos realicé investigación original y contribuí con un capítulo relacionado al caso de Colombia. Esto incluyó un proyecto patrocinado por la Academia Internacional de Paz en Nueva York, que se centró en la participación internacional en la resolución de conflictos internos armados. Otro proyecto, patrocinado por el Social Science Research Council (Nueva York) y el Instituto Noruego de Asuntos Internacionales (Oslo), se centró en grupos insurgentes y en la construcción de paz en conflictos prolongados como son los casos de Nepal, Kashmir, Aceh, provincia de Indonesia , Líbano, Gaza, Irlanda del Norte, Turquía y Perú. También hice parte de dos estudios comparados patrocinados por el Woodrow Wilson Internacional Center for Scholars (Washington D.C.), uno en procesos de paz comparados en América Latina, y el otro en la economía de las guerras internas y los prospectos de paz.

El resultado de estas diversas experiencias académicas y de consultoría es este libro. Algunos de los capítulos que aquí se presentan fueron desarrollados en primera medida en el contexto de alguno de los proyectos enunciados en este prólogo o fueron parte de investigaciones previas. En cada caso, el trabajo ha sido actualizado y en ciertas ocasiones reconceptualizado bajo la luz de eventos recientes, reflejando la evolución de mi entendimiento en estos asuntos.

Como muchos otros lo han descubierto en intentos tan grandes y ambiciosos como este, mis deudas intelectuales superan cualquier capacidad realista de retribución y agradecimiento. Recuerdo profundamente y con inmenso cariño mis primeras discusiones con John Agudelo Ríos, el asesor de paz del presidente Betancur, así como las extensas conversaciones con Daniel García Peña, asesor de paz del presidente Samper. Con el paso de los años he aprendido mucho de Francisco Leal, mi colega en la Universidad de Los Andes y en la Universidad Nacional; de Michael Jiménez, el gran historiador y querido amigo; de Arturo Alape, quien compartió sus profundos conocimientos e investigaciones conmigo y quien me abriera muchas puertas dentro de su amplio rango de contactos. Recuerdo también a Gustavo Gallón, quien mediante largas discusiones durante los primeros años, sus escritos y compromiso, me hizo profundamente consciente del permanente papel de los derechos humanos en el conflicto; a Marco Palacios, el reconocido historiador colombiano, con quien he mantenido un enriquecedor intercambio intelectual durante muchos años; al equipo de investigadores colombianos del proyecto que lideré para PNUD, Alejandro Reyes, Alvaro Camacho, Nora Segura, Rodrigo Uprimny, Mauricio García, Astrid Martínez, Gary Hoskin y Miguel García, muchos de los cuales son viejos colegas y amigos, con quienes fue todo un placer y privilegio trabajar; al abogado Danilo Rojas, gran conocedor y mi tutor del sistema judicial colombiano, colega del proyecto de *Evaluación del Sistema de Alertas Tempranas*; y a mis colegas de los proyectos del Banco Mundial, William Partridge, Alfredo Molano, Hector Mondragón, Darío Fajardo, el Padre Francisco de Roux, y Jairo Arboleda, cada uno a su manera ha sido un símbolo de valentía personal, integridad y el arquetipo colombiano de los activistas académicos.

Permítanme también expresar mi gratitud a Andrés Felipe Villamizar y a Verónica Guzmán, dos asistentes de investigación que colaboraron en la edición y traducción de este libro, así como a tantos otros asistentes que trabajaron conmigo a lo largo de los años, especialmente, a Andrés Torres, Pamela Phillips y Claudia Gómez. También agradezco a mis estudiantes en Johns Hopkins y Georgetown que tomaron mis seminarios sobre Colombia, la Región Andina, y Resolución de Conflictos en América Latina, quienes me dieron permanente y enriquecedora retroalimentación y abrieron mis ojos a interpretaciones alternativas. También tengo que reconocer la influencia de los estudiosos de Colombia, Bruce Bagley y Jonathan Hartlyn, sobre cuyos hombros me paré cuando inicié este largo camino. Por supuesto, solamente yo soy responsable por los errores, análisis y juicios aquí presentes.

Finalmente, permítanme expresar mi profundo amor y admiración por Tulia Camacho, quien, aun mientras forjaba su propia carrera e intereses investigativos, me acompañó en este viaje, muy frecuentemente jugando el papel que puede ser comparado al de un sherpa que guía al montañista en el Everest, indicándole cuáles caminos conducen a la cumbre y cuáles pueden desencadenar enormes avalanchas o contener grandes brechas. Asimismo, quiero expresar mi agradecimiento a Camilo y a Álvaro Hernán, quienes, para continuar con la metáfora, anduvieron cautelosamente conmigo en las faldas de las montañas, observando la cima brillante a la distancia, y quienes prontamente descubrieron que había otros picos igualmente desafiantes y gratificantes. En efecto, en varias ocasiones, cuando ambos eran estudiantes universitarios y empezando a descubrir sus talentos intelectuales, trabajaron a mi lado como asistentes de investigación en uno o varios de los proyectos aquí enumerados. Asimismo, emprendimos con Camilo un viaje memorable al Chocó para entrevistar a funcionarios y a gente desplazada por la corrosiva violencia del Río Atrato.

En un nivel personal, estos años han sido enormemente gratificantes, sin embargo aún permanezco inquieto. Con cada proceso fallido de paz surge una nueva ola de violencia que sumerge al país. Para muchos, este prolongado conflicto armado es parte del status quo y de esta forma es fácil creer que la violencia política es una aberración de la dinámica sociedad que es Colombia. Después de tantos años de construcción de paz fracasada, el escepticismo se mantiene al orden del día. Sin embargo, siempre recordaré una conversación que tuve en Bogotá con Jesús Antonio Bejarano, quien fue Consejero Presidencial para la Paz durante los diálogos con las FARC y el ELN en Caracas. A medida que los procesos iban y venían, me sentaba ocasionalmente a hablar con él acerca de los prospectos del proceso en curso. La última vez tuvo lugar varios meses después de la iniciación de los diálogos de paz en el Caguán. Me comentó ese día, mientras tomábamos un tinto, que la obligación profesional de todos los negociadores de paz y de aquellos comprometidos con la paz es mantener un sentido de optimismo y aferrarse a cada oportunidad posible para avanzar en la agenda, por más pequeño y angosto que parezca ese avance. Poco después de esa conversación fue asesinado a la salida de su clase de Economía en la Universidad Nacional.

Desde entonces, incluso cuando se rompieron los diálogos del Caguán, he tomado estas palabras a conciencia. A pesar de los muchos años de frustraciones y oportunidades desaprovechadas, he mantenido el sentido del optimismo. Hay lecciones que tienen que ser aprendidas de los fracasos pasados. Una paz negociada no es sólo posible sino indispensable. Es el sine qua nom para dilucidar una Colombia en pos conflicto, democrática y más justa.

Marc Chernick
Washington D.C.

Capítulo 1.

El proceso de paz colombiano desde una perspectiva comparativa

Introducción

A comienzos de los años ochenta del siglo xx, Colombia se hallaba a la vanguardia de los esfuerzos para terminar con los conflictos armados mediante acuerdos negociados. Las primeras iniciativas de búsqueda de la paz en Colombia antecedieron, en casi una década, a las más exitosas iniciativas centroamericanas[1]. Sin embargo, veinte años después, el proceso de paz colombiano se había transformado de un caso precursor a un aleccionador historial de los costos del fracaso. Durante cinco sucesivas elecciones presidenciales, entre 1982 y 1998, la paz constituyó la principal y más decisiva cuestión electoral. Cada uno de los ganadores —Betancur (1982-1986), Barco (1986-1990), Gaviria (1990-1994), Samper (1994-1998) y Pastrana (1998-2002)— inició alguna versión de un proceso de paz. Sin embargo, en 2002 los votantes colombianos eligieron al candidato que prometió no negociaciones sino mayor seguridad y una política de línea dura hacia la guerrilla. La elección de Álvaro Uribe prometía la victoria militar o, por lo menos, una forzada resolución del conflicto basada en el poderío militar. Veinte años de procesos de paz fallidos

---

[1] Véase Chernick, Marc, "Violence and Peacemaking in Latin America", en Brown, Michael, *The International Dimension of Internal Conflicts*, MIT Press, Cambridge, 1996.

cobraron su cuota. Los colombianos eligieron su propio Ariel Sharon, quien, de manera similar, intentaba rearmar las piezas, después de una sucesión de fracasados procesos de paz en Israel, centrándose fundamentalmente en las cuestiones de seguridad. La línea dura puede ser irresistible para los electorados frustrados.

Mientras Colombia estaba experimentando con diferentes modelos de búsqueda de paz en las décadas de 1980 y 1990, la comunidad internacional también comenzaba a acumular experiencia en búsqueda y construcción de paz en el contexto de guerras civiles y conflictos armados internos. Entre 1989 y 2003, las Naciones Unidas iniciaron dieciocho operaciones de paz en los principales conflictos armados internos del mundo, lo cual no tenía precedentes en la historia. Algunas tuvieron éxito; otras fracasaron espectacularmente.

El presente libro es un intento por aprender tanto de las experiencias colombianas como de las internacionales. Tales experiencias fueron paralelas pero rara vez se cruzaron. La mayoría de los profesionales y teóricos de operaciones de paz en el contexto de guerras civiles y conflictos armados internos, han prestado poca atención al caso colombiano, y la creciente experiencia de Colombia tuvo escasa influencia en la más amplia bibliografía y en los debates políticos. Este libro intenta llenar ese vacío. Aunque se centra en la experiencia colombiana busca, al mismo tiempo, observarla desde una amplia perspectiva comparativa. Al menos en el caso colombiano, el fracaso no era inevitable. Durante más de veinte años se perdieron muchas oportunidades. Muchos de los actores importantes —tanto los que se sentaron como los que no se sentaron a la mesa de negociaciones— tomaron decisiones que de hecho socavaron un resultado exitoso. Un acuerdo negociado es aún posible, aunque, con el paso de cada año y de cada década, el acuerdo se ha vuelto mucho más difícil. El camino estaba más despejado hace veinte años: antes de que la fuerza plena de la bonanza de la exportación de la droga se enseñoreara en el país; antes de la espectacular expansión del paramilitarismo; antes de la guerra sucia contra periodistas, dirigentes sindicales, defensores de los derechos humanos, jueces, líderes políticos, partidos políticos y otros; antes de que tendencias positivas modernizadoras, especialmente la sostenida reducción de la pobreza y la creciente igualdad de los ingresos, dieran marcha atrás a partir del decenio de 1990; antes de que el poderío militar de las Fuerzas Armadas Revolucionarias de Colombia (FARC) aumentara de tal manera que las convirtió en uno de los mayores y mejor equipados ejércitos guerrilleros nunca antes surgidos en Latinoamérica; antes de la crisis humanitaria de los desplazados internos, una de las peores del mundo, de acuerdo con la Oficina para la Coordinación de Asuntos Humanitarios (OCAH)) de las Naciones Unidas y que es producto de todos los factores antes enunciados.

En los primeros años del siglo xxi, el conflicto armado interno de Colombia constituye uno de los más duraderos en el mundo, compitiendo esta característica con conflictos tan prolongados como el de Cachemira, que data de la división entre India y Pakistán en 1947, y el de Palestina, que data de la fundación del Estado de Israel en 1948. La violencia actual de Colombia ha persistido, de una u otra forma, desde la elección presidencial de 1946, seguida por el asesinato del líder liberal Jorge Eliécer Gaitán, el 9 de abril de 1948. Desde entonces, el conflicto interno armado de Colombia se ha transformado de una guerra civil partidista en los años cuarenta y cincuenta a un conflicto armado de baja intensidad en la década de 1960, y finalmente a un conflicto multipolar entre guerrillas, paramilitares y el Estado desde comienzos de los años ochenta.

Sin embargo, lo sorprendente en el caso colombiano no es tanto la diferencia de cada etapa de la violencia sino más bien su continuidad. Para comenzar, cada etapa del conflicto ha alimentado a la siguiente, y los actores importantes de un período han pasado a ser los del siguiente. El símbolo más convincente de esta continuidad puede encontrarse en la persona de Manuel Marulanda Vélez, un hombre que tomó las armas como guerrillero liberal en la década de 1940 y que ha ejercido el liderazgo de las FARC desde su fundación, en 1964, hasta comienzos del presente siglo. Además, durante casi sesenta años, el conflicto armado ha sido atizado por lo que Belisario Betancur llamó, parafraseando a Lenin, los "factores objetivos" de la violencia. Entre estos se hallan los persistentes patrones de exclusión social, económica y política basados en la tenencia desigual de la tierra, los desplazamientos forzados, el gamonalismo y la justicia privada en zonas del país donde la presencia del Estado ha sido mínima o inexistente, o donde el Estado ha formado parte de una red de dueños del poder local y ha contribuido directamente al conflicto. A lo largo de estos sesenta años de ininterrumpida violencia, estos "factores objetivos" de la violencia han empeorado, sobre todo desde que comenzara el auge de la exportación de la droga —a principios de la década de 1980— que condujo a un reordenamiento de las relaciones sociales en el campo como consecuencia de una inyección de inversiones por parte de los narcotraficantes.

Dadas la prolongada naturaleza, las profundas raíces y la complejidad del conflicto armado colombiano, no es sorprendente que varios procesos de paz hayan sido iniciados y pocos hayan tenido éxito. Esto es igualmente cierto para los conflictos israelo-palestino y de Cachemira, donde, sin embargo, los esfuerzos de paz han sido mucho más visibles en la arena internacional que en el caso de Colombia. Sea el conflicto prolongado o no, la búsqueda de la paz es siempre un proceso arduo y frágil. A menudo los acuerdos deben ser negociados múltiples veces y la mayoría de estos se rompen. El economista británico Paul Collier concluye que los acuerdos de paz, tanto los agenciados como los impuestos, se rompen casi la mitad de las veces[2]. Incluso casos de negociaciones "exitosas" a menudo no logran encarar los problemas que dieron origen a la violencia colectiva, por lo cual dejan establecida una paz precaria que quizás resiembra las semillas de un conflicto futuro.

Durante la Guerra Fría, los acuerdos negociados de conflictos internos armados fueron supremamente raros[3]. La arena internacional fue ocupada por completo con la batalla bipolar entre las dos superpotencias, que muy poca atención prestaban a las guerras internas, excepto por el alcance que en ellos reflejaba el cálculo bipolar. La mayoría de los conflictos internos se convirtieron en guerras "proxy" y, a menudo, se separaron de los problemas y divisiones que provocaba la violencia civil. Estas guerras terminaban, por lo general, con un vencedor y un vencido.

---

[2]   Su muestra consta de 78 casos entre 1960 y 1999. Él encontró que la violencia reaparecía en el transcurso de cinco años en el 44% de los casos. Véase Collier, Paul *et al., Breaking the Conflict Trap: Civil War and Development Policy*, Banco Mundial y Oxford University Press, Washington y Nueva York, 2003.

[3]   El de Colombia en 1957-1958 constituye uno de los pocos ejemplos de un acuerdo negociado en este período, logrado en gran parte sin intervención internacional. Cuatro cosas pueden decirse de este acuerdo negociado de repartición del poder: 1) El Frente Nacional redujo mucho pero no eliminó la violencia; 2) El momento fue bastante oportuno, dado que la Guerra Fría apenas había comenzado a experimentarse en el hemisferio occidental; esto cambiaría de forma drástica un año después con el triunfo de la Revolución Cubana; 3) El Frente Nacional, en realidad, institucionalizó un proceso que ya había sido establecido en los años comprendidos entre 1953 y 1958, cuando liberales y conservadores compartieron efectivamente el poder durante el gobierno de Rojas Pinilla y el de la junta militar que lo sucedió; y 4) Al iniciarse el Frente Nacional, la violencia ya había sido transformada de una guerra partidista en una campaña militar del Estado contra las guerrillas comunistas y liberales radicalizadas en ciertas partes del país, sobre todo en Tolima y en Cundinamarca.

Sin embargo, desde 1989, ha aumentado el número de conflictos civiles solucionados mediante negociaciones[4], y también se ha producido un creciente interés por parte de los actores y las organizaciones internacionales por proporcionar sus buenos oficios, asistencia técnica e incluso ayuda económica para facilitar tales acuerdos. En parte, esto refleja la cada vez mayor preocupación causada por la proliferación de los conflictos armados internos desde el fin de la Guerra Fría. Una base de datos elaborada en la Universidad de Uppsala (Suecia) registra 111 conflictos armados entre 1980 y 2000. De estos, 104 fueron conflictos internos[5]. En el año 2000, sólo había un caso de conflicto armado de gran magnitud en las Américas: el de Colombia[6].

---

[4]   Véase Walter, Barbara, "The Critical Barrier to Civil War Settlement", en *International Organization*, Vol. 51, N° 3, verano de 1997.

[5]   Véase Wallensteen, Peter y Sollenberg, Margareta, "Armed Conflict 1989-2000", en *Journal of Peace Research*, Vol. 38, N° 5, 2001.

[6]   Como será analizado posteriormente en este mismo capítulo introductorio, existe un consenso general entre los investigadores académicos respecto a la definición de las guerras civiles. Una guerra civil está caracterizada por la violencia a gran escala, *dentro* de un Estado o territorio geográfico reconocido, entre dos o más grupos organizados, uno de los cuales, al menos, corresponde al gobierno de ese Estado. Por lo menos dos de los más importantes estudios, el de Uppsala y el denominado "Correlatos de la guerra", han establecido el nivel mínimo de 1.000 muertes en combate al año para que se pueda hablar de guerra civil. El estudio de Uppsala propone una cuádruple clasificación: *Conflicto armado menor:* por lo menos 25 muertes anuales en combate y menos de 1.000 durante todo el conflicto. *Conflicto armado intermedio:* un acumulado total de más de 1.000 muertes en el transcurso del conflicto, pero menos de 1.000 por año. *Guerra civil:* por lo menos 1.000 muertes en combate al año. La cuarta categoría, *Conflicto armado mayor,* combina las dos últimas categorías: un acumulado total de más de 1.000 muertes en combate pero menos de 1.000 por año. El conflicto de Colombia, en la mayor parte de los decenios de 1940 y 1950, y en la mayoría de los años desde mediados del decenio de 1980, constituyó una guerra civil. Durante sesenta años, la violencia puede ser definida, al menos, como conflicto armado mayor. Estas definiciones son claras, concisas y relativamente directas para operacionalizar. Omiten cuestiones de motivos, ideologías, legitimidad o apoyo popular. Permiten hacer estudios comparativos, transregionales y transnacionales. Sin embargo, muchos oficiales gubernamentales o estatales —sobre todo en Colombia— son renuentes a aceptar estas definiciones. Mientras las hostilidades siguen, sus inte-

Por otra parte, como la frecuencia de las guerras internas ha aumentado, mientras los conflictos armados entre estados han declinado, la naturaleza de las víctimas ha cambiado. Las guerras internacionales son libradas, generalmente, por ejércitos uniformados. Los conflictos armados internos —menores, intermedios, mayores o guerras civiles— son, en la mayoría de los casos, asimétricos entre las fuerzas del Estado y las fuerzas guerrilleras irregulares. Como los colombianos lo saben muy bien, la mayoría de las víctimas durante las guerras internas son civiles, no combatientes armados, a pesar de los valientes esfuerzos por aplicar el derecho internacional humanitario. A comienzos del siglo XX, internacionalmente, se calculaba que las bajas de combatientes armados comprendían más o menos el 90% de todas las muertes relacionadas con la guerra. Pero a principios del siglo XXI, a pesar del desarrollo de un corpus de derechos humanos y del derecho internacional humanitario (Declaración Universal de los Derechos Humanos, Protocolo II de los Convenios de Ginebra, tratados que prohíben el genocidio, la tortura, la desaparición forzada, las minas terrestres, el secuestro como instrumento de guerra y, más recientemente, el establecimiento de una Corte Penal Internacional para juzgar crímenes de guerra y crímenes de lesa humanidad), se estima que el 90% de las muertes relacionadas con la guerra son de civiles no combatientes[7].

La creciente buena voluntad de la comunidad internacional para intervenir de forma más activa en la prevención de conflictos, la búsqueda (*peacemaking*) y la construcción (*peacebuilding*) de paz después del fin de la contienda dentro de las naciones-Estado soberanas, también reflejaba las nuevas preocupaciones que surgieron acerca de la agenda internacional en el período posterior a la Guerra Fría. Entre estas se encuentran: 1) El reconocimiento de que el creciente número de conflictos nacionales puede desestabilizar a los países vecinos y a regiones enteras; 2) Una reconceptualización de la soberanía que plantea que la intervención es un imperativo moral cuando con ella se puedan prevenir tragedias humanitarias, crímenes de guerra o crímenes de lesa humanidad, y 3) La creencia de que, con la desaparición de la Guerra Fría, los

---

reses se concentran en demostrar la legitimidad del Estado y la falta de legitimidad de la oposición armada. Véase Wallensteen y Sollenberg, 2001. También Licklider, Roy, "How Civil Wars End: Questions and Methods", en Licklider, Roy, *Stopping the Killing: How Civil Wars End*, New York University Press, Nueva York y Londres, 1993.

7   Véase Paris, Roland, *At War's End: Building Peace After Civil Conflict*, Cambridge University Press, Nueva York y Cambridge, 2004.

conflictos armados internos, aunque más numerosos, están en algunos casos más "maduros" para el acuerdo.

Antes del derrumbe de la Guerra Fría, las operaciones de seguridad de las Naciones Unidas casi siempre se limitaban al estacionamiento de fuerzas multinacionales de mantenimiento de la paz (*peacekeeping*), "cascos azules", para separar a beligerantes internacionales. Ellas eran desplegadas sólo cuando los miembros permanentes del Consejo de Seguridad estaban de acuerdo sobre una aceptable política de intervención, lo cual ocurría raras veces[8]. La primera de tales operaciones tradicionales de paz fue en Egipto, en 1956, a raíz de la invasión del país por Francia, Gran Bretaña e Israel y la toma del canal de Suez. Fuerzas de las Naciones Unidas fueron enviadas a supervisar la retirada de las potencias extranjeras y, posteriormente, fueron estacionadas en la frontera egipcio-israelí. A las tropas de la ONU se les prohibió el uso de la fuerza, salvo en defensa propia, y se les instruyó para que no se mezclaran en política interna. Esta operación se convirtió en el modelo para futuras operaciones de mantenimiento de paz[9]. Con muy pocas excepciones, las Naciones Unidas no intervinieron en elecciones nacionales, guerras civiles, ni en la reconstrucción posterior a las guerras civiles.

Sin embargo, entre 1989 y 2003, las Naciones Unidas emprendieron dieciocho importantes operaciones de paz en países desgarrados por guerras civiles y conflictos armados mayores. Estas misiones se constituyeron en las más intervencionistas y ambiciosas jamás emprendidas por la comunidad

---

[8] La intervención de las Naciones Unidas en favor de Surcorea, durante la guerra de Corea entre 1950 y 1953, en la cual Colombia fue el único país latinoamericano participante, enviando tropas allí, fue una anómala acción militar para las recién creadas Naciones Unidas. El Consejo de Seguridad de las Naciones Unidas autorizó el uso de la fuerza militar a solicitud del presidente estadounidense Harry S. Truman, cuando el asiento chino en el Consejo de Seguridad estaba ocupado por la República de China, formada por anticomunistas que habían establecido un gobierno en el exilio en la isla de Taiwán, y en momentos en que la Unión Soviética estaba boicoteando a las Naciones Unidas y, por lo tanto, no ejerció su derecho de veto. El resultado fue que la ONU autorizó una guerra en la que Estados Unidos y sus aliados combatieron contra Norcorea, asesorada por la Unión Soviética, miembro permanente del Consejo de Seguridad con poder de veto, y la República Popular China, futuro miembro permanente del Consejo de Seguridad con poder de veto.

[9] Véase Paris, Roland, *op. cit.*

internacional para facilitar y consolidar una paz sustentable dentro de los Estados-nación soberanos desgarrados por la guerra. Estas operaciones implicaban por primera vez una serie de etapas que comprendían la búsqueda de la paz, su mantenimiento y la asistencia para la reconstrucción posterior a la terminación del conflicto. Según fuese el caso, esta intervención se extendía desde la mediación y la facilitación de los acuerdos de paz, la verificación de los ceses al fuego, la ayuda al desarme y la desmovilización, el monitoreo de las elecciones nacionales, la supervisión de las comisiones de paz y justicia, hasta la capacitación del Estado en las áreas de reforma económica, funciones de seguridad y policía, planificación estatal y el establecimiento del estado de derecho mediante el funcionamiento de la justicia. La lista de los dieciocho casos se lee como un vistazo al horizonte posterior a la Guerra Fría: Namibia (1989), Nicaragua (1989), El Salvador (1990), Angola (1991), Camboya (1991), Mozambique (1992), Croacia (1992), Bosnia (1992), Liberia (1993), Ruanda (1993), Guatemala (1994), Timor Oriental (1999), Kosovo (1999), Sierra Leona (1999), Congo (1999), Afganistán (2002), Costa de Marfil (2003), Liberia (2003)[10].

Las causas de la violencia civil en cada uno de estos casos son complejas y variadas. Algunos movimientos se basaban en diferencias étnicas y regionales, otros en conflictos sociales y de clase nutridos por un conjunto de ideologías nacionalistas y revolucionarias. Algunos combinaban diferencias étnicas

---

[10]   Esta selección sigue el criterio aplicado por Roland Paris para identificar las "principales" operaciones en su estudio pionero sobre las operaciones de las Naciones Unidas para construir la paz, con la diferencia de que yo examiné las actividades de diplomacia y *peacemaking* que antecedieron las actividades de construcción de la paz y, por consiguiente, adelanté las fechas de iniciación de las operaciones de paz de la ONU para algunos de los casos. Los años entre paréntesis representan el año en el cual comenzó algún elemento de esas operaciones de la ONU. Los criterios de Paris para la inclusión entre las principales operaciones fueron: al menos doscientos guardianes de la paz formalmente aprobados por el Consejo de Seguridad de la ONU "en países apenas salidos de guerras civiles", lo que significa que el conflicto había alcanzado el nivel indicado para las guerras civiles de 1.000 muertes en combate; había sido librado dentro del territorio de un Estado-nación; y había durado por lo menos un año. Él no incluyó las operaciones de la ONU en Haití, donde hubo una ruptura del orden pero no un conflicto armado, ni de Somalia, donde la lucha nunca cesó, ni la invasión de Estados Unidos a Iraq en 2003. Véase Paris, Roland, *op. cit.* 2004.

y regionales con ideologías y reivindicaciones clasistas. Todos contaban con alguna base de recursos para sostener la guerra por tiempo indeterminado, suministrados por estados vecinos, comunidades en el exilio, o mediante el acceso a recursos minerales, diamantes, cultivos ilegales o al opio.

Sin embargo, ni el éxito ni el fracaso de las operaciones de paz internacionales estuvieron correlacionadas con cuestiones de origen étnico, ideología o el tipo de la fuente de recursos. Según como se defina el "éxito", se han logrado negociaciones exitosas en una serie de casos. Cada proceso de paz es necesariamente diferente y se orienta a superar diferentes fisuras nacionales que han conducido a la guerra. Pero si la medida del éxito es que no se reanuden las hostilidades después de los cinco años siguientes a la terminación de la operación de paz de la ONU, varios procesos han sido exitosos, entre ellos los de El Salvador, Nicaragua, Guatemala, Namibia, Mozambique y Timor Oriental, aunque algunos de estos países aún enfrenten problemas de desequilibrio a causa de la criminalidad, el desarrollo económico desigual y la inestabilidad política que se prolongan después de terminado el conflicto bélico. Pero también algunas misiones han sufrido extraordinarios fracasos. El genocidio en Ruanda de la etnia de los tutsis siguió a la iniciación de las operaciones de paz de la ONU. De igual manera, la ruptura de los acuerdos de paz en Angola llevó a una escalada de la violencia que cobró unas 300.000 vidas.

En el período inmediatamente posterior a la Guerra Fría, Estados Unidos también comenzó a utilizar, con criterio selectivo, su considerable influencia para promover la paz. En Centroamérica, después de promover la guerra durante casi una década, Estados Unidos cambió de rumbo y apoyó la iniciativa de paz promovida por el presidente de Costa Rica, Óscar Arias. Actuando de forma bilateral, presionaron a sus aliados políticos y militares de peso, sobre todo a las fuerzas armadas de El Salvador y a los grupos contrarrevolucionarios (contras) nicaragüenses, financiados por el gobierno estadounidense. Estados Unidos también defendió —aunque no sin las inevitables tensiones— las operaciones de paz de las Naciones Unidas, la OEA y otras organizaciones internacionales[11]; y en el caso de Guatemala, fue miembro del Grupo de Amigos.

---

[11]   Véase De Soto, Álvaro, "Ending Violent Conflict in El Salvador", en Crocker, Chester A.; Hampson, Fen Osler y Aall, Pamela (Comps.), *Herding Cats: Multiparty Mediation in a Complex World*, United States Institute of Peace Press, Washington, 1999.

Durante el gobierno de Clinton, la búsqueda de paz negociada (*peacemaking*) se volvió tema central de la política exterior de Estados Unidos, así como antes el presidente Jimmy Carter había promovido la cuestión de los derechos humanos. El presidente Clinton intentó gestionar personalmente un acuerdo de paz entre palestinos e israelíes. En una maniobra sin precedentes, Clinton también nombró un enviado especial para ayudar a promover un acuerdo negociado al ya viejo conflicto de Irlanda del Norte, región donde ejerce jurisdicción uno de los más estrechos aliados de Estados Unidos: el Reino Unido. Además, después de años de vacilaciones y fracasos de las operaciones de paz de las Naciones Unidas en la antigua Yugoslavia, Clinton encaminó sus esfuerzos hacia una intervención de la OTAN en Bosnia, que, a la larga, condujeron a un acuerdo de paz gestionado por Estados Unidos en conversaciones llevadas a cabo en una base militar estadounidense, en Dayton (Ohio). La de Bosnia fue seguida por una intervención similar de la OTAN para detener el genocidio en Kosovo.

Iniciativas de búsqueda de la paz (*peacemaking*) en Colombia

Conversaciones entre el gobierno y las guerrillas, ausencia de actores internacionales

A medida que los actores y las organizaciones internacionales tomaban, en mayor grado, la iniciativa para promover acuerdos negociados de conflictos civiles complejos, Colombia permanecía al margen de estos esfuerzos. A partir de 1982, varios presidentes colombianos iniciaron una cadena de procesos de paz en un esfuerzo por negociar el fin del ya largo conflicto armado nacional[12]. Ni el gobierno ni la guerrilla mostraron mucho interés en la mediación o la asistencia internacional. Durante un período que duró veinte años, de Betancur a Pastrana, cada presidente ajustó las reglas del juego de las negociaciones.

---

[12]   Algunos podrían decir que los esfuerzos de paz comenzaron en 1980, a partir de las exitosas negociaciones entre el M-19 y el gobierno de Turbay para poner en libertad a los rehenes diplomáticos tomados por el M-19 tras la toma de la embajada dominicana en Bogotá. Después, Turbay aprobó una ineficaz amnistía y designó al primer consejero de paz, el ex presidente Carlos Lleras Restrepo. Estos esfuerzos influyeron enormemente en la campaña presidencial entre el ex presidente Alfonso López Michelsen y Belisario Betancur e influyeron en el primer proceso de paz importante, iniciado por el ganador de la presidencia, Betancur.

Betancur habló de las causas objetivas y subjetivas de la violencia y prometió implementar una "apertura democrática" negociando con la guerrilla. Aseguró al país que los guerrilleros no eran bandidos ni criminales, sino actores políticos que representaban puntos de vista y grupos que fueron largamente excluidos de la arena política. Luego, el presidente Barco restringió el ámbito de las negociaciones afirmando que el país ya tenía instituciones legítimas para aprobar las reformas políticas necesarias. Las negociaciones, declaró, debían, por lo tanto, restringirse al desarme, la desmovilización y la reincorporación. Su propuesta se resume en la frase "mano tendida, pulso firme". Al final de su mandato, sólo el Movimiento 19 de Abril (M-19) la había aceptado. El presidente Gaviria continuó sustentando, en gran medida, la propuesta de Barco —de hecho, mantuvo el mismo equipo en la Consejería Presidencial para la Paz que Barco había renombrado Consejería para la Reconciliación, Normalización y Rehabilitación—. Pero Gaviria también dejó entrever la promesa de dar participación en una asamblea constituyente. Otros grupos más pequeños, entre ellos la facción dominante del Ejército Popular de Liberación (EPL) y el Movimiento Revolucionario Quintín Lame (MRQL) respondieron. Las FARC y el Ejército de Liberación Nacional (ELN) no se acogieron a la propuesta. El presidente Samper planteó reanudar las negociaciones con las FARC y el ELN, pero sus esfuerzos se vieron frustrados por las consecuencias del escándalo de infiltración del narcotráfico en su campaña presidencial que llenó de nubarrones su gobierno. Cuando Pastrana fue elegido en 1998 el país estaba listo para retornar a la amplia agenda de negociaciones propuesta por primera vez durante el gobierno de Betancur, cuando todas las reformas económicas, sociales y políticas estuvieron sobre la mesa. Se iniciaron nuevas negociaciones con las FARC y se hicieron importantes tentativas de acercamiento al ELN. El hilo conductor común de todos estos acercamientos fue el reconocimiento de cada movimiento guerrillero como principal interlocutor de las negociaciones; era la consideración de que una solución negociada con la guerrilla constituía la clave para la paz y la reforma democrática.

Estas experiencias, en un principio, antecedieron, después marcharon paralelas y luego se mantuvieron más allá en el tiempo de otros conflictos que fueron resueltos en la arena internacional. Sin embargo, desde el comienzo hasta el final la comunidad internacional fue sólo un actor secundario. Colombia nunca llegó a ser el foco de operaciones internacionales de paz. Mientras no haya una resolución del Consejo de Seguridad, el secretario general de las Naciones Unidas no actuará sin el acuerdo de todas las partes en conflicto. Ningún gobierno colombiano ni tampoco ningún actor armado han solicitado nunca una resolución del Consejo de Seguridad de la ONU, ni operaciones de paz patrocinadas por el organismo internacional. Esto contrasta con el marco establecido en los acuerdos de Esquipulas II, en 1987, que fue la base de la iniciativa de paz de Arias, donde expresamente se pedía la participación de las Naciones Unidas en el proceso de paz centroamericano.

El papel más cercano que ha desempeñado la ONU en el proceso de paz colombiano se ha dado por medio de un "consejero especial" del secretario general de las Naciones Unidas. En 1999, el secretario general Kofi Annan —cuyas funciones no deben confundirse con las del Consejo de Seguridad integrado por quince miembros, cinco con poder de veto— nombró un consejero especial para Colombia. Dos personas desempeñaron el cargo entre 1999 y 2004: el diplomático noruego Jan Egeland y el periodista y diplomático estadounidense James Lemoyne. A pesar de valientes esfuerzos, ambos sufrieron severas restricciones en lo que debían hacer en Colombia. En 2004, el secretario general, por solicitud del gobierno colombiano, suprimió el cargo.

Estados Unidos tampoco aplicó nunca su concepto de búsqueda de la paz (*peacemaking*) en Colombia. Aunque el gobierno de Clinton respaldó, de manera retórica, el plan de paz de Pastrana, las relaciones bilaterales estaban aún determinadas, sobre todo, por la política antinarcóticos estadounidense. Esto vino a ser muy claro cuando se presentó el Plan Colombia en Washington. Una propuesta de apoyo multidimensional al proceso de paz de Colombia, se transformó en una política de asistencia abrumadoramente concentrada en la lucha contra el narcotráfico y en el poderío militar. Incluso, mientras el gobierno de Clinton forjaba la paz en Irlanda del Norte y en Bosnia, y Clinton se reunía con Yasir Arafat en la Casa Blanca, Colombia permanecía al margen de las iniciativas de paz estadounidenses. Ya para la época del gobierno de Bush hijo y el ascenso de la "guerra antiterrorista", el poco respaldo de Estados Unidos al proceso de paz colombiano, basado en las negociaciones con la guerrilla, se había esfumado. Por supuesto, para entonces, la política interna colombiana también se había transformado de forma radical.

20 de febrero de 2002: el final de un proceso

Con el rompimiento de la zona de despeje, el 20 de febrero de 2002, la estructura básica que había sostenido veinte años de iniciativas de paz en Colombia quedó reducida a cenizas. La ruptura final significaba un punto ciego en la política de paz, que había prevalecido entre 1982 y 2002. Sin embargo, a fin de entender el endémico y prolongado conflicto de la nación, ha de comprenderse también la larga historia de pérdida de oportunidades durante el ciclo de veinte años de búsqueda de la paz descrito atrás. El fracaso pudo haberse evitado. Pero el éxito exigía cierto grado de riesgo político, audacia y compromiso que ninguno de los actores —el Estado o la guerrilla, o incluso el único actor internacional con suficiente influencia, Estados Unidos— estaba dispuesto o era capaz de hacer.

Lo que es sorprendente —sobre todo para un observador externo— es cuán sistemáticamente moderadas fueron, durante más de veinte años, las posiciones de los negociadores. A pesar de las estrechas relaciones de las FARC con el Partido Comunista Colombiano desde su fundación, en 1964, en ningún momento las FARC pidieron negociar sobre la base de una transición hacia un régimen o hacia una economía socialista. Desde los diálogos de La Uribe, que comenzaron con un acuerdo de cese al fuego en 1984, hasta las posiciones en Caracas y Tlaxcala en 1991 y 1992 y la agenda de 12 puntos desarrollada en el Caguán en 1999, las FARC demandaron importantes reformas políticas y económicas —agraria, electoral, militar, sobre derechos humanos, recursos naturales, inversión social— que están inscritas dentro de la corriente predominante o de centro-izquierda de la política democrática de casi todos los países latinoamericanos. Además, la mayoría de las propuestas de las FARC no se contradicen con las posiciones que sustentan sectores progresistas de los dos partidos tradicionales, como tampoco, en años recientes, con la recién surgida izquierda electoral colombiana.

Esto quedó más claramente subrayado en el folleto de amplia circulación, publicado como suplemento de la revista *Cambio 16 Colombia* (predecesora de la actual *Cambio*), en mayo de 1998, con el título de "La paz sobre la mesa". La revista publicó en la portada fotografías del presidente Samper; el dirigente de las FARC, Manuel Marulanda Vélez; el dirigente del ELN, Nicolás Bautista; y el jefe de los paramilitares, Carlos Castaño. En letra pequeña se leía en la portada: "Por primera vez cada uno de los actores en conflicto presenta sus propuestas de paz. Son más las coincidencias que las discrepancias". Y después, en letras grandes: "ENTONCES, ¿POR QUÉ PELEAN?".

Lado a lado, cada grupo presentó sus puntos de vista sobre el rumbo del conflicto, los prerrequisitos para un acuerdo negociado, los elementos que se requerirían para lograr el fin de la guerra. Las diferencias eran mínimas.

No obstante, las experiencias de negociación entre 1982 y 2002 estuvieron llenas de frustraciones. Un analista, el historiador Marco Palacios, dijo, de manera perspicaz, que cada uno de los mandatos presidenciales, durante ese período, podía dividirse en dos: Betancur I y Betancur II, Barco I y Barco II, y así sucesivamente. Lo cual significaba que cada uno había seguido un modelo, con algunas variaciones interesantes, de dos años de iniciativas de paz seguidos de dos años de guerra. Barco invirtió el modelo: tres años de guerra y un año final de paz. Gaviria empleó su primer año en supervisar la Asamblea Constituyente y la desmovilización del EPL y el Quintín Lame, y gran parte del segundo año en negociar con las FARC y el ELN (tras encarnizados combates que coincidieron con la Asamblea Constituyente). Sus dos últimos años estuvieron dedicados a lo que él llamó "guerra integral", marcados con la promesa de su Ministro de Defensa, Rafael Pardo Rueda, de que la guerrilla sería derrotada en dieciocho meses o, al menos, obligada a sentarse en la mesa de negociaciones. Finalmente, Pastrana empleó tres años y medio agotadores en fallidas negociaciones antes de declarar la guerra.

Uribe: diálogos con los paramilitares, ¿nuevo modelo de negociaciones?

En 2002, el presidente Álvaro Uribe inició negociaciones con el grupo paramilitar, Autodefensas Unidas de Colombia (AUC), lo que se configuró en un significativo punto de partida, muy lejano del anterior modelo que privilegió las negociaciones con la guerrilla de forma exclusiva. De este modo, Uribe cambió el lenguaje y la sustancia del proceso de negociaciones.

Los presidentes anteriores reconocieron a la guerrilla como un actor político que había tomado las armas contra el Estado, aunque fueron reacios a reconocerla como beligerante, conforme al derecho internacional humanitario. Los paramilitares no son ni insurgentes ni beligerantes. Aplicando una definición weberiana de tipo ideal: "Ellos no tomaron las armas contra el Estado. Tomaron las armas para defender al Estado o para proporcionar seguridad en ausencia del Estado". En términos analíticos y bajo definiciones del derecho internacional humanitario y de los derechos humanos, la guerrilla y los paramilitares no pueden ser fácilmente vistos como equivalentes. Las acciones de un grupo armado que lucha del lado del Estado, por vías legales o en contra de la ley, son responsabilidad del Estado mismo. Aunque en el transcurso del tiempo las fuerzas paramilitares se volvieron autónomas, este hecho no niega la responsabilidad histórica del Estado[13].

---

[13] En la medida en que los grupos armados ilegales se habían proliferado en el mundo después de la Guerra Fría, surgió un debate sobre si las acciones de los grupos paramilitares proestatales debían incluirse dentro del contexto de la aplicación del DIH, que cubre tanto las acciones de las fuerzas estatales como las de las fuerzas insurgentes, o si bien deben ser principalmente vistos como una fuerza de respon-

No hay ningún precedente internacional de un proceso de paz que estuviera basado, esencialmente, en negociaciones entre un Estado y sus partida-

sabilidad estatal dentro de las obligaciones internacionales del Estado de respetar los derechos humanos. Pierre Gassman, ex director del Comité Internacional de la Cruz Roja (CICR) en Colombia, participa en este debate y explica la decisión del CICR de entablar relaciones de forma directa con las AUC, aun reconociendo que los "paras" no son grupos insurgentes en el sentido clásico y legal del concepto. Véase Gassman, Pierre, "Colombia: Persuading Belligerants to Comply with Internacional Norms" en Chesterman, Simon, *Civilians in War*, Lynne Reinner, Boulder, 2001. Al mismo tiempo, la Oficina del Alto Comisionado de las Naciones Unidas para los Derechos Humanos en Colombia, ha colocado la responsabilidad del crecimiento de los paramilitares directamente en el Estado: "Como ya ha señalado la alta comisionada en informes anteriores, el Estado colombiano tiene una responsabilidad histórica innegable en el origen y el desarrollo del paramilitarismo que contó con amparo legal desde 1965 hasta 1989. Desde entonces, a pesar de que las llamadas "autodefensas" fueron declaradas inconstitucionales, han transcurrido ya diez años sin que se haya logrado su desmantelamiento efectivo. En este mismo plano histórico, recae una particular responsabilidad sobre las fuerzas militares, puesto que durante el extenso período de amparo legal de las "autodefensas", les correspondió promover, seleccionar, organizar, entrenar, dotar de armamento y proveer de apoyo logístico a estos grupos dentro de un esquema general de apoyo a la fuerza pública en su lucha contrainsurgente". Véase *Informe de la Alta Comisionada de las Naciones Unidas para los Derechos Humanos sobre la Oficina en Colombia* 2000: parágrafo 108. Al año siguiente, la alta comisionada escribió en su reporte anual: "Las violaciones de derechos humanos por parte de los grupos paramilitares comprometen la responsabilidad del Estado en diversos supuestos. Por una parte, dentro del contexto en el cual se realizan los hechos imputables a esos grupos hay elementos de responsabilidad general del Estado por la existencia, el desarrollo y la expansión del fenómeno paramilitar. De otra parte, también hay situaciones en las que el apoyo, la aquiescencia o la tolerancia de servidores públicos han sido sustantivos en la realización de los mencionados hechos. De igual manera, deben considerarse constitutivos de violaciones de los derechos humanos los hechos perpetrados por integrantes de grupos paramilitares por obra de la omisión de las autoridades. Cabe señalar que el Estado colombiano tiene obligaciones positivas en materia de protección de los derechos humanos y de prevención de sus violaciones". Véase *Informe de la Alta Comisionada de las Naciones Unidas para los Derechos Humanos sobre la Oficina en Colombia* 2001: parágrafo 27.

rios paramilitares, legales o ilegales. Hay dos casos de negociaciones donde participaron grupos de actores armados muy similares: el de Irlanda del Norte y el de El Salvador. En el primer caso, los diálogos multipartitos incluyeron a los británicos, a los unionistas pro Ulster —grupo paramilitar que combate del lado de los británicos— y al Ejército Republicano Irlandés. Allí, todas las partes estaban sentadas en la mesa. Lo que diferencia a la concepción de Uribe es que él entabló negociaciones con el grupo *armado proestatal* mientras que intensificaba la estrategia militar contra los insurgentes. Esto equivaldría a que los británicos negociaran con los unionistas mientras intentaban, al mismo tiempo, derrotar militarmente al Ejército Republicano Irlandés. Fue una propuesta original pero no constituyó un proceso de paz. Por definición, la paz supone negociaciones con los grupos armados de *oposición*.

Esto no quiere decir que la desmovilización de 30 mil paramilitares durante el primer gobierno de Uribe no haya sido un logro importante, aunque aún quedan grandes incertidumbres sobre el desmantelamiento de las *estructuras* del paramilitarismo y la continuidad de sus actividades criminales[14]. El Estado tiene la obligación de recuperar el monopolio del legítimo uso de la fuerza en sus operaciones de contrainsurgencia. Sin embargo, estas políticas por sí solas no deben interpretarse como un proceso de paz. En ninguna parte del mundo, un proceso de desmovilización, reforma o transformación de grupos paramilitares proestatales (aún con grandes grados de autonomía como en Colombia), ha sido considerado otra cosa que el reestablecimiento del legítimo papel del Estado en la conducción de las operaciones militares.

El segundo precedente, el de El Salvador, es también ilustrativo. Allí, el gobierno y las fuerzas armadas, presionados directamente por Estados Unidos, a mediados de la década de 1980, desmantelaron los escuadrones de la muerte paramilitares que empezaron a socavar el proceso de transición democrática que se iniciaba en ese período. Esta política tuvo cuatro consecuencias principales: primera, facilitó la transformación de los escuadrones de la muerte

---

[14] El caso de los paramilitares colombianos es sustancialmente más complicado que la tipología ideal weberiana de una *milicia* proestatal. Los paras, como ellos mismos lo admiten, están muy implicados en el narcotráfico, así como también en las adquisiciones ilegales de tierra y en graves violaciones de los derechos humanos. Antes del proceso de desmovilización, no había unidad de mando eficaz dentro de las AUC. Algunos grupos que exigieron reconocimiento como paras no tenían ninguna identidad política antes de entrar en el proceso de desmovilización.

en un exitoso partido político, la Alianza Renovadora Nacional (Arena) que pronto conquistó la presidencia mediante votación; segunda, para sorpresa de muchos, los antiguos escuadrones de la muerte, ahora convertidos en partido político legalmente reconocido, fueron a negociar la paz con la insurgencia guerrillera; tercera, el proceso constituyó un paso clave para lograr los acuerdos finales de paz eliminando el grupo que quizás más socavaría la posibilidad de éxito de cualquier acuerdo; y cuarta, el proceso creó un bastión contra la clase de políticas redistributivas propuestas por el Frente Farabundo Martí de Liberación Nacional (FMLN) y aseguró la economía de mercado, el libre comercio, la reducción del papel económico del Estado, como dictaminaba en ese entonces el neoliberal consenso de Washington. En otras palabras, el desmantelamiento de los escuadrones de la muerte constituía, en última instancia, un factor clave para alcanzar la paz, sobre todo eliminando saboteadores potenciales. También aseguró que el FMLN no fuera capaz de lograr en la mesa de negociaciones, tal como algunos lo interpretaron, la "revolución negociada"[15].

De manera similar, el total desmantelamiento de los paramilitares y el paramilitarismo en Colombia —si se logra— podría constituir un paso sustantivo para facilitar y consolidar una paz negociada al eliminar un grupo que, de manera permanente, ha desempeñado el papel de saboteador en pasados procesos de paz. Al mismo tiempo, el dar poder *político* a los paramilitares —incluso si tienen éxito al efectuar el tránsito a actores políticos y dejar atrás la violencia— probablemente limitará el alcance de posibles cambios políticos, económicos y sociales que surjan en la mesa de negociaciones.

También se debe reconocer que el gobierno de Uribe cambió hábilmente, por razones de convicción, estrategia o ambas, el lenguaje que casi siempre se usa dentro de los procesos de paz y que se utilizó durante veinte años en Colombia. En una notable manipulación lingüística, de la cual se sentirían orgullosos los burócratas del *distópico*[16]. Estado descrito por George Orwell en 1984, Uribe negó durante sus primeros cuatro años de mandato que existía un conflicto armado interno en Colombia. El conflicto fue reconceptualizado de una insurgencia armada, en búsqueda de reivindicaciones económicas, so-

---

[15] Véase Karl, Terry, "El Salvador's Negotiated Transition", en *Foreign Affairs*, Vol. 71, N° 2, primavera, pp. 147-164, y Montgomery, Tommie Sue, *Revolution in El Salvador: From Civil Strife to Civil Peace,* Westview, Boulder, 1995.

[16] Adaptación al castellano del neologismo inglés *dystopian* (nota del traductor).

ciales y políticas, dirigida contra el Estado, a una "guerra contra la sociedad" o un conjunto de actos terroristas librados por grupos ilegales de izquierda y de derecha. El problema de esta fórmula es que hace caso omiso de los viejos orígenes históricos, sociales y políticos de la guerra, y da por sentado que los actores armados no tienen profundas raíces históricas o sociales o, desde sus puntos de vista, reclamos bien fundados y políticamente legítimos. No es suficiente declarar —al cabo de sesenta años de conflicto— que todo conflicto armado es ilegítimo, o que, si fue legítimo en el pasado, no lo es hoy día. Además, dicha posición da por sentado que durante todos estos años el Estado no ha sido participante central en él y que, contrario a toda evidencia histórica y jurídica, no ha sido responsable, por acción u omisión, de graves violaciones de los derechos humanos y del derecho internacional humanitario. También ignora la profunda y bien documentada relación histórica entre el Estado y las fuerzas paramilitares. La introducción del lenguaje del "terrorismo", siguiendo la orientación del gobierno estadounidense en su "guerra global contra el terrorismo", facilitó esta política general de deshistorizar y despolitizar el conflicto.

Sin embargo, después de muchos fracasos de la política de paz, el lenguaje revisionista demostró ser atractivo en términos políticos. Pero no perdurará, pues constituye un truco de magia histórico. Finalmente, el Estado tendría que lograr la victoria en el campo de batalla, o por lo menos lograr suficiente dominio sobre sus adversarios para imponer una solución —perspectiva improbable, dadas la correlación de fuerzas en 2007 y las posibilidades de que cambie la dinámica del conflicto armado—, o retornar a una mesa de negociaciones más representativa, donde todos los actores del conflicto estuvieran presentes. Claro que un camino intermedio también es posible: convivir con la guerra, llamarla "violencia" como si fuera una fuerza de la naturaleza, e intentar mantener las fuerzas de seguridad suficientes para ubicar las confrontaciones armadas fuera de las principales urbes y las redes viales que conectan el país. Sin embargo, esto no es una estrategia como tal. Es otra versión de las mismas políticas de los últimos sesenta años. Tarde o temprano conduciría inexorablemente a nuevas demandas de mayores medidas de seguridad o a la búsqueda de una solución política.

Puede que se necesiten muchos años para constituir una mesa de negociaciones viable. En realidad, los participantes y la agenda de negociaciones estarán en gran medida determinados por el alcance de la política de desmovilización de los grupos paramilitares y las estructuras del paramilitarismo. Por una parte, el total desmantelamiento de los paramilitares eliminaría a un posible saboteador (*spoiler*) del proceso. No obstante, si aún siguen activos militarmente, así sea de manera regional y descentralizada —lo cual es muy probable—, tendrán que hacer parte, de una u otra forma, de futuras negociaciones. Si son desmantelados pero logran constituirse en partido político —como lo hizo Arena en El Salvador—, el alcance de las reformas, sobre todo las de orden político y social, durante largo tiempo demandadas por las FARC en las zonas rurales, puede ser más arduo o imposible de negociar. En el peor de los casos, sectores del paramilitarismo adquirirían una cuota de poder político, que utilizarían para obstruir las reformas propuestas en un futuro proceso de paz. Pero al mismo tiempo mantendrían intactas las estructuras paramilitares en el ámbito local y seguirían actuando constantemente como saboteadores (*spoilers*).

De esta forma, el presente libro no tiene por objeto un análisis de las negociaciones entre las AUC y el gobierno, durante el primer período de Uribe, sino que apunta, en primera instancia, a la comprensión de veinte años de casi siempre fallidas negociaciones entre el gobierno y los movimientos de oposición armada y, por otra parte, del tipo de problemas y de retos que será necesario encarar en un futuro momento, cuando las partes clave del conflicto armado retornen, de forma inevitable, a la mesa de negociaciones.

El caso colombiano y los estudios sobre la búsqueda de la paz (*peacemaking*) producidos en el ámbito académico

Los funcionarios y actores principales en las iniciativas de búsqueda de la paz, tanto colombianos como extranjeros, no han sido los únicos en ganar experiencia durante este período. Después de años de analizar los conflictos internacionales casi que de manera exclusiva, a partir de la década de 1990 los sociólogos comenzaron a centrar su atención más directamente en las causas de los conflictos armados internos, en los elementos de éxito de su resolución y en la construcción de la paz en períodos de posconflicto[17]. En esta sección

---

[17] Además de la relativamente gran cantidad de libros y artículos dedicados a estudios de casos específicos, entre ellos la importante bibliografía producida en el campo académico por los llamados "violentólogos", y más recientemente "pazólogos", en Colombia, hay varios trabajos teóricos y comparativos excelentes. Por ejemplo, véanse: Arnson, Cynthia (Comp.), *Comparative Peace Processes in Latin America*, Woodrow Wilson Center y Stanford University Press, Stanford, 1999; Licklider,

se analizan algunos aspectos que han surgido de la bibliografía y que son pertinentes al caso colombiano.

1) Conflicto armado interno y guerra civil

En Colombia hay un debate acerca de cómo clasificar la prolongada violencia de la nación. Algunos afirman que el conflicto es *sui géneris* y que no puede compararse con otros casos. Incluso el término *violencia* ha sido utilizado para evitar la etiqueta de guerra. En Colombia hay "violentólogos". En cualquier otro lugar los sociólogos estudian insurgencias, conflictos armados, revoluciones y guerras civiles. Este lenguaje ha tendido a oscurecer más que a clarificar el caso. El conflicto colombiano, al igual que todos los conflictos, tiene características únicas. Pero este conflicto interno puede compararse con otros, del mismo modo que sus experiencias en las negociaciones de paz.

Existe un consenso general en las publicaciones del campo académico en cuanto a la definición de guerras civiles y conflictos armados[18]. La definición básica proviene del Protocolo II de los Convenios de Ginebra. Este no emplea el término *guerra civil*. Habla de conflictos armados internos —que no son internacionales— en donde dos o más grupos armados organizados

---

Roy, *Stopping the Killing: How Civil Wars End,* New York University Press, Nueva York y Londres, 1993; Wood, Elizabeth Jean, *Forging Democracy from Below: Insurgent Transition in South Africa and El Salvador,* Cambridge University Press, Cambridge y Nueva York, 2000; Brown, Michael, *The International Dimension of Internal Conflicts,* MIT Press, Cambridge, 1996; Stedman, Stephen John, Rothchild, Donald y Cousens, Elizabeth M. (Comps.), *Ending Civil Wars: The Implementation of Peace Agreement;* Paris, Roland, *At War's End: Building Peace After Civil Conflict,* Cambridge University Press, Cambridge y Nueva York, 2004; Sriram, Chandra y Wermester, Karen (Comps.), *From Promise to Practice: Strengthening UN Capacity for Prevention of Violent Conflict,* Lynne Reinner, Boulder, 2003; Crocker, Chester A.; Hampson, Fen Osler y Aall, Pamela (Comps.), *Herding Cats: Multiparty Mediation in a Complex World,* United States Institute of Peace Press, Washington, 1999; Arnson, Cynthia y Zartman, William (Comps.), *Rethinking the Economics of War: The Intersection of Need, Creed, and Greed,* Woodrow Wilson Center Press y The Johns Hopkins University Press, Washington y Baltimore, 2005; Zartman, William, *Elusive Peace: Negotiating an End to Civil War,* Brookings Institution, Washington, 1995.

[18] Véase nota 5.

dentro de un Estado signatario se enfrentan militarmente y uno de ellos son las fuerzas armadas del Estado formalmente constituido[19]. Sin embargo, el derecho consuetudinario internacional, los convenios de Ginebra y el Protocolo II no elaboran una tipología de conflictos. Hablan de rebelión, insurgencia y beligerancia. La primera hace referencia a irrupciones violentas menores, disturbios o levantamientos esporádicos y por lo general no está convenida una protección internacional[20]. Insurgencia y beligerancia equivalen a conflictos internos mantenidos a lo largo del tiempo. Las provisiones del Protocolo II son aplicadas a todos los conflictos armados internos, sin importar su tamaño[21].

---

[19] Véase artículo 1 del protocolo adicional a los Convenios de Ginebra del 12 de agosto de 1949, relativo a la protección de las víctimas de los conflictos armados sin carácter internacional (Protocolo II). Aprobado el 8 de junio de 1977 por la Conferencia Diplomática sobre la Reafirmación y el Desarrollo del Derecho Internacional Humanitario Aplicable en los Conflictos Armados. Entrada en vigor: 7 de diciembre de 1978. Disponible en: http://www.unhchr.ch/spanish/html/menu3/b/94 sp.htm. Página consultada en octubre de 2006.

[20] El Protocolo II distingue expresamente los conflictos armados internos y otras formas de violencia interna: "El presente Protocolo no se aplicará a las situaciones de tensiones internas y de disturbios interiores, tales como los motines, los actos esporádicos y aislados de violencia y otros actos análogos, que no son conflictos armados". *Ibíd.*

[21] Las Convenciones de Ginebra y el Protocolo II proveen criterios sobre cuáles organizaciones pueden obtener el estatus legal de combatiente, en el marco de un conflicto armado reconocido. Para que los miembros de una organización puedan acceder a determinadas prerrogativas, en caso de captura, dicha organización debe cumplir con los siguientes criterios: (a) la organización debe estar comandada por una persona, responsable de sus subordinados; (b) los miembros de la organización deben utilizar un emblema, distinguible a la distancia; (c) los miembros de la organización deben estar armados abiertamente; y (d) los miembros de la organización deben efectuar sus operaciones militares de acuerdo con las normas y costumbres de la guerra. Ver la Convención de Ginebra relativa al trato de prisioneros de Guerra, Artículo 4 (A)(2) (adoptada el 12 de agosto de 1949 por la conferencia diplomática para el establecimiento de convenciones internacionales para la protección de las víctimas de guerra, llevada a cabo en Ginebra entre el 21 de abril y el 12 de agosto de 1949 y entrada en vigencia el 21 de octubre de 1950. Ver también, Con-

Los estudiosos académicos de guerra han intentado cuantificar esta terminología. La tipología de Uppsala define los conflictos menores, intermedios y mayores así como las guerras civiles. Una *guerra civil* es definida como un conflicto armado con más de 1.000 combatientes muertos anualmente, *dentro* de un territorio definido, entre dos o más adversarios *organizados,* uno de los cuales ha de ser un Estado reconocido. Un *conflicto armado interno mayor* es uno con un total de mil o más muertos en combate, pero menos de mil cada año. El concepto operativo son dos fuerzas militares organizadas, una de las cuales pertenece al Estado. Las fuerzas no tienen que ser simétricas. En realidad, en casi todos los conflictos armados internos las fuerzas son altamente asimétricas, con las fuerzas estatales mucho más numerosas que los ejércitos irregulares. Una masacre, perpetrada por el Estado, de más de 1.000 ciudadanos no organizados e inermes no es una guerra civil. Ataques terroristas aislados a la población civil no son una guerra civil. Si los combates entre un ejército guerrillero y las fuerzas estatales producen más de 1.000 muertes anuales, sí es una guerra civil.

Esta definición de guerras civiles difiere de la visión cinematográfica de las guerras civiles como batallas masivas con grandes ejércitos oponiendo la mitad de la población a la otra, una suerte de versión de *Lo que el viento se llevó* del norte contra el sur en la guerra civil estadounidense, o de los republicanos contra los fascistas en la guerra civil española o, incluso, de liberales contra conservadores en Colombia. El mérito de la tipología de Uppsala es que deja margen para la investigación comparativa. Ellas son categorías numéricas y definitorias, no normativas. El Protocolo II sigue la misma lógica. Omite los motivos, la ideología, la legitimidad o cuestiones de apoyo popular. Como columna del derecho internacional humanitario, nada tiene que ver con tipologías académicas de los conflictos y las guerras: se aplica a todos los conflictos armados internos. Sin embargo, para muchos gobiernos, admitir un conflicto armado es reconocerle legitimidad al adversario, que es con frecuencia descrito como ilegítimo, terrorista, criminal, narco-guerrillero, y la

---

vención de la Haya respecto a las normas y costumbres de guerra en tierra, octubre 18 de 1907, 36 Stat. 2277.

Si se aplicase a los dos principales grupos guerrilleros de Colombia —ELN y FARC—, los primeros tres elementos serían aceptados. El literal "d" sería más complicado, aunque no se descalificaría del todo, ya que muy pocos grupos armados o fuerzas armadas formalmente constituidas cumplen este requisito a plenitud.

guerra en sí misma es considerada como actos de terrorismo no relacionados con los problemas sociales y políticos. No obstante, en tiempos de búsqueda de la paz corresponde al gobierno dar un giro y reconocer la legitimidad política de su(s) contraparte(s).

La clasificación de un conflicto como conflicto armado mayor o como guerra civil no es sólo cuestión de semántica. También refleja cómo los combatientes piensan, actúan y planean estrategias. En Colombia, las FARC, el ELN y otras agrupaciones están organizadas como ejércitos guerrilleros que libran combates con fuerzas del Estado. Conducen sus operaciones militares de manera estratégica haciendo uso de cálculos geográficos y políticos, económicos y sociales. Atacan áreas para crear corredores, ampliar su influencia territorial, captar recursos o debilitar al Estado. El hecho de que las fuerzas guerrilleras también ataquen a civiles, violando el Protocolo II, no invalida tales realidades, incluso si terminan exponiendo a los combatientes de forma individual y a los líderes a ser posteriormente acusados de crímenes de guerra.

El gobierno también conduce operaciones militares contra las fuerzas irregulares. El Plan Patriota envió 16.000 soldados al sur de Colombia a atacar a las FARC, adentrándose en el territorio de estas. Para quienes viven en las zonas de combate, no hay modo de escapar a la realidad de la guerra. Miles de muertes anuales y cientos de miles de personas desplazadas ponen esto de manifiesto. Si parece una guerra, si apesta a guerra, si se conduce como una guerra —y más de 1.000 combatientes son muertos en circunstancias de guerra—, entonces *es* una guerra. Durante los tres primeros años de gobierno de Uribe, hubo 8.686 muertes en combate, un promedio de 2.895 por año[22]. Conforme a lo establecido por el Protocolo II de los Convenios de Ginebra, ratificados por Colombia en 1996, esto es un conflicto armado interno. Reconocer el conflicto armado interno constituye el primer paso para encontrar una solución integral.

2) Momentos maduros y empates mutuamente nocivos (Ripe moments and mutually hurting stalemates)

Una teoría central de las negociaciones sostiene que los conflictos armados internos están "maduros" para las negociaciones cuando hay un "empate mu-

---

[22] Fundación Seguridad y Democracia, "Informe especial: Uribe: tres años". Disponible en: www.seguridadydemocracia.org. Página consultada en octubre de 2006.

tuamente nocivo"[23]. El mejor momento para arreglar un conflicto es, primero, cuando ninguna de las dos partes es capaz de derrotar a la otra —un empate— y, segundo, cuando el padecimiento de la guerra se vuelve inaceptable o insoportable para ambas partes —"mutuamente dolidas"—. Cuando ambas condiciones se dan de forma simultánea, la guerra está "madura" para el acuerdo.

Aunque algunos analistas colombianos han hablado de un "empate negativo", que es cuando el gobierno ha sido incapaz de derrotar a la guerrilla pero ella, a la vez, ha sido incapaz de tomarse el poder, la situación no ha llegado al límite en que los costos y padecimientos proveen de incentivos suficientes para alcanzar un acuerdo negociado. En este caso, el conflicto nunca ha estado maduro para el acuerdo.

Jesús Antonio Bejarano, el negociador de paz asesinado, que en muchos sentidos se ha convertido en el santo patrono de los analistas del proceso de paz colombiano a causa de sus perspicaces análisis, escribió en 1998 que él pensaba que las condiciones podían haberse vuelto favorables —"maduras", en los términos aquí planteados— en el momento en que se preparaba el terreno para las negociaciones del gobierno de Pastrana con las FARC[24]. Las guerrillas desplegaron un poderío militar sin precedentes en el país y, lo que es más importante, la élite de los negocios y ciertos sectores políticos parecían suavizar su oposición a un acuerdo negociado. Sin embargo, a fin de cuentas, el análisis era prematuro. Desde luego, el conflicto interno colombiano se hallaba en un empate negativo, pero no era "un empate mutuamente nocivo". Los padecimientos fueron sentidos de forma desproporcionada por la sociedad civil, no por las élites políticas, militares, guerrilleras, comerciantes, institucionales y económicas del país.

¿Puede negociarse la paz cuando el momento no está "maduro"? La respuesta breve sería: no es así de fácil. En ausencia de condiciones de una victoria cercana o de una derrota cercana, es difícil para ambas partes reunir la voluntad política o el amplio apoyo necesarios para alcanzar un acuerdo. ¿Puede un "empate negativo que perjudique a la sociedad civil" servir de sustituto a un "empate mutuamente nocivo"? Es una pregunta interesante y quizá Colombia se adelante en responderla. Aunque los diferentes actores

---

[23]   Véase Zartman, William (Comp.), *op. cit.,* y Zartman, William, *Ripe for Resolution,* Oxford University Press, Nueva York, 1985.

[24]   Véase Bejarano, Jesús Antonio, "Commentary", en Arnson, Cynthia (Comp.), *op. cit.*

armados puedan sostener de forma indefinida sus operaciones sin un cambio significativo en el balance militar, el sufrimiento de la sociedad civil por causa de la guerra es absolutamente real. Durante muchos años, la sociedad civil ha respondido con un fervoroso apoyo a la paz. Esto quedó demostrado cuando, en octubre de 1998, diez millones de colombianos se pronunciaron a favor de una paz negociada al votar por el "Mandato por la paz". En el ámbito local, movimientos, redes, coaliciones y organizaciones por la paz han proliferado y han visto el fortalecimiento de su influencia, incluso mientras otros movimientos de protesta social han sido debilitados a consecuencia de la guerra sucia y otros factores. Colombia ha sido pionera en la instrumentación de las comunidades de paz, en las que decenas de comunidades han declarado que no participarán en la guerra. Mediante estos esfuerzos la sociedad civil se ha transformado, en muchos aspectos, de víctima en agente.

La esperanza es que tal actividad logre cambiar la dinámica de la guerra, así como los cálculos de los actores armados. Pero es un proceso lento y lleno de frustraciones. Durante los primeros cinco años del gobierno de Uribe, familiares de víctimas del secuestro y rehenes presionaron al gobierno y a las FARC a que entablaran negociaciones serias para lograr un "acuerdo humanitario" de intercambio de prisioneros de las FARC detenidos por el gobierno por rehenes de estas. El sufrimiento de las familias movió a la opinión pública. Sin embargo, durante cinco años no movió suficientemente al gobierno ni a los dirigentes guerrilleros que tienen poder de decisión para negociar un acuerdo. Esta experiencia pone de relieve la fuerza potencial, pero al mismo tiempo las reales limitaciones de las acciones de la sociedad civil.

3) Relación entre el campo de batalla y la mesa de negociaciones

En la bibliografía sobre el tema se analiza la relación entre la fuerza de los combatientes en el campo de batalla y el posible resultado en la mesa de negociaciones[25]. Para el sentido común, cuanto más fuerte sea militarmente una de las partes, más fuerte será su posición en la mesa de negociaciones. Por el contrario, si una de las partes es significativamente más débil, entonces la parte más fuerte estará en condiciones de dictar los términos del acuerdo negociado. Esta percepción explica el porqué de muchos de los motivos que han conducido a los diferentes actores armados antes y durante los distintos períodos de negocia-

---

[25] Véase Holl, Jane E., "When War Doesn't Work: Understanding the Relationship between the Battlefield and the Negotiating Table", en Licklider, Roy, *op. cit.*

ciones en Colombia. Todas las partes han incrementado sus acciones militares antes de nuevas rondas de conversaciones. Durante el mandato de Pastrana, las FARC y el gobierno acordaron negociar sin un cese al fuego. A lo largo de las negociaciones, ambas partes buscaron fortalecer su capacidad militar e incrementar sus operaciones. El gobierno profundizó y aumentó sus relaciones militares con Estados Unidos mediante la iniciación del Plan Colombia. Las FARC lanzaron ataques concertados para abrir nuevos corredores estratégicos que condujeran fuera de la zona de despeje y, en general, ampliaron sus acciones militares en Arauca, Chocó, Norte de Santander y otros departamentos.

Sin embargo, el registro histórico de otros casos revela que el resultado de las negociaciones no necesariamente refleja la situación en el campo de batalla, y el poderío militar no siempre confiere la ventaja esperada. En Guatemala, mientras las negociaciones proseguían con toda formalidad, las guerrillas de la Unión Revolucionaria Nacional Guatemalteca (URNG) estaban prácticamente derrotadas. Militarmente eran una fuerza insignificante, pero políticamente la apertura democrática había dado más espacio a una mayor pluralidad de voces. ¿Por qué, entonces, el gobierno de la derecha de Álvaro Arzú entabló negociaciones con la guerrilla guatemalteca? Algunos estudiosos, como Cynthia Arnson, han dado una fascinante respuesta a este interrogante[26]. Sus argumentos hacen eco a lo que se ha expuesto en el caso colombiano: las negociaciones no deben ser consideradas como una suerte de juego en que las ganancias de una de las partes deben traducirse necesariamente en pérdidas equivalentes para la otra parte, ni los acuerdos deben ser vistos como concesiones a una u otra de las partes. ¡No! En sociedades donde el régimen tradicional de instituciones establecidas —entre ellas las elecciones, los partidos políticos y la separación de las tres ramas del poder— es incapaz de efectuar la clase de cambios necesarios para hacer avanzar la participación democrática y reducir las barreras de la participación social, económica y política, los procesos de paz deben ser considerados como un foro especial y una oportunidad singular, por fuera de las estructuras institucionales normales del régimen, para aprobar e implementar estas reformas. La creación de tales foros especiales en situaciones de conflicto armado interno puede ser utilizada no sólo para terminar las hostilidades, sino también para consolidar la democracia y el Estado de Derecho en casos en que tales reformas han sido históricamente bloqueadas por la herencia de exclusiones institucionales previas.

---

[26]   Véase Arnson, Cynthia, *op. cit.*

En muchos sentidos, las negociaciones guatemaltecas se hicieron conforme a este modelo. Conducentes a un acuerdo final, hubo una serie de acuerdos sustantivos sobre: derechos humanos (marzo de 1994); reasentamiento de los desplazados (junio de 1994); creación de una "comisión de clarificación histórica" para investigar la violación de los derechos humanos durante el conflicto (junio de 1994); derechos indígenas (marzo de 1995); cese al fuego (noviembre de 1995); reforma agraria y socioeconómica (mayo de 1996); control civil de las fuerzas armadas (septiembre de 1996); acuerdo final de legalización de la URNG, disponiendo el marco para reformas democráticas constitucionales y elecciones y declarando un cese al fuego definitivo (diciembre de 1996). Estos acuerdos no se efectuaron como una concesión a la guerrilla ni reflejaron el equilibrio militar del conflicto. Constituyeron el resultado de una valoración colectiva de miembros de la sociedad civil, el Estado, los partidos políticos y los actores armados acerca de lo que mejor convenía a una futura Guatemala democrática.

La experiencia de Guatemala estimuló mucho el optimismo entre los miembros de la comunidad internacional interesados en los procesos de paz dentro de conflictos internos. Sin embargo, con el tiempo la euforia se desvaneció. A pesar del gran alcance de los acuerdos, muy pocos se pusieron en práctica y el régimen no fue transformado de modo significativo. Las reformas económicas fueron obstruidas por los poderosos intereses económicos del país y muy pocas cosas cambiaron[27]. El golpe final fue asestado cuando, en 1999, muchas de las reformas clave fueron presentadas a la población en un referendo popular porque el Congreso guatemalteco fue incapaz de lograr la mayoría de dos tercios requerida para aprobar las reformas constitucionales. Las reformas fueron presentadas en el referendo distribuyéndolas en cuatro preguntas. Tan solo el 18% de los ciudadanos con derecho al voto acudieron a las urnas; todas las preguntas sometidas a referendo fueron derrotadas por un margen de dos a uno[28].

¿Quiere decir, entonces, que la experiencia de Guatemala reafirma la interpretación de la relación entre campo de batalla y mesa de negociaciones?

---

[27] Véase De Tichoc, Kara, "Battlefield Strength and Peace Accords: Guatemala and Salvador", tesis de maestría en Estudios Latinoamericanos, Georgetown University, 2005; Paris, Roland, *op. cit.*

[28] Véase Stanley, William y Holiday, David, "Broad Participation, Diffuse Responsibility: Peace Implementation in Guatemala", en Stedman, Rothchild and Cousens, *op. cit.*

¿Habrían tenido mayor vigor los acuerdos guatemaltecos de paz y habría habido mayor posibilidad de ponerlos en práctica de manera exitosa si la guerrilla guatemalteca hubiera sido militarmente más fuerte?

Al menos una analista cree que la respuesta a estas preguntas es afirmativa[29]. La voluntad política y las buenas intenciones de algunos negociadores, tanto de la comunidad internacional como del país en conflicto, pueden no ser suficientes. Una vez firmado el acuerdo, las relaciones de poder subyacentes en el momento del armisticio pueden prevalecer. Es un análisis desalentador porque podría conducir a que cada una de las partes siguiera sus impulsos naturales, lo cual sería incrementar sus acciones militares antes y, si no hay cese al fuego, durante cada período de negociaciones.

No obstante, la respuesta puede no ser tan simple. En un caso como el de Colombia, donde el conflicto ha durado tantos años, el escalamiento periódico de la violencia puede no traducirse en influencia eficaz en la mesa de negociaciones. La progresiva militarización de la guerra puede ser vista tan solo como una creciente carnicería sin razón. Para el momento de la negociación en Guatemala, el conflicto había terminado esencialmente. Dentro del contexto de una guerra prolongada, estancada y caracterizada por un empate negativo, como en Colombia, donde las dimensiones básicas de un acuerdo final son previsibles y han sido conocidas durante años, no es probable que la ampliación de la guerra cambie el resultado final. Más bien, puede postergar o minar la resolución final. Una analista, Jane E. Holl, escribió:

> Aunque las guerras son sobre todo el uso de la fuerza para resolver cuestiones en litigio, con el tiempo un conflicto armado interno suele evolucionar hasta el punto en que la actividad militar entre los beligerantes no es el factor decisivo, ni incluso el más importante, para resolver la guerra. Además, con frecuencia los beligerantes omiten reconocer esta tendencia, con el consiguiente efecto de que incurren en costos innecesarios (en cuanto a recursos y vidas) que pueden, a su vez, socavar sus esfuerzos para lograr los objetivos específicos de la guerra mediante acuerdos negociados. Sorprendentemente, la forma en que una guerra se libra puede tener poco que ver con la forma como termina[30].

---

[29]   Véase De Tichoc, *op.cit.*

[30]   Véase Holl, Jane E., *op. cit.*, p.10.

El gran reto en Colombia, por lo tanto, es llegar de algún modo a la mesa de negociaciones y forjar allí un acuerdo o unos acuerdos integrales. Incrementando la actividad militar, a pesar de las ventajas psicológicas colectivas y políticas partidistas que se obtengan, quizás se logrará muy poco cuando se llegue a la mesa de negociaciones y se dé forma a un resultado final. Este es, quizá, el gran dilema del proceso de paz colombiano: al no haber un "empate mutuamente nocivo", ninguna de las partes tiene suficientes incentivos para comprometerse. Sin embargo, el incremento de la actividad militar de ambas partes dará pocos beneficios tangibles más allá de los psicológicos y políticos a corto plazo.

4) Alerta a los saboteadores (Beware of spoilers)

Un proceso de paz no culmina con la firma de los acuerdos. En muchos casos, los retos más significativos surgen una vez firmados los acuerdos iniciales para comenzar las conversaciones, o incluso una vez logrados los acuerdos finales. En consecuencia, los analistas han centrado su atención en la *implementación de la paz*, haciendo referencia tanto a períodos multifacéticos y prolongados de negociación, como a los períodos iniciales del posconflicto, donde se deben implementar los acuerdos de paz. Como se ha mencionado con anterioridad, la mayoría de los acuerdos se rompen en el lapso de los cinco años siguientes y las partes terminan retomando las armas. Hay varias razones que explican los rompimientos de los acuerdos, dos de las cuales son las acciones de los saboteadores (*spoilers*) y la ausencia de medidas de seguridad para los combatientes y ex combatientes durante los procesos de negociación y transición.

El concepto de saboteadores no se ha desarrollado ni comprendido de forma adecuada. Este hace referencia a 1) facciones al interior de uno de los actores armados —partes del proceso— que se oponen a los acuerdos y, por consiguiente, hacen todo lo posible por arruinar los eventuales acuerdos, o 2) terceras partes, por fuera de la mesa de negociaciones, que tienen intereses en obstruir los acuerdos. Sobre este tema, mucha de la bibliografía hace énfasis en los primeros.

Stephen Stedman, el académico que más ampliamente ha tratado esta problemática, sostiene que, con cierta periodicidad, no hay información completa sobre las verdaderas intenciones de los combatientes cuando entran a un proceso de paz. De igual manera, el grado de cohesión o fragmentación interna de los grupos armados o el Estado es incierto para todos los actores involucrados en el proceso.

Con frecuencia, grupos o facciones acceden a entrar en las negociaciones por razones tácticas para ganar ventajas en la guerra, pero sin ningún tipo de voluntad en negociar sus posiciones. Stedman habla de "líderes rebeldes que duran décadas en la selva rodeados de psicópatas que les aseguran y los convencen que el mundo gira en torno a ellos y que no son capaces de concebir que el poder puede ser divisible"[31]. Esta falla conceptual sobre la indivisibilidad del poder afecta a líderes dogmáticos, personalistas o ideológicos, tanto rebeldes como del Estado. En estas situaciones los saboteadores pueden provenir de la facción principal en la medida en que los negociadores se aproximan a los acuerdos.

Sin embargo, las intenciones e incluso los intereses pueden cambiar a lo largo de las negociaciones, o bien de un período de negociación al otro, como resultado de incentivos, presiones externas o internas, o realineamientos tácticos, estratégicos y de metas plausibles. Stedman resalta que "existen ejemplos de facciones originalmente tachadas de saboteadoras que posteriormente estuvieron comprometidas en buscar una salida negociada. Tal es el caso de la Organización de Liberación Palestina (OLP) en los años setenta o el Ejército Republicano Irlandés (IRA)"[32].

En Colombia ha habido ejemplos de actitudes saboteadoras de facciones tanto de la guerrilla como del Estado. Las negociaciones en Tlaxcala (1992) y en el Caguán (1998-2002) se rompieron cuando la guerrilla secuestró a un ex ministro de Estado, en el primer caso, y a un congresista que viajaba en un avión, en el segundo. Estos incidentes terminaron fortaleciendo las posiciones en contra de la negociación y fueron utilizados por el gobierno para justificar su retiro de la mesa y la suspensión de los diálogos subsecuentes. Ese era, en efecto, el propósito de los saboteadores.

Pero también hay antecedentes de la presencia de saboteadores dentro del Estado. Durante casi todo el período de negociaciones entre 1982 y 1986, las fuerzas armadas se opusieron públicamente a muchos aspectos del proceso de paz. Cuando se acordó el cese al fuego en 1984, por encima de la voluntad

---

[31] Cita específicamente casos extremos como los de Foday Sankoh del Frente Unido Revolucionario de Sierra Leona, Pol Pot de Khmer Rouge en Camboya y Jonas Savimbi de Unita en Angola. Véase Stedman, Stephen John, "Introduction" en Stedman, Rotchild y Cousens, *op. cit.*

[32] Véase Zahar, Marie-Joëlle y Darby, John citado en Stedman, Stephen John, "Introduction" en Stedman, Rotchild y Cousens, *op. cit.*

de altos mandos militares, la Comisión de Verificación designada demandó, en repetidas ocasiones, violaciones por parte de las fuerzas armadas. Incluso antes de firmarse el acuerdo de cese al fuego, el comisionado de paz, Otto Morales Benítez, lanzó un enérgico ataque para explicar su renuncia. "Hay enemigos de la paz agazapados dentro y fuera del Estado", exhortó.

Sin embargo, en Colombia los saboteadores más significativos han sido los paramilitares. Es difícil catalogar a estos grupos dentro de la tipología de saboteadores antes descrita, como facciones internas o terceras partes por fuera de la negociación. Algunos grupos son totalmente autónomos y deben ser considerados como terceras partes. Otros son semiautónomos, relacionados de alguna forma con el Estado pero con un grado importante de autonomía, como lo manifestó una vez la Oficina del Alto Comisionado para la Paz[33]. Unos terceros tienen vínculos directos con las fuerzas estatales como lo han revelado muchas organizaciones de derechos humanos[34].

Lo que sí resulta claro es que las fuerzas paramilitares, primero como grupos regionales descentralizados y luego, desde 1997, como fuerzas ligeramente organizadas bajo el paraguas de las AUC, han actuado varias veces como saboteadores de los acuerdos durante las más significativas negociaciones con los grupos guerrilleros del país (1984-1986, 1990-1992, 1998-2002).

Las fuerzas paramilitares en alguna de las tres formas antes descritas, fueron responsables de la guerra sucia contra la Unión Patriótica (UP) —un partido fundado expresamente por las FARC en el contexto de un proceso de paz como vehículo de participación política—. La guerra sucia contra la UP representó un ejemplo dramático y exitoso de la capacidad que tienen los saboteadores de menoscabar y derrumbar un proceso de paz. Condujo a un rompimiento definitivo del acuerdo de cese al fuego con las FARC en 1987, después de casi tres años de duración. En efecto, el legado de este primer pe-

---

[33] Véase Ríos, José Noé y García-Peña Jaramillo, Daniel, *Building Tomorrow's Peace: A Strategy for Reconciliation*, Report by the Peace Exploration Comission, presentada al presidente de la república, Ernesto Samper, Oficina del Alto Comisionado para la Paz, Presidencia de la República, Bogotá, 9 de septiembre de 1997.

[34] Véase Human Rights Watch, "La 'Sexta División': relaciones militares-paramilitares y la política estadounidense en Colombia", Human Rights Watch, Nueva York, 2001. Disponible en: http://hrw.org/spanish/informes/2001/sexta_division.html. Página consultada en noviembre de 2006.

ríodo de acercamiento ha rondado todas las negociaciones posteriores con las FARC y aún hoy sigue siendo un factor limitante.

Más recientemente, a lo largo de las negociaciones del Caguán en la administración de Andrés Pastrana (1998-2002), las dos partes acordaron no tratar el tema del cese al fuego en el inicio de las conversaciones. Las FARC, teniendo en cuenta las pasadas experiencias, condicionaron su participación en los diálogos a la confrontación abierta del Estado a los paramilitares y el desmantelamiento de los vínculos entre estos y las fuerzas armadas. La respuesta de Pastrana fue pedir la baja de algunos altos oficiales del ejército, movida que en su momento fue percibida como audaz y sin precedentes. Sin embargo, en el campo, las recién creadas AUC aumentaron su fortaleza militar y presencia territorial de forma significativa. Pasaron de ser una fuerza de aproximadamente 4.000 combatientes en 1998 a ser una de más de 8.000 en 2003[35]. Al mismo tiempo, se incrementaron las violaciones masivas de derechos humanos y del derecho internacional humanitario[36]. Continuaban, de esta forma, manteniendo su papel de saboteadores del proceso y hacían todo lo posible por arruinar un acuerdo duradero entre el gobierno y las FARC.

¿Qué se puede hacer contra los saboteadores? Stedman y otros argumentan que los mediadores internacionales y los negociadores internos deben seguir en la tarea de promover la paz, independientemente de las incertidumbres y el riesgo. La única opción es identificar, iniciando el proceso, a los saboteadores potenciales y a sus demandas. Las posibles amenazas deben

---

[35] En 2006, las cifras habían crecido tanto que más de 30.000 combatientes participaron en el proceso de desmovilización.

[36] Según la Comisión Colombiana de Juristas, el 56% de todas las violaciones al derecho humanitario en 2003, incluyendo muertos a personas civiles o combatientes fuera de combate, pueden ser atribuidas a las fuerzas paramilitares; 19% a fuerzas guerrilleras, 5% a Fuerzas Estatales, y 20% a grupos sin identificar. Véase Comisión Colombiana de Juristas, "Colombia: en contravía de las recomendaciones internacionales (agosto 2002-agosto 2004)", Bogotá, 2004. En el mismo año, 2003, según el Sistema de Alertas Tempranas (un programa dentro de la Defensoría del Pueblo diseñado para prevenir violaciones masivas de derechos humanos) el 47% de los informes de riesgo emitidos fueron dirigidos para prevenir acciones de las AUC, 39% a las FARC y 14% al ELN. Véase Defensoría del Pueblo, "Información Estadística del Sistema de Alertas Tempranas, SAT", Bogotá, 1 de enero de 2002 a 30 de enero de 2004.

ser afrontadas con las políticas apropiadas, las cuales pueden incluir diálogos, incentivos, represión, sanciones internacionales y, en todos los casos, inteligencia adecuada. Superar el problema de los saboteadores puede ser el paso más crítico a dar en la mesa de negociaciones.

Una mirada adelante

Los siguientes capítulos examinan los procesos de paz en Colombia desde distintos ángulos. El capítulo 2, titulado "Procesos de paz de la Uribe a Uribe", examina de forma separada los distintos procesos de paz, desde las negociaciones del gobierno de Belisario Betancur con las FARC en el municipio de la Uribe (Meta), hasta la elección y reelección del actual presidente, Álvaro Uribe. El capítulo analiza las cambiantes estrategias de negociación con las diversas agrupaciones guerrilleras y las fallidas políticas de construcción de paz en los últimos veinticinco años. Asimismo, estudia la evolución del pensamiento en el marco de las ciencias sociales y las causas e impactos de la insurgencia armada a lo largo de este período de la historia colombiana.

El capítulo también describe detalladamente la prolongada, y en efecto fallida, historia de los muchos procesos de paz en Colombia. De esta forma se argumenta que todos los actores involucrados desperdiciaron enormes oportunidades reales de paz. Desde que comenzaron los diálogos entre el gobierno y los grupos guerrilleros en una camioneta estacionada en las afueras de la embajada de la República Dominicana durante la toma del M-19 en 1980, hasta el agotado y finalmente inútil proceso del Caguán que finalizó en 2002, el resultado real es que el conflicto se ha profundizado, incrementado, ha causado más violencia, más destrucción, más muertes, al tiempo que ha desplazado de sus lugares de origen a millones de personas indefensas. Estos fallidos procesos de paz han tenido consecuencias trágicas y costosas. Como resultado de esto, Colombia ha evadido un examen de su propia y enorme experiencia en iniciativas de paz. En este sentido, el segundo capítulo es un esfuerzo para reevaluar la historia reciente de Colombia y examinar las estrategias y políticas tanto exitosas como fallidas.

El capítulo 3 se centra en el papel que ha cumplido la comunidad internacional en el caso colombiano, sobre todo en el proceso de paz en la administración de Andrés Pastrana. La comunidad internacional había sido un actor ausente durante los primeros procesos de paz en los años ochenta y comienzos de los noventa. Cuando a finales de los años noventa las organizaciones internacionales, los gobiernos y las ONG, entre otros, comenzaron a interesarse en participar en los procesos colombianos, muchos descubrieron que tenían muy poca influencia y que Estados Unidos, el único actor internacional con una capacidad significativa para apalancar la paz en Colombia, estaba sumido en la búsqueda de una estrategia antinarcóticos fundamentalmente implementada por la vía militar. La asistencia de Estados Unidos al Plan Colombia destinaba tan solo un 0,2% a la búsqueda de paz y alrededor del 20% a programas relacionados con temas como los derechos humanos, la justicia y la gobernabilidad local. La asistencia estadounidense remanente financiaba fumigaciones, helicópteros, batallones antinarcóticos, entrenamiento policial, inteligencia y otras actividades militares. En la medida en que en Estados Unidos se le dio vía a la guerra contra el terrorismo, después de los atentados del 11 de septiembre de 2001, y en Colombia a la política de seguridad democrática tras el fracaso de los diálogos del Caguán, los objetivos estratégicos de ambos países se alinearon perfectamente. Sin embargo, el costo de esto fue la ausencia de una iniciativa de paz comprensiva más allá de la necesaria pero insuficiente desmovilización de los paramilitares y los diálogos intermitentes con el ELN. Muchos sectores en la comunidad internacional se vieron obligados a ponerse en la difícil posición de insistir en los derechos humanos y en la asistencia humanitaria. Algunos actores sobre todo la OEA y ciertos gobiernos europeos, así como los Estados Unidos, aceptaron involucrarse, de manera incómoda en muchas ocasiones, en la supervisión del proceso de desmovilización de los paramilitares. Todos argumentaban que la desmovilización debería llevarse a cabo, pero no al costo de la impunidad. En el caso de las FARC, una serie de actores internacionales, desde las Naciones Unidas hasta los gobiernos de Francia, Suiza y España, intentaron facilitar un acuerdo de intercambio de prisioneros entre el gobierno colombiano y las FARC. A pesar de los progresos intermitentes y afluencia de propuestas para lograr el acuerdo humanitario, finalmente estos esfuerzos fracasaron durante la primera administración de Uribe. Esta experiencia resaltó de nuevo lo que había sido claro en los anteriores procesos de paz con el ELN y las FARC en el gobierno de Andrés Pastrana. En el caso de Colombia, el poder y la influencia internacional siguen centrándose en Washington, no en Bruselas, París o Nueva York.

El capítulo 4 analiza los temas de amnistías y justicia —o su ausencia en su caso— en el conflicto. Antes del comienzo de este período de procesos de paz en los años ochenta, Colombia ya tenía una profunda tradición de finalizar conflictos por medio de concesiones de amnistías generales a los combatientes, como fue el caso en 1953, 1958, 1980 y 1982. Esta práctica se sintetiza en la expresión "borrón y cuenta nueva". Hoy día, el derecho internacional relacionado con derechos humanos y crímenes de guerra ha evolucionado al punto de la existencia de un bloque de legislación internacional sobre derechos humanos, que sostiene que una nación no puede otorgar amnistías cuando se trata de crímenes de lesa humanidad o de guerra. Este capítulo estudia el papel de la impunidad a lo largo del prolongado conflicto colombiano, y se pregunta: ¿es la impunidad una causante de la violencia? De ser así, ¿cuál es entonces el papel de la justicia en la resolución de conflictos?, ¿qué tipo de justicia?, ¿individual?, ¿colectiva?, ¿reparadora?, ¿retributiva? Lo que resulta claro es que en el siglo xxi Colombia no puede aprobar amnistías sin un detallado examen internacional y nacional como lo ha hecho en el pasado. El proceso de desmovilización de los paramilitares comenzó en 2003 con una primera introducción del tema en la arena política y planteó preguntas sobre la relación entre impunidad, justicia y paz. En el marco de un eventual proceso de paz comprensivo que incluya a todos los actores, este debate necesitará una precisión mucho más profunda. No existen, en este aspecto, respuestas claras. Ningún país ha logrado un balance apropiado en una situación de posconflicto, ni El Salvador, ni Guatemala, ni Sudáfrica, ni Perú. En este campo, como en tantos otros, Colombia necesitará mirar tantos años de impunidad. Es posible que decida que son necesarios algunos elementos de justicia retributiva. La comunidad internacional también podrá ser muy útil en este sentido. Sin embargo, el balance de los programas dedicados a crear verdad y justicia necesitarán estar basados en lo que se conoce como "justicia reparadora", es decir, la implementación de programas que estén dirigidos a subsanar las profundas injusticias arraigadas en instituciones, regiones y sectores de la sociedad específicos que afectan de manera directa las vidas de un importante segmento de la ciudadanía.

El capítulo 5 se enfoca en el impacto, intangible pero cuantificable, del apogeo del tráfico de drogas en la redefinición del conflicto desde la década de los ochenta y en la forma como se atrajo más directamente a los Estados Unidos a este. Como se argumenta a lo largo de este libro, el conflicto colombiano antecede en varias décadas al florecimiento del negocio ilícito de las drogas. Sin embargo, el tráfico de drogas transformó, sin lugar a dudas, el conflicto en el país, dándoles nuevos recursos a los combatientes, corrompiendo las instituciones y actores estatales, empeorando las condiciones sociales y generando conflicto de tierras y concentración de las mismas con las inversiones de los narcotraficantes en el campo. También condujo, de manera directa, a la aparición de un nuevo actor en el conflicto, las fuerzas paramilitares financiadas por los nuevos terratenientes (narcos), en muchos casos con el beneplácito o incluso colaboración del Estado. El conflicto colombiano no es fundamentalmente sobre el tráfico de droga; una eventual eliminación de esta actividad ilegal no culminaría de forma directa con el conflicto. En todo caso, los dos elementos se han entrelazado y el progreso en un área probablemente generaría progreso en la otra. El presidente Pastrana argumentó en cierta ocasión que un proceso de paz exitoso sería la más eficiente política contra el narcotráfico. Esto le permitiría al Estado expandir su presencia a lo largo y ancho del territorio nacional y trabajar con los actores armados en aras de la construcción de instituciones legítimas y alternativas económicas viables. Esto sólo se puede lograr de manera exitosa en su cabalidad en un contexto de paz. De forma paradójica, la asistencia de Estados Unidos al Plan Colombia transformó totalmente la formulación original de Pastrana. Estados Unidos argumentó que una lucha exitosa contra el tráfico de drogas debilitaría las bases de los recursos de la guerrilla y los paramilitares y, por lo tanto, reduciría el conflicto.

Analíticamente, esta transformación del Plan Colombia de una estrategia multifacética en búsqueda de la paz a una estrategia antinarcóticos patrocinada por Estados Unidos fue un fracaso, tanto como plan antinarcóticos como estrategia para lograr la paz. Esta apreciación no comprendió plenamente la relación entre los recursos ilegales y el conflicto armado. Se basó principalmente en la controversial tesis del economista británico Paul Collier, que sostiene que las guerras civiles y los conflictos armados internos son explicados de manera más adecuada por las estrategias depredadoras y por conflictos sobre los recursos económicos. Collier describe su entendimiento de este tipo de problemas con la frase "codicia vs. agravios". Conceptualmente, esta aproximación ignora una parte importante de la literatura de las ciencias sociales sobre la movilización de recursos y su papel en rebeliones e insurgencias. No explica adecuadamente ni el surgimiento ni la permanencia del conflicto armado en Colombia que ha sembrado raíces en la larga historia del conflicto social y político en el país. Los recursos facilitan la insurgencia; la codicia de uno u otro lado puede obstruir una solución negociada. Pero la solución al conflicto armado no se encontrará en un intento por reprimir recursos a los actores en conflicto.

En suma, aún estoy convencido de que la paz es posible en Colombia. Todos los presidentes han intentado modernizar las fuerzas armadas. El Presidente Gaviria lanzó su famosa "guerra integral" y modernizó la capacidad contrainsurgente de las fuerzas armadas. Pastrana introdujo el Plan Colombia, que tuvo también en la modernización de las fuerzas armadas su eje central. Uribe dedicó el máximo esfuerzo a su política de seguridad democrática. Pero cada uno de estos esfuerzos se quedó corto en las metas propuestas en cuanto a victoria militar o negociación impuesta.

La historia de guerra irregular en Colombia conduce inexorablemente a las siguientes conclusiones: dado el déficit de presencia estatal, gastos sociales, democracia y la larga historia de impunidad y violencia, no es posible una solución militar a este conflicto. De otro lado, sí es posible una solución política; su contorno ha sido visible por muchos años. La paz dependerá de reformas políticas, seguridad e inclusión, es decir, acceso al poder. También se tendrá que trabajar sobre el tema de la justicia. Los responsables de las políticas públicas y los analistas necesitan, entonces, mirar fríamente la historia previa de oportunidades perdidas, errores y políticas mal concebidas, así como las políticas y los programas que pueden ser revisados, corregidos o reestructurados de manera adecuada para anticipar el momento cuando todas las partes tendrán que sentarse de nuevo en la mesa de negociaciones. Una vez más.

Capítulo 2.

LOS PROCESOS DE PAZ: DE LA URIBE (1984) A URIBE (2002)

INTRODUCCIÓN

La violencia ha sido un factor determinante en las últimas seis décadas en la política colombiana. A mediados de los años noventa, al mismo tiempo que los asesinatos políticos, las muertes en combate y las masacres de civiles continuaban desgarrando a la sociedad civil y menoscabando el alcance y la legitimidad de las instituciones de la nación, millones de colombianos de todos los matices políticos comenzaron a movilizarse para apoyar un esfuerzo renovado en búsqueda de la paz entre los actores violentos que luchan por el poder. En octubre de 1997, alrededor de diez millones de colombianos votaron por un "mandato para la paz", expresado en términos generales. En mayo de 1998, millones de colombianos atendieron al llamado simbólico de suspender sus labores durante treinta minutos, mientras otras decenas de miles marchaban por las calles exigiendo un alto en la violencia política.

Al mismo tiempo, sendas organizaciones de la sociedad civil acogieron de inmediato la iniciativa, afirmando explícitamente que no querían dejar la cuestión de la reconciliación nacional en manos del presidente, ni reducirla a un acuerdo entre la élite gobernante y los dirigentes guerrilleros. De esta forma, representantes de la Iglesia católica, sindicatos, universidades, asociaciones de empresarios y grupos cívicos, entre otros, fundaron una Comisión de Reconciliación Nacional para promover la participación y el interés de la sociedad civil en futuras negociaciones. Otros grupos y comunidades empezaron a organizarse en el ámbito local, buscando un espacio de paz —comunidades de paz, zonas humanitarias— en medio de la violencia. En algunos casos, buscaron iniciar diálogos directos a nivel local con los actores en conflicto.

De modo análogo, la comunidad internacional —bancos de desarrollo multilateral, organizaciones no gubernamentales, otros estados y organizaciones regionales y mundiales— comenzaron a tratar directamente el tema de la violencia colombiana y a insistir en que la paz era la clave para alcanzar otros objetivos políticos, desde la protección de los derechos humanos hasta la promoción del desarrollo, el combate contra las drogas ilícitas y la defensa del medio ambiente. Además, en la medida en que la comunidad internacional comenzó a participar cada vez más, ayudando a los desplazados por la violencia, proporcionando auxilio a las comunidades locales afectadas por las hostilidades, denunciando las violaciones de los derechos humanos y contribuyendo a los esfuerzos de mediación para liberar a soldados y civiles secuestrados, muchos sectores empezaron a pedir una participación internacional más concertada en el proceso de paz de Colombia. Tal desempeño internacional directo no tenía, hasta ese momento, precedente alguno en Colombia. Los anteriores esfuerzos para negociar la paz, a partir de comienzos de los años ochenta, fueron exclusivamente nacionales.

Este clamor de actividades contribuyó a determinar la elección presidencial de 1998, que se centró en el tema de la paz. Muchos atribuyen el último impulso en la victoria de Andrés Pastrana sobre el candidato liberal Horacio Serpa en la segunda vuelta de las elecciones a la muy publicitada reunión, en territorio guerrillero, de un cercano asesor del candidato Pastrana con el líder histórico de las FARC, Manuel Marulanda Vélez. Después de quedar levemente rezagado en la votación de la primera vuelta, el apoyo a Pastrana fue aumentando, luego de la reunión. El país se dispuso a emprender, una vez más, otro proceso de paz.

En efecto, entre 1982 y 1998, cada elección presidencial y cada nuevo gobierno estuvieron determinados por la cuestión de la paz y los intentos de los sucesivos gobiernos, tanto de acumular los éxitos como de evitar los fracasos y errores percibidos de sus antecesores. En muchos aspectos, el período presidencial de Pastrana representa el esfuerzo más ambicioso en este sentido. Sin embargo, este esfuerzo terminó fracasando, y este fracaso tuvo el efecto de cambiar drásticamente la política colombiana.

En las elecciones presidenciales de 2002, por primera vez en dos décadas, el tema decisivo no fue la paz sino la guerra. El rompimiento del proceso de paz de Pastrana, apenas meses antes de la votación presidencial, condujo al inesperado ascenso del candidato independiente y disidente liberal Álvaro Uribe. Uribe propuso una nueva mano dura. Sugirió ampliar la eficacia y el alcance de las fuerzas armadas y combatir la guerrilla y al mismo tiempo recomendó —otra vez apartándose significativamente de los esfuerzos anteriores— explorar la posibilidad de dialogar con los paramilitares de derecha, que nunca antes habían participado en las tentativas de paz. Uribe ganó de manera decisiva en la primera vuelta, y con ello en apariencia llegaron a su fin veinte años de intentos de búsqueda de la paz.

Sin embargo, si los cinco presidentes anteriores a Uribe tenían su período de guerra y su período de paz, el interrogante, al comenzar el nuevo período presidencial, en 2006, era si la segunda administración de Uribe podría representar a un Uribe II[1]. Y si fuera así, el interrogante sería: ¿la dinámica de seguridad cambió lo suficiente como para alterar la dinámica en la mesa de negociaciones? Los actores en conflicto volverán inexorablemente a la mesa de negociaciones, antes o después del fin del gobierno de Uribe. La única cuestión sería hasta qué punto se habrá degradado el conflicto armado y cuántas vidas más habrán perecido mientras haya suficiente voluntad para negociar la paz.

Los procesos de paz en Colombia comenzaron mucho antes de las exitosas experiencias en El Salvador y en otras partes donde se produjeron algunos acuerdos negociados para terminar la guerra civil o la insurgencia guerrillera. En 1982, se ofrecieron a los guerrilleros y a la mayoría de los presos políticos una amnistía incondicional y perdón. En 1984, el gobierno colombiano firmó acuerdos de cese al fuego con cuatro agrupaciones guerrilleras e intentó comprometerlas —junto con otros sectores políticos— en un gran diálogo nacional sobre los principales problemas políticos del país como reforma agraria, educación, asuntos laborales, cuestiones constitucionales, entre otros.

---

[1]   En el discurso para su segundo período presidencial 2006-2010, el presidente Uribe declaró: "Reitero nuestra voluntad de lograr la paz, para lo cual únicamente pedimos hechos. Hechos también irreversibles que expresen el designio de conseguirla… Hemos insistido sin temor en nuestras acciones en procura de la seguridad. No nos frena el miedo para negociar la paz. Confieso que me preocupa algo diferente: el riesgo de no llegar a la paz y retroceder en seguridad. La paz necesita sinceridad. Por eso los hechos irreversibles de reconciliación deben ser el enlace entre seguridad y paz".

Este era un modelo que se adelantaba a su época y que se repetiría una década después en Guatemala. Pero si el modelo funcionó a finales de los años noventa en Guatemala —al menos en cuanto condujo a un acuerdo de paz—, fracasó a principios de los años ochenta en Colombia.

De nuevo, entre 1989 y 1994, los gobiernos ofrecieron varias rondas de conversaciones con diferentes movimientos guerrilleros. Esta vez, y con algunas variantes, los gobiernos de Barco y Gaviria plantearon limitada una agenda de negociaciones centrada en los temas de cese unilateral al fuego, desarme y conversión de las agrupaciones guerrilleras en partidos políticos legales. Las cuestiones sociales y económicas, así como las reformas políticas de fondo, quedaron fuera de la mesa. De manera sorprendente, esta ronda de negociaciones condujo al desarme y a la reincorporación de varias agrupaciones pequeñas, incluidos grupos emblemáticos como el M-19 y el EPL. Sin embargo, a pesar de los serios intentos por ampliar el proceso, este modelo de agenda reducida demostró ser insuficiente para sentar las bases de una paz duradera con los movimientos guerrilleros mayores, de modo muy particular con las FARC y el ELN.

A mediados de los años noventa, Colombia se había transformado de manera significativa. Los costos de los fallidos procesos de paz anteriores fueron bastante altos. La violencia era tres veces mayor en 1998 que en 1982. Durante este tiempo, el panorama político también había sido reconstituido radicalmente por el ascenso de nuevos y poderosos actores sociales vinculados al narcotráfico, la proliferación de grupos paramilitares ligados a las fuerzas armadas y a los terratenientes locales, los movimientos guerrilleros militarmente más fuertes, así como una gran población de desplazados internos, lo que aceleró la ya de por sí avanzada urbanización del país y la colonización a gran escala de tierras ecológicamente sensibles. De manera concomitante, los contextos geopolítico y económico mundiales fueron transformados de forma irrevocable, alterados por el derrumbe de la Guerra Fría, la liberalización de la economía y el impacto del floreciente comercio mundial de las drogas ilícitas.

En 1998, el gobierno de Pastrana optó por tratar estas múltiples crisis con un ambiguo conjunto de medidas que combinaban la política de iniciativas de construcción de paz (*peacemaking*) con aquellas dirigidas hacia el fortalecimiento de las fuerzas armadas y reafirmar las, históricamente estrechas, relaciones de Colombia con Estados Unidos, después de años de tensión en las relaciones bilaterales durante el gobierno de Samper. El fracaso de la primera parte de esta estrategia, que fue un esfuerzo final para alcanzar la paz en la mesa de negociaciones, condujo a buscar una solución alternativa que priorizaría la dimensión militar y relegaría las negociaciones a un distante punto de suspenso.

De manera objetiva, el conflicto colombiano no parece ser más insoluble que muchas otras rebeliones armadas en el mundo. Los conflictos armados no surgieron como resultado de la exclusión étnica o racial. A juzgar por las pasadas negociaciones y demandas públicas, ni existen distancias ideológicas grandes, ni las peticiones de la guerrilla son excesivas en un contexto comparativo[2]. Sin embargo, a medida que transcurren el tiempo y la historia, la capacidad para negociar con éxito parece disminuir. Las guerrillas se han afianzado más en el ámbito local y tienen mayor proyección militar en todo el territorio nacional que en cualquier período anterior del conflicto. La violencia política se desarrolla ahora en torno al control territorial y la competencia por la tierra y la gente que la puebla, entre el Estado y los actores ilegalmente armados. La metodología de esta competencia es tener como objetivo la población civil. La antigua dinámica de la insurgencia izquierdista dirigida contra el Estado ha cedido de forma creciente el paso al enfrentamiento de múltiples actores armados por el control de determinado territorio que va, en cuanto a tamaño, desde una finca hasta un municipio o una región. Los combatientes buscan apoyo social, recursos económicos, corredores y zonas militarmente estratégicas. Su estrategia tiende a cambiar de acuerdo con el curso de la guerra. La violencia es, por lo tanto, bastante variable, según las distintas regiones.

El presente capítulo analiza estas diferentes facetas de la insurgencia colombiana, al igual que los repetidos intentos por lograr un acuerdo negociado para poner fin al conflicto armado. También reflexiona sobre los movimientos guerrilleros y varias cuestiones conceptuales concernientes a las causas de la violencia política, que son decisivos para comprender el caso colombiano y, por extensión, otros conflictos civiles. Estas secciones del capítulo se centran en las percepciones que se han desarrollado en torno a las causas de la guerra de guerrillas, los posibles caminos hacia la paz y la relación entre violencia

---

[2]   Véase Comité Internacional de la Cruz Roja, Comisión de Conciliación Nacional, y *Cambio 16 Colombia*, "La paz sobre la mesa", 11 de mayo de 1998, discutido en el capítulo 1. Este extraordinario documento, masivamente distribuido como separata dentro de la edición del 11 de mayo de la revista colombiana *Cambio 16 Colombia* presenta la posición pública, sobre una amplia gama de temas, de los principales actores en el conflicto, entre ellos los movimientos guerrilleros, las organizaciones paramilitares y el gobierno. Véase también Chernick, Marc, "Las FARC at the Negotiating Table", en Bouvier, Virginia, *Colombia: Building Peace in a Time of War*, United States Institute of Peace, Washington D.C. [En proceso de publicación].

política y otras formas de violencia social, entre las cuales se encuentran el narcotráfico y la delincuencia común.

Al analizar las estrategias específicas de paz de sucesivos gobiernos colombianos, el presente capítulo examina lo que ha funcionado y lo que no. Se pregunta cuáles oportunidades fueron aprovechadas y cuáles se desperdiciaron. Y concluye planteando unos cuantos interrogantes fundamentales respecto a un acuerdo negociado: ¿En qué condiciones son viables las negociaciones? ¿Cuáles asuntos son negociables y apropiados para tratar en una mesa de negociaciones y cuáles son impropios en un encuentro tan especializado? ¿Quiénes deberían sentarse a la mesa? ¿Qué rol puede desempeñar la comunidad internacional? ¿Cómo debería estar representada la sociedad civil?

Rebeldes armados en Colombia, 1948-2007

Durante seis décadas, la violencia ha fluido y refluido. Más de 200 mil colombianos perecieron en la primera etapa de la violencia, conocida como la Violencia, entre 1948 y 1958, analizada históricamente como una guerra civil partidista que desencadenó una explosión de violencia social y política entre seguidores de los partidos liberal y conservador. Después del inicio del Frente Nacional[3] —en lo esencial, un pacto negociado de reparto del poder entre los dos partidos tradicionales—, la violencia disminuyó. Sin embargo, estos acuerdos trascendentales si bien tuvieron éxito en desmovilizar a liberales y conservadores, no proporcionaron una paz completa y duradera. La violencia perduró, aunque a niveles considerablemente menores, durante las dos décadas siguientes. Algunos grupos y comunidades se negaron a entregar las armas o a reconocer

---

[3] En 1957, los dos partidos tradicionales negociaron un pacto político de larga duración para terminar con el conflicto violento y repartirse el poder. Los acuerdos políticos fueron ratificados en un plebiscito nacional y consistieron en un pacto entre liberales y conservadores para compartir el poder, el cual disponía la alternación en la presidencia de la república cada cuatro años durante un lapso de dieciséis, así como plena e igual representación (50% y 50%) de ambos partidos en las ramas ejecutiva, legislativa y judicial del Estado en los ámbitos nacional, regional y local. Desde un principio, los demás partidos fueron excluidos de toda participación. Después de 1974, los principales pilares del Frente Nacional fueron mantenidos mediante una reforma constitucional que permaneció vigente hasta 1991.

el acuerdo de reparto del poder elaborado por los dirigentes de los dos partidos tradicionales. Al mismo tiempo, nuevos movimientos guerrilleros se alzaron en armas contra los gobiernos de la coalición elitista. Las divisiones verticales determinadas por la afiliación a partidos opuestos fueron reemplazadas por nuevas divisiones horizontales entre una élite que tenía acceso directo a la participación política y aquellos que continuaban siendo excluidos política y socialmente.

Esta segunda etapa de la violencia colombiana que alcanzó su apogeo a mediados de los años sesenta, transcurrió dentro de un conflicto de relativa baja intensidad entre las guerrillas y el Estado. En los años ochenta, los niveles de violencia comenzaron a elevarse otra vez, acercándose eventualmente a los máximos alcanzados en los años cuarenta y cincuenta. Entre 1987 y 2006, según los datos oficiales suministrados por la policía nacional, se registraron 484.714 homicidios[4]. La mayoría de estas muertes fueron consideradas como producto de crímenes y violencia común, aunque en Colombia es confusa la línea divisoria entre violencia común y violencia política. Según la Comi-

[4]

Cuadro 2-1
Número de homicidios en Colombia de 1987 a 2006. Total, anual, tasa

Año	Homicidios	Tasa por 100,000 habitantes
1987	16.535	-
1988	21.509	-
1989	23.441	-
1990	24.308	69.5
1991	28.284	79.2
1992	28.224	77.5
1993	28.173	75.8
1994	26.828	70.8
1995	25.398	65.8
1996	26.642	67.7
1997	25.379	63.3
1998	23.096	56.5
1999	24.358	58.5
2000	26.540	62.7
2001	27.841	64.6
2002	28.837	65.8
2003	23.523	52.7
2004	20.208	44.1
2005	18.111	39.9
2006	17.479	37.3
Total	484.714	

Fuente: CIC-DIJIN Policía Nacional 2007.

sión Colombiana de Juristas, entre 2002 y 2006 aproximadamente 18,58% o 20.102 de ellos representan actos de violencia sociopolítica y de guerra: 11.292 personas asesinadas o desaparecidas por fuera de combate (en promedio más de siete personas diarias), más 8.810 que murieron en medio de combates (en promedio seis personas diarias). Durante los seis años anteriores (1996-2002), el promedio fue alrededor de catorce personas diarias muertas o desaparecidas fuera o dentro del combate por razones políticas[5].

En muchos aspectos, la etapa más reciente del conflicto se asemeja al temprano período de los años cuarenta y cincuenta. En ambos casos la violencia fue generada por la confluencia de factores estructurales, institucionales y sociales que exacerbaron las hostilidades sociales existentes, las acentuadas desigualdades y el desangre por encima del diálogo o la reforma. Estos pueden describirse así: la acelerada concentración de la tierra cultivable en el campo, estimulada en la etapa actual por las inversiones de los narcotraficantes, y en el período inicial por el auge del comercio cafetero; la total ausencia o, en algunas zonas, el "colapso parcial" del Estado en extensas áreas del territorio nacional[6]; la expulsión masiva de campesinos de sus tierras, generando un elevado número de personas desplazadas, calculado en más de 2 millones en los años cincuenta y en más de 1,5 millones en la década de los noventa, y su posterior aceleración que lo eleva a más de 2,5 millones en los primeros años del nuevo siglo; amplia emigración interna, tanto en dirección rural-urbana, que llevó al sobre crecimiento de los centros urbanos, y en sentido rural-rural, que condujo a la acelerada apertura de las fronteras agrícolas en zonas no colonizadas del país, fuera del control del Estado; y la multiplicidad de los actores armados —distintas unidades guerrilleras que adherían a diferentes líderes nacionales, un mosaico de bandas paramilitares locales, jefes políticos, terratenientes—, que casi siempre tenían sus raíces en problemas locales, conflictos sociales y luchas por el poder. En las décadas de 1940 y 1950, estos conflictos locales fueron disimulados de manera superfi-

---

[5]   Véase Comisión Colombiana de Juristas, *Colombia 2002-2006: Situación de Derechos humanos y Derecho humanitario,* Bogotá, 2007.

[6]   La idea del "colapso parcial del Estado" la expuso por primera vez Paul Oquist en su estudio pionero sobre la Violencia. Especialmente crítico es el colapso de la capacidad del Estado para mantener el orden y la administración de justicia. Véase Oquist, Paul, *Violencia, conflicto y política en Colombia,* Instituto de Estudios Colombianos, Bogotá, 1978.

cial por las más amplias hostilidades partidistas entre liberales y conservadores[7]; en los años ochenta y noventa, de nuevo fueron escasamente ocultados por la guerra entre las guerrillas y el Estado. Bajo los contornos de la violencia política en Colombia, hay una guerra social —que ha tenido como escenario principal las áreas rurales— librada encarnizadamente durante casi todo el siglo xx y prolongada en la actualidad[8].

Durante sesenta años nunca se han abordado muchos de los factores sociales y políticos que han fomentado la violencia en el ámbito local. No obstante, esta heterogénea realidad social, que se halla en las raíces de la violencia colombiana, determinada por conflictos regionales y locales, ha contribuido a fomentar proyectos revolucionarios y de rebeldía de alcance nacional. Un acuerdo de paz en el ámbito nacional, como el que se logró en 1957-1958 con la fundación del Frente Nacional, no condujo a la paz en todos los ámbitos locales ni pacificó a los innumerables actores sociales que se hallaban en guerra.

Además, el hecho de que el comienzo del Frente Nacional coincidiera con los primeros años del triunfo de la Revolución Cubana, dio nueva vida a la opción revolucionaria de la lucha armada. Así, en Colombia, a diferencia de otras naciones sudamericanas, las guerrillas pudieron consolidar su presencia en varias zonas rurales durante la primera década del Frente Nacional. A pesar de los enormes obstáculos y enfrentamientos con los militares colombianos, estudiantes rebeldes, guerrilleros liberales disidentes y veteranos combatientes

---

[7]   Para una comprensión del contenido social de la violencia en los decenios de 1940 y 1950, véase el fundamental e influyente trabajo de Guzmán Campos, Germán, Fals Borda, Orlando y Umaña Luna, Eduardo, *La violencia en Colombia: Estudio de un proceso social*, Carlos Valencia, Bogotá, 1980.

[8]   Para un análisis inicial del contenido social de la violencia colombiana, véase Chernick, Marc y Jiménez, Michael, "Popular Liberalism, Radical Democracy and Marxism: Leftist Politics in Contemporary Colombia", en Carr, Barry y Ellner, Steve, *The Latin American Left*, Boulder y Londres, Westview and Latin America Bureau, 1993. Un estudio realizado entre 1990 y 1995 señala el carácter constante de la base rural de la violencia colombiana. Encuentra que, entre los más violentos municipios del país, el 93% era de estructura principalmente rural, mientras que sólo la del 7% era urbana. Véase "Mitos del homicidio en Colombia", en Paz Pública, Programa de Estudios sobre Seguridad, Justicia y Violencia, Universidad de los Andes, carta N° 1, Bogotá, julio de 1997.

campesinos comunistas encontraron, hasta cierto punto, el terreno más propicio para la actividad revolucionaria que se pudiera dar en cualquier otro lugar de América. Los nuevos movimientos guerrilleros colombianos —algunos de ellos deliberadamente organizados como focos al modo cubano inspirados por las ideas revolucionarias del Che Guevara[9]; otros con profundas raíces en las organizaciones campesinas de períodos anteriores— fueron capaces de insertarse en comunidades remotas que ya contaban con la experiencia de varias décadas de rebelión y conflictos sociales armados. Las guerrillas colombianas llegaron a comunidades donde el Estado tenía poca presencia y la autoridad central era por lo general desconocida. Las casi impenetrables y escasamente pobladas montañas, llanuras y selvas facilitaron el crecimiento de estos movimientos guerrilleros, sobre todo dentro de los nuevos asentamientos humanos a lo largo de la extensa frontera agrícola.

A mediados de los años sesenta, el panorama revolucionario de Colombia había tomado forma y ya habían surgido algunas organizaciones guerrilleras significativas. Estas eran: las FARC, basadas en los grupos de autodefensa comunistas que surgieron en las regiones cafeteras y a lo largo de la frontera de colonización agraria en los años cuarenta y cincuenta; el maoísta EPL, que reflejaba la ruptura sino-soviética de comienzos de los años sesenta; el procubano ELN, fundado por jóvenes colombianos que estudiaban en La Habana en los años posteriores al triunfo de la Revolución Cubana. Cada una de estas agrupaciones se basó en el ya existente trabajo político y en la organización de los grupos comunistas y liberales armados que estuvieron activos durante la Violencia. Además, cada una de estas agrupaciones, a pesar de aparecer externamente como la expresión de ideologías internacionales, estaba muy anclada a sus vínculos con las hondas grietas políticas y económicas de la sociedad colombiana. Ser un campesino comunista en una región cafetera representaba, por lo general, más que una respuesta a los problemas que enfrentaba el campo colombiano a mediados del siglo XX que un concepto abstracto del comunismo mundial[10]. Muchos militantes importantes del ELN y el EPL sa-

---

[9] Véase Guevara, Ernesto (Che), *Guerrilla Warfare*, University of Nebraska Press, Lincoln y Londres, 1985.

[10] Véase Jiménez, Michael, "The Many Deaths of the Colombian Revolution: Region, Class and Agrarian Rebellion in Central Colombia", en *Columbia University Institute of Latin American and Iberian Studies, Papers on Latin America*, N° 13, 1990; véase también Medina, Medófilo, "La resistencia campesina en el sur del

lieron de los movimientos estudiantiles y juveniles y de sectores disidentes del partido liberal. El ELN, en particular, fue fundado en La Habana por estudiantes de clase media, varios de los cuales apoyaron una importante facción liberal disidente: el Movimiento Revolucionario Liberal (MRL) que inicialmente se había opuesto al Frente Nacional. Dirigentes sindicales petroleros colombianos también contribuyeron a fundar el ELN, aportando el énfasis en la política petrolera, lo que ha persistido hasta hoy en día.

En los años setenta surgió una segunda generación guerrillera. La más sobresaliente de las agrupaciones que la formaron fue el M-19, fundado como una organización político-militar con un programa nacionalista concebido para enfrentar la hegemonía de los partidos tradicionales e impedir, hacia el futuro, el supuesto fraude realizado durante las elecciones presidenciales del 19 de abril de 1970[11].

Otros grupos, más pequeños, emergieron en el restringido espacio institucional y en el invernadero de rebeldía de la política colombiana. Por la falta de canales directos de participación, algunos partidos políticos pequeños y movimientos sociales regionales también comenzaron a alzarse en armas. Uno de estos "movimientos sociales armados" fue el movimiento guerrillero Quintín Lame que surgió en el departamento del Cauca a comienzos de los años ochenta. El Quintín Lame organizó a las comunidades indígenas de la región en fuerzas de autodefensa y participó en invasiones de tierras y en otras actividades armadas en defensa de los derechos de los indígenas. Esta defensa de la causa indígena encabezada por el Quintín Lame se da casi diez años antes del reconocimiento institucional y jurídico de las minorías indígenas

---

Tolima", en Sánchez, Gonzalo y Peñaranda, Ricardo (Comps.), *Pasado y presente de la violencia en Colombia*, Cerec, Bogotá, 1986.

[11] Muchos creen que ese día el ex presidente militar Gustavo Rojas Pinilla y su partido Anapo ganaron las elecciones, pero que esa victoria les fue denegada mediante un fraudulento escrutinio fraguado por las autoridades del Frente Nacional. El M-19 fue fundado por militantes de la Anapo, junto con miembros disidentes de las FARC que querían seguir una estrategia más urbana y más política. El M-19, por medio de sus espectaculares acciones de propaganda armada, tuvo éxito en poner al desnudo las restrictivas y, a finales de los años setenta y comienzos de los ochenta, crecientemente represivas medidas del Frente Nacional. Véase Lara, Patricia, *Siembra vientos y recogerás tempestades: la historia del M-19, sus protagonistas y sus destinos*, Planeta, Bogotá, 1982.

en la constituyente de 1991. Las reformas indígenas dentro de la nueva constitución pueden interpretarse, en buena parte, como una consecuencia de la presión política y la acción directa del movimiento indígena.

En la década de 1990, las fuertes corrientes de la política nacional e internacional agitaron los movimientos guerrilleros en Colombia. Después de varios intentos fallidos, el proceso de paz colombiano condujo a acuerdos finales con la mayoría de estos "movimientos de segunda generación". El derrumbe del mundo socialista europeo, la derrota electoral del sandinismo, el avance del proceso de paz salvadoreño, la crisis de Cuba y el reformismo político dentro de la propia Colombia, llevaron al M-19, al EPL, al Quintín Lame y a otros movimientos menores a negociar su desarme y su reincorporación al sistema político legal.

La oferta más atractiva del gobierno fue la oportunidad de participar en una asamblea constituyente con amplias atribuciones para realizar reformas políticas e institucionales. La Asamblea Nacional Constituyente sesionó entre febrero y julio de 1991. El lapso comprendido entre 1989 y 1991 significó un momento político excepcional. Fue un momento, sin duda, influido por las más amplias convulsiones regionales y mundiales causadas por el fin de la Guerra Fría, donde muchos sectores de la izquierda latinoamericana empezaron a replantear activamente su papel histórico. Por primera vez, varios movimientos guerrilleros que surgieron de la política revolucionaria de los años sesenta comenzaron a valorar la política democrática y electoral como medio viable para alcanzar el poder. La nueva política se traducía en la renuncia a la lucha armada a cambio de la oportunidad de participar en un escenario político más democrático que proporcionara garantías concretas a todos los partidos y movimientos, incluso a los ex combatientes[12]. La transformación global sentó las bases para las negociaciones tanto en Centroamérica como en los procesos parciales de paz en Colombia de este período.

En Colombia, por un breve pero excepcional momento que duró aproximadamente tres años, el M-19 surgió como la más significativa tercera fuerza en la historia colombiana por fuera de los dos partidos tradicionales. Pareció ser una victoria no sólo para el M-19, sino para todo el sistema político y para

---

[12]   Véanse Villamizar, Darío, *Un adiós a la guerra*, Planeta, Bogotá, 1997; Villalobos, Joaquín, *Una revolución en la izquierda para una revolución democrática*, Cedep, Quito, 1993; Chernick, Marc, "Is Armed Struggle Still Relevant?", en *Nacla*, Vol. XXVII, N° 4, enero/febrero de 1994.

quienes abogaban por la reforma. El proceso también contribuyó a legitimar nuevamente a los partidos tradicionales. Sin embargo, fue un impulso que el M-19 se mostró incapaz de mantener y, en las elecciones de 1994, el nuevo movimiento político fue eclipsado otra vez por el predominio de los partidos liberal y conservador[13] y un nuevo grupo de políticos independientes y partidos de ocasión[14].

Sin embargo, cuando el M-19 estaba gozando del apoyo electoral y popular, tanto las FARC como el ELN rehusaron deponer las armas. Sus demandas iban más allá de la participación política. Continuaban proponiendo reformas sociales, estructurales y económicas de fondo como parte de cualquier acuerdo de paz. Sostenían que los cambios en la Unión Soviética no mitigaban las injusticias en Colombia[15]. A pesar de las reuniones celebradas con representantes gubernamentales colombianos en Caracas (Venezuela) y Tlaxcala (México) durante nueve meses entre 1991 y 1992, los dos principales movimientos guerrilleros de Colombia no lograron ningún acuerdo con el gobierno. Entre 1992 y 2005, tanto el gobierno como la guerrilla, concentraron sus esfuerzos en ampliar y fortalecer sus respectivas capacidades militares.

Muchos han afirmado que el rechazo de las guerrillas a negociar la paz indica que se habían transformado de movimientos guerrilleros con una ideología a grandes y exitosas empresas criminales. La acusación refleja los grandes cambios que ocurrieron en la guerra de guerrillas colombiana en la última década del siglo xx, sobre todo después de los trascendentales cambios internacionales sucedidos entre 1989 y 1991. A medida que la Unión Soviética se desintegraba y Cuba retiraba unilateralmente su apoyo a los movimientos guerrilleros latinoamericanos, las guerrillas aumentaron su participación en secuestros, asaltos y extorsiones a empresas comerciales en la mayor parte de la Colombia rural. En consecuencia, la política de cobrar "impuestos revolucionarios", empleada durante largo tiempo por las guerrillas colombianas como estrategia de financiación, se propagó ampliamente hasta cubrir la mayoría de las operaciones comerciales en el campo colombiano. En las zonas

---

[13]   Véase Villamizar, Darío, *Aquel 19 será*, Planeta, Bogotá, 1995.

[14]   Más tarde, algunos ex dirigentes del M-19, junto con otros sectores de la izquierda, se reunieron para fundar el Polo Democrático, un nuevo partido que empezó a tener éxito electoral en el ámbito local y nacional, incluyendo la alcaldía de Bogotá y la gobernación del Valle.

[15]   Véase Arenas, Jacobo, *Paz, amigos y enemigos*, La Abeja Negra, Bogotá, 1990.

de producción de coca a lo largo de la frontera agrícola del norte de la cuenca amazónica, donde la presencia de los insurgentes es bastante fuerte, las guerrillas de las FARC cobraban el 15% de cada transacción entre los cultivadores de coca y los compradores. A mediados de la década de 1990, impusieron tarifas sobre una amplia gama de transacciones ilegales, desde la importación de agentes precursores químicos hasta la refinación de cocaína. Asimismo, mantuvieron una fuerte presencia en las empinadas zonas que más recientemente empezaron a ser utilizadas para el cultivo de amapola con destino a la producción de heroína. Al mismo tiempo, exacciones similares fueron impuestas a los hacendados ganaderos, algodoneros, arroceros y a la mayoría de los demás productores agrícolas comerciales. Se ha considerado que las FARC obtienen decenas de millones de dólares anuales de la bonanza de la coca/cocaína, el secuestro y otras fuentes (véase capítulo 5). El ELN había obtenido ganancias similares por el secuestro, los asaltos y la imposición de exacciones a las empresas petroleras y constructoras en los Llanos Orientales durante las sucesivas bonanzas petroleras que se iniciaron a finales de los años ochenta y comienzos de los noventa.

Algunas fuentes de inteligencia han situado los ingresos totales de la guerrilla en una cantidad tan alta como 800 millones de dólares en 1996[16]. Sin embargo, considerados el tamaño de la economía colombiana y su conocida dificultad para absorber los dineros ilícitos[17], esta cifra es bastante exagerada. Aún así, las cantidades han sido lo suficientemente considerables durante más de una década como para sostener una vasta expansión del reclutamiento y de las acciones territoriales por parte de ambos movimientos guerrilleros en los años noventa. Un informe oficial del gobierno, basado en datos suministrados por la policía y los militares, declaraba que en 1985 había algún tipo de actividad guerrillera en 173 municipios de un total de 1.005, o sea en un 17,2% de todos los municipios. En 1995, la cifra había aumentado exponencialmente, elevándose a 622 de un total de 1.071 municipios, salto que representa el 59,8%[18]. Al terminar el año 2006, aun después de cinco años

---

16   Véase International Institute for Strategic Studies, "Colombia's Escalating Violence", en *Strategic Comments*, Vol. 3, N° 4, mayo de 1997.

17   Véase Thoumi, Francisco, *Economía política y narcotráfico*, Tercer Mundo, Bogotá, 1994.

18   Véase Ríos, José Noé y García-Peña Jaramillo, Daniel, *Building Tomorrow's Peace: A Strategy for Reconciliation*, Report by the Peace Exploration Comission, presentada

de seguridad democrática del presidente Uribe, había acciones guerrilleras en más del 66% de los municipios[19].

El fin de la Guerra Fría, por lo tanto, condujo a una reestructuración de la financiación de los movimientos guerrilleros colombianos. Aunque el secuestro y la extorsión ("impuestos revolucionarios") fueron largamente practicados por las guerrillas colombianas, no fue sino hasta finales de los años ochenta cuando grandes flujos de recursos internos provenientes de la actividad criminal, en gran parte basados en las ganancias obtenidas de la extorsión propiciada por las bonanzas de la droga y el petróleo, vinieron a reemplazar una eficaz, aunque insuficiente, red de apoyo internacional que pasaba a través de Cuba, Nicaragua, la Unión Soviética, Europa oriental y, en ocasiones, Libia. No obstante, si bien las fuentes y los métodos de financiación en el mundo posterior a la Guerra Fría elevaron el desarrollo de las actividades criminales dentro de estas organizaciones, las guerrillas no deben ser incluidas dentro de la misma categoría de otras formas de crimen organizado. Para ellas, la actividad criminal es ante todo un medio, no un fin. Son fundamentalmente organizaciones políticas, aun si la línea divisoria entre guerra y crimen se haya hecho borrosa. Los movimientos guerrilleros todavía continúan educando a sus combatientes y partidarios en torno a los temas de injusticia y opresión y tratan de organizar la vida política y social de las comunidades donde mantienen influencia. En algunas de las zonas de colonización, organizan los servicios básicos, mantienen la ley y el orden, administran justicia y celebran ceremonias públicas y rituales sociales como las bodas. Actúan principalmente para conquistar el poder —a menudo, el poder local—, no la riqueza. Los recursos obtenidos del crimen los utilizan para propagar la insurgencia[20] (un análisis más completo sobre este tema se hace en el capítulo 6).

---

al presidente de la república, Ernesto Samper, Oficina del Alto Comisionado para la Paz, Presidencia de la República, Bogotá, 9 de septiembre de 1997.

[19] Véanse los mapas que demuestran las acciones armadas de los grupos guerrilleros, además de la intensidad del conflicto armado entre 1998 y 2006, en la página web del Observatorio de los Derechos Humanos de la Vicepresidencia de la República. Disponible en: http://www.derechoshumanos.gov.co/modules.php?name=informacion&file=article&sid=595

[20] Hay una amplia bibliografía disponible sobre los movimientos guerrilleros colombianos. A partir del decenio de 1980 han aparecido varios trabajos académicos y periodísticos que tratan acerca de los orígenes, la evolución y las perspectivas de los prin-

Los movimientos guerrilleros de Colombia operaron tradicionalmente en forma separada, reflejando las agudas divisiones ideológicas sobre cues-

cipales movimientos. Véanse, por ejemplo, Alape, Arturo, *Las vidas de Pedro Antonio Marín, Manuel Marulanda Vélez, Tirofijo,* Planeta, Bogotá, 1989; Arango Z., Carlos, *FARC, veinte años: de Marquetalia a La Uribe,* Ediciones Aurora, Bogotá, 1984; Jaramillo, Jaime *et al., Colonización, coca y guerrilla,* Universidad Nacional de Colombia, Bogotá, 1986; Molano, Alfredo, *Selva adentro: una historia oral de la colonización del Guaviare,* El Áncora, Bogotá, 1987; García-Peña, Gustavo y Roesel, Mónica (Comps.), *Las verdaderas intenciones de las FARC,* Corporación Observatorio para la Paz, Bogotá, 1999; Pizarro, Eduardo, "La guerrilla revolucionaria en Colombia", en Sánchez, Gonzalo y Peñaranda, Ricardo (Comps.), *Pasado y presente de la violencia en Colombia,* Cerec, Bogotá, 1986; Pizarro, Eduardo, *Las FARC: de la autodefensa a la combinación de todas las formas de lucha,* Tercer Mundo y Iepri, Bogotá, 1991; Medina Gallego, Carlos, *ELN: una historia contada a dos voces,* Quito Editores, Bogotá, 1996; Medina Gallego, Carlos, *Elementos para una historia de las ideas políticas del Ejército de Liberación Nacional, ELN. La historia de los primeros comienzos (1958-1978),* Quito Editores, Bogotá, 2001; Chernick, Marc, "FARC-EP: From Liberal Guerrillas to Marxist Rebels to Post-Cold War Insurgents", en Heiberg, Marianne, O'Leary, Brendan y Tirman, John (Eds.), *Terror Insurgency and the State,* University of Pennsylvania Press, Philadelphia, 2007. A partir de los primeros procesos de paz, han aparecido varios testimonios y relatos escritos por guerrilleros amnistiados o por negociadores. Véanse Arenas, Jacobo, *Correspondencia secreta del proceso de paz,* La Abeja Negra, Bogotá, 1989; Villamizar, Darío, *Un adiós a la guerra,* Planeta, Bogotá, 1997; Villarraga S., Álvaro y Plazas N., Nelson, *Para reconstruir los sueños: una historia del EPL,* Fundación Progresar y Fundación Cultura Democrática, Bogotá, 1994; Grabe, Vera, *Razones de vida,* Planeta, Bogotá, 2000; Vásquez Perdomo, María Eugenia, *Escrito para no morir, bitácora de una militancia,* Ministerio de Cultura, ILSA y Ántropos, Bogotá, 2001; Villamizar, Darío (Comp.), *Jaime Bateman: profeta de la paz,* COMPAZ, Compañía Nacional para la Paz, Bogotá, 1995; Villamizar, Darío, *Jaime Bateman: biografía de un revolucionario,* Planeta, Bogotá, 2002.

También han aparecido algunos libros asociados con las fuerzas armadas colombianas donde se sostiene que las guerrillas han sido totalmente transformadas en organizaciones criminales relacionadas con el narcotráfico y la delincuencia. Véanse Villamarín Pulido, Luis Alberto, *El ELN por dentro,* El Faraón, Bogotá, 1995; Villamarin Pulido, Luis Alberto, *El cartel de las FARC,* El Faraón, Bogotá, 1996; Villamarín Pulido, Luis Alberto, *Silla vacía,* L. A. Villamarín Pulido, Bogotá, 2000.

tiones de doctrina, estrategia y poder que fracturaron los movimientos de izquierda en el mundo durante gran parte del siglo xx: Lenin contra Trotski, Mao contra Stalin, los métodos foquistas de la nueva izquierda cubana contra las estrategias electorales de los partidos comunistas tradicionales. A pesar de décadas de lucha armada, las guerrillas izquierdistas de Colombia fueron incapaces de unificar sus estructuras de mando, como, por el contrario, finalmente sí ocurrió en Nicaragua, El Salvador y Guatemala. Sin embargo, a partir de 1985, las guerrillas intentaron coordinar tanto sus negociaciones como sus tácticas militares. En 1987, ocho grupos fundaron la Coordinadora Guerrillera Simón Bolívar (CGSB). Empero, después de los sendos acuerdos de paz entre el gobierno y el M-19, el EPL, el Quintín Lame y otras agrupaciones, en 1990 y 1991, la CGSB se redujo a las FARC, el ELN y la facción disidente del EPL. Entonces, por primera vez, sin desmontar los mandos de las diferentes agrupaciones, ni las unidades locales o frentes, la CGSB empezó a coordinar las actividades militares en ciertas regiones y a negociar en conjunto durante las reuniones de Caracas y Tlaxcala en 1991 y 1992. Sin embargo, estos pasos no bastaron para ocultar las grandes diferencias y la constante rivalidad de los grupos en competencia. A mediados de los años noventa, la Coordinadora ya se había desmoronado. La falta de una estructura de mando totalmente coherente ha hecho plantear el dilema: ¿es mejor negociar con todos los movimientos guerrilleros en conjunto, o las negociaciones deberían realizarse de forma separada con cada movimiento guerrillero, como se hizo en los procesos de paz de 1982-1986, durante la ronda parcialmente exitosa comprendida entre 1989 y 1991 y en los esfuerzos de paz con el ELN y las FARC entre 1998 y 2002? Los resultados indican que los procesos "parciales" con cada grupo por separado son altamente inapropiados e incompletos por definición. No obstante, en circunstancias críticas de oportunidad, puede haber pocas opciones sustitutivas.

¿Por qué la violencia? Explicaciones contrapuestas acerca de la violencia política en Colombia

Existe un intenso debate, entre los especialistas y los encargados de trazar líneas políticas, sobre las causas de la violencia en Colombia durante la segunda mitad del siglo xx. Tal debate ha estado determinado por las condiciones cambiantes y los contextos políticos, a medida que el país se ha movido de la Violencia (1948-1958) al Frente Nacional (1958-1986), a la etapa posterior al Frente Nacional, a la posguerra fría y a los escenarios político y social influidos por el narcotráfico a partir de 1991 y luego a la "guerra global contra el terrorismo" declarada en 2001[21]. Durante este largo período el país se urbanizó, modernizó e industrializó, entró en una bonanza de la exportación de petróleo, extendió su frontera agrícola en el norte de la cuenca amazónica y, en los años ochenta, se convirtió en una gran plataforma para la exportación ilegal de cocaína procesada, y posteriormente de heroína. Un período de violencia dio paso a otro de manera fluida, pero sin reemplazar ni sobrepasar el conflicto original. Los actores violentos fueron transformados; los problemas, redefinidos.

El principal punto de referencia para toda la violencia posterior ha sido el período de la Violencia. Sin embargo, este período de guerra civil partidista entre liberales y conservadores ocultó una amplia gama de tensiones de clase, regionales, políticas, comerciales y comunitarias. Cubrió con un manto de partidismo a los combatientes, pero los dejaba perseguir a sus enemigos locales y de partido sin ninguna suerte de liderazgo nacional. Hobsbawm considera a la Violencia colombiana una de las grandes movilizaciones campesinas del siglo XX[22]. Sin embargo, lo que diferenció la Violencia colombiana de otras movilizaciones campesinas es que no condujo a una revolución o a un importante levantamiento político o a una transformación social. Al final del desangre, los dos partidos oligárquicos y multiclasistas fueron capaces de zanjar sus diferencias y reasumir el control mediante un arreglo de repartición del poder consagrado en la constitución: el Frente Nacional.

Hartlyn compara las instituciones que resultaron del Frente Nacional partiendo de la división de poder entre dos grandes poblaciones en conflicto dentro de una nación-Estado —en el caso colombiano dividido por dos partidos históricos— con ciertos "regímenes consociacionales" que han atenuado

---

[21] Una observación acerca de la periodización: formalmente, el Frente Nacional estaba destinado a durar hasta 1974, pero entonces fue prolongado constitucionalmente hasta 1978, con previsiones para continuar el gobierno de la coalición después de esa fecha. En la práctica, el gobierno de la coalición perduró hasta 1986, cuando por primera vez, desde la fundación del Frente Nacional, el partido conservador pasó a la oposición. El apuntalamiento de la división del poder del Frente Nacional permaneció en la Constitución hasta 1991.

[22] Véase Hobsbawm, Eric J., "The Revolutionary Situation in Colombia", en *The World Today*, Vol. XIX, junio de 1963.

los conflictos en sociedades divididas por cuestiones étnicas, lingüísticas o religiosas como Bélgica o el Líbano[23]. Pero si el Frente Nacional funcionó como un exitoso régimen consociacional que repartió el poder dentro de una sociedad políticamente dividida y enseñó a la población a tolerar a los seguidores del otro partido, también excluyó de forma intencional a aquellos miembros de la sociedad que se separaron de esas identidades partidistas y buscaron desarrollar formas alternativas de participación política. Los presidentes, durante el Frente Nacional, gobernaron el 75% del tiempo bajo decretos de estado de sitio y confiando, de manera creciente, el mantenimiento del orden público a las fuerzas armadas.

Uno de los primeros análisis de la violencia durante los años del Frente Nacional sostiene que los colombianos continuaron alzándose en armas porque a muchos se les negaron canales de participación por fuera de la política gamonal de los partidos liberal y conservador. El Frente Nacional no respondía a estas necesidades de participación. Además, coartó —a veces mediante la fuerza— las aspiraciones y la satisfacción de las necesidades sociales de la mayoría de los ciudadanos de la nación[24]. La mayoría de los ciudadanos se refugiaron en la apatía, mientras que otros tomaron las armas.

Destacados especialistas colombianos en el tema de la violencia, o violentólogos, afirman también que la violencia fue facilitada por un Estado históricamente debilitado que ha carecido de presencia continua en gran parte del territorio nacional. Estos analistas sostienen que los movimientos guerrilleros, los caciques de los partidos, los paramilitares y luego los narcotraficantes han echado raíces en estas áreas donde el Estado no ejerce ningún control efectivo, tanto en sentido territorial como en el legal y el administrativo. En

---

[23] Un régimen consociacional es un concepto analítico inicialmente desarrollado por el politólogo Arend Lijphart que describe una forma de gobierno, normalmente democrático, que intenta superar conflictos que dividen una sociedad por razones étnicas, lingüísticas y religiosas, por medio de estructuras, instituciones y reglas que reparten el poder entre los grupos en pugna e intentan despolitizar las diferencias. Véase el estudio clásico que desarrolla este análisis para el caso colombiano, en Hartlyn, Jonathan, *The Politics of Coalition Rule in Colombia*, Cambridge University Press, Cambridge, 1988.

[24] Véanse Leal, Francisco, *Estado y política en Colombia*, Siglo XXI, Bogotá, 1984; Sánchez, Gonzalo y Peñaranda, Ricardo (Comps.), *Pasado y presente de la violencia en Colombia*, Cerec, Bogotá, 1986.

tales circunstancias, los grupos armados ilegales han sido capaces, en esencia, de sustituir al Estado y suministrar servicios básicos como administración de justicia, educación y servicios sociales. Gran parte de la violencia es el resultado de las tentativas periódicas, por parte del Estado, de ejercer autoridad por medio de la presencia militar en estas áreas[25], como también de choques entre grupos armados hostiles por determinados territorios en disputa.

Estas dos ideas —las consecuencias de un sistema político excluyente y de un Estado con limitada o ninguna presencia en el territorio nacional— aún sirven de base a gran parte del pensamiento acerca de la violencia y la búsqueda de la paz en Colombia. Aunque estas interpretaciones se convirtieron en el fundamento para trazar directrices políticas durante una serie de procesos de paz entre 1982 y 2002, también han sido posteriormente sometidas a un examen más riguroso y han sido criticadas desde varias direcciones. ¿Puede la existencia de un sistema político moderadamente excluyente explicar en su totalidad la necesidad de recurrir a las armas? ¿Se traduce necesariamente la ausencia del Estado en movimientos armados antiestatales?

Los científicos sociales colombianos empezaron a explorar de forma más concienzuda las condiciones bajo las cuales las comunidades se alzan en armas. En este proceso, se ha producido un cambio de paradigma de la escuela académica estadounidense a la francesa en cuanto a la teoría de la revolución y los movimientos sociales. Análisis tempranos, siguiendo los trabajos de teóricos de la revolución como el académico estadounidense Charles Tilly, sostenían que cuando se cierran los canales de la protesta popular la consecuencia lógica es emprender la acción armada[26]. Para Tilly, la línea entre protesta pacífica e insurrección armada tiene continuidad; es de esperar que las comunidades elijan el camino de las armas cuando se les niegan los canales independientes de expresión política. De por sí, cabía esperar que a medida que el Frente Nacional siguiera criminalizando de manera creciente las protestas, las marchas campesinas, las huelgas sindicales y los paros cívi-

---

[25]   La versión aceptada acerca de la fundación de las FARC es que cuando el gobierno, a comienzos de 1964, empezó a atacar las comunidades de autodefensa de Marquetalia, El Pato, Riochiquito y Guayabero, éstas se reagruparon y convirtieron a las fuerzas de autodefensa en guerrillas móviles. Véase Arango Z., Carlos, *FARC, veinte años: de Marquetalia a la Uribe*, Ediciones Aurora, Bogotá, 1984.

[26]   Véase Tilly, Charles, *From Mobilization to Revolution*, Random House, Nueva York, 1978.

cos, los activistas políticos y sectores enteros de la población se alzaran en armas como la única opción viable para oponerse a los dirigentes del Frente Nacional y a sus programas.

Empero, como la violencia en Colombia ha persistido sin pausa, y la presencia de la guerrilla se ha extendido a zonas donde tradicionalmente no desempeñaban ningún papel en el escenario social, el análisis empezó a variar, aproximándose más a la escuela francesa de los movimientos sociales, sobre todo a la obra de Alaine Touraine[27]. Un grupo de académicos, anteriormente considerados de izquierda, comenzaron a sostener que los movimientos armados desvirtúan los movimientos sociales, incitan a la violencia y socavan el liderazgo comunitario. Argumentan que los movimientos sociales han tenido poco éxito en Colombia no porque se les hayan cerrado los canales de participación, sino porque los movimientos guerrilleros desfiguraron sus luchas, impusieron lógicas diferentes por encima de las necesidades sociales inmediatas y provocaron la represión de las autoridades. En vez de una línea fluida y directa entre la protesta popular y la lucha armada, como afirmaba Tilly, el enfoque de orientación francesa declara que la protesta popular y la lucha armada obedecen a lógicas diferentes y contradictorias. El ascenso de los movimientos guerrilleros ha impedido el desarrollo de movimientos sociales eficaces. Por lo tanto, lo que Colombia requiere son mayores movimientos sociales libres de la lógica de la lucha armada y de la guerra de guerrillas[28]. Este análisis culminó con la tesis, muy acogida, del politólogo francés Daniel

---

[27] Véase Touraine, Alaine, *Production de la societé*, Seuil, París, 1974. Esta idea de los movimientos armados como un bloqueo a los movimientos sociales se refleja en la obra del sociólogo francés Daniel Pécaut y ha venido a ser ampliamente reflejada en los trabajos de varios analistas colombianos de la violencia, a quienes por lo general se les denomina violentólogos. Véanse Pizarro, Eduardo, "Elementos para una sociología de la guerrilla colombiana", en *Análisis Político*, N° 12, enero-abril de 1991; Sánchez, Gonzalo, "Guerra y política en la sociedad colombiana", en *Análisis Político*, N° 11, septiembre-diciembre de 1990; Pécaut, Daniel, *Crónica de dos décadas de política colombiana, 1968-1988*, Siglo XXI, Bogotá, 1988; Pécaut, Daniel, "Colombia: democracia y violencia", en *Análisis Político*, N° 13, mayo-agosto de 1991.

[28] Véase Pécaut, Daniel, "Presente, pasado y futuro de la violencia en Colombia", en *Desarrollo Económico-Revista de Ciencias Sociales* (Buenos Aires), Vol. 36, N° 144, enero-marzo de 1997.

Pécaut, cuando declaró que esta guerra se había transformado en "guerra contra la sociedad"[29].

Este punto de vista ha contribuido enormemente a desidealizar a las guerrillas y ha conducido a la ruptura entre estas y los intelectuales. Sobre todo a comienzos de los años noventa, a medida que la guerrilla empezó a depender más de las actividades criminales para financiar la ampliación de sus ejércitos, la revisión del enfoque empezó a ser acogida más ampliamente entre los intelectuales, los artistas, muchas ONG y círculos activistas de base. Esto se demostró de manera absoluta en una carta de un grupo de destacados intelectuales, entre ellos el premio Nobel Gabriel García Márquez, a los jefes guerrilleros del país:

> Señores Coordinadora Guerrillera Simón Bolívar:
> Como un grupo de demócratas convencidos, nos oponemos a la violencia y a las soluciones autoritarias de cualquier clase [...]. En las actuales circunstancias, nos oponemos a los medios que ustedes utilizan para conducir su lucha. La lucha armada, en vez de llevar a una mayor justicia social, ha engendrado toda suerte de extremismos, como el resurgimiento de la violencia reaccionaria, las fuerzas paramilitares, los crímenes despiadados y los excesos cometidos por las fuerzas armadas, que condenamos con igual energía [...]. Hoy en día, las tácticas habitualmente utilizadas por ustedes incluyen el secuestro, la coerción y las contribuciones forzadas, todo lo cual es una abominable violación de los derechos humanos [...]. Su guerra, señores, hace tiempo que perdió su significado histórico[30].

Esta interpretación revisada en el seno de las ciencias sociales, que separa la violencia guerrillera de las dinámicas histórica, social y política del país, contribuyó a legitimar el drástico cambio en la política gubernamental que vino a concretarse con la elección de Álvaro Uribe. Aunque gran parte de la comunidad nacional de las ciencias sociales continúa insistiendo en que, a pesar de sus análisis, la solución negociada seguía siendo la vía más sensata, el gobierno de Uribe se movió en otra dirección y se alineó con la "guerra al

---

29   Véase Pécaut, Daniel, *Guerra contra la sociedad*, Planeta, Bogotá, 2001.
30   Véase "The Intellectual's Letter" y "The Guerrilla's Response", en *Nacla*, Vol. XXVII, N° 4, enero-febrero de 1994, pp. 10-11.

terrorismo" preconizada por Estados Unidos. El nuevo enfoque priorizó el empleo de la fuerza militar contra los terroristas sobre las negociaciones con los actores políticos armados.

Incluso en momentos en que las guerrillas perdían gran parte del apoyo entre intelectuales, estudiantes, activistas de base y clases medias urbanas, continuaban operando libremente en muchas zonas rurales afectadas por la violencia. Asimismo, entre 1995 y 2005 lograron notables avances en muchos barrios superpoblados de las principales ciudades como Ciudad Bolívar, en Bogotá, que ha absorbido cientos de miles de refugiados de la violencia rural. Cuando el apoyo con el que contaban declinó, la guerrilla utilizó sus bases regionales y acumuló medios económicos para emprender una preparación militar a fondo, desafiando las expectativas iniciales de paz tan generalizadas al terminar la Guerra Fría. Desde las estratégicas zonas en las áreas de colonización del este de los Andes, los campos petroleros de los Llanos Orientales, y las regiones montañosas y cafeteras donde tradicionalmente ejercieron su dominio, las FARC y el ELN cuadruplicaron su presencia territorial en los años noventa y fueron capaces de proyectar su poder a nuevas regiones donde no tenían una base social natural o una presencia histórica[31]. Esta espectacular proyección a nuevas áreas debilitó a la sociedad civil y frustró el desarrollo de nacientes movimientos sociales en esas zonas. Además desencadenó la represión oficial, la violencia paramilitar y una gran oleada de criminalidad y violencia social.

Subyacentes a las cambiantes posiciones, estrategias, redes de apoyo y estructuras de alianzas de los actores políticos y sociales fundamentales en Colombia, están las transformaciones sísmicas que han ocurrido en el sistema político y en la sociedad desde 1982, y que han alimentado aún más los conflictos armados —y para muchos también el rechazo a la lucha armada—. El principal catalizador para el cambio ha radicado en los contradictorios efectos del auge del narcotráfico. El narcotráfico cambió fundamentalmente los parámetros existentes de la sociedad y socavó muchos de los supuestos en que se fundaban los primeros análisis. El elemento más perturbador de la nueva violencia ha sido la proliferación de los ejércitos antiguerrilleros privados y la paramilitarización de la guerra.

La violencia paramilitar apareció como un subproducto de quince años de auge de las inversiones en tierras de agricultura tradicional por parte de

---

[31] Véase nota al pie N° 19.

narcotraficantes nuevos ricos que buscaban lavar dinero, acumular bienes y adquirir prestigio social. La tierra constituía uno de los sectores de mayor acceso y penetrabilidad, dentro de la economía nacional, donde los narcotraficantes podían invertir sus ganancias. Estas tierras se hallaban concentradas originalmente entre las haciendas ganaderas de las regiones del norte y de la costa atlántica y en el Magdalena medio. Estas tierras son distintas a las zonas productoras de coca, ubicadas en áreas de colonización en las selvas y planicies orientales de los Andes donde, en los años ochenta y noventa, predominaban los pequeños y medianos agricultores, muchos de ellos vinculados con la guerrilla.

A lo largo de los años ochenta, al tiempo que avanzaron los diálogos de paz con la guerrilla, los narcotraficantes invirtieron sustancialmente en las áreas tradicionales del campo colombiano. Un estudio patrocinado por el Programa de las Naciones Unidas para el Desarrollo (PNUD) calculó que entre cinco y seis millones de hectáreas pasaron de manos de élites rurales a narcotraficantes en los años ochenta y comienzos de los noventa[32]. Las élites rurales abandonaron sus propiedades en cifras sin precedentes no sólo a causa de los altos precios ofrecidos por los narcotraficantes por tierras de primera calidad, sino también por la violencia y la política de extorsión de la guerrilla, que cobraba de manera forzosa "impuestos revolucionarios" y a menudo secuestraba y asesinaba a miembros de su familia si se negaban a pagar.

El narcotráfico ha corrompido muchos sectores de la sociedad. Pero esta corrupción se manifiesta de diversas maneras y no alcanza a todos los sectores, ni siquiera a la mayoría. En las zonas donde los narcotraficantes han adquirido grandes extensiones de tierra —proceso que, en la práctica, ha hecho una contra reforma agraria—, estos se han aliado firmemente con los jefes políticos locales, los terratenientes tradicionales y las fuerzas armadas. Con los bolsillos llenos y extensas conexiones políticas, han podido proteger sus tierras y reforzar el aparato de seguridad del Estado mediante la inversión en ejércitos paramilitares privados. Pronto sus objetivos declarados fueron frenar las incursiones guerrilleras, poner fin a las extorsiones y librar su área de partidarios y colaboradores de la guerrilla. Las fuerzas armadas colombianas, con poca supervisión civil del gobierno central, se ocuparon de apoyar y entrenar

---

[32]   Véase Reyes, Alejandro, "Compra de tierras por narcotraficantes", en Thoumi, Francisco *et al., Drogas ilícitas en Colombia*, Ariel, Naciones Unidas-PNUD, Ministerio de Justicia, Dirección Nacional de Estupefacientes, Bogotá, 1997.

a esos grupos de forma directa o, cuando menos, aprobaron su formación. Pensaron que la expansión de los paramilitares era una táctica eficaz contra-insurgente[33].

En 1989, cuando las fuerzas paramilitares se consolidaron en el panorama político y empezaron a presionar de forma periódica a funcionarios del gobierno y a líderes partidistas para que se opusieran a la extradición y a otras políticas contra las drogas ilícitas, los más importantes dirigentes nacionales comenzaron a pronunciarse claramente contra la violencia paramilitar. En una tardía tentativa de reversar esta problemática, el presidente Virgilio Barco intentó dar marcha atrás y revocó la ley, vigente desde 1965, que permitía que los militares armaran a los civiles. Para entonces era demasiado tarde, a lo largo de los años noventa, el crecimiento de los paramilitares fue paralelo al crecimiento de la guerrilla.

En contraste con el creciente conflicto entre grupos guerrilleros y para-militares en las zonas ganaderas del norte de Colombia a finales de la década de 1980 y a lo largo de los años noventa, al mismo tiempo la guerrilla trabajó estrechamente con los pequeños y medianos cultivadores de coca en las zonas de colonización del oriente de los Andes, que suministraban la materia prima para el procesamiento de cocaína. La bonanza de exportación de cocaína se convirtió en una importante oportunidad de financiación para la guerrilla, aunque sólo se beneficia del sector menos lucrativo del negocio (véase capítulo 5). Cuando se produjo el auge de la heroína, a principios de los años noventa, la guerrilla se benefició, de manera similar, con su presencia en los altiplanos y páramos donde se cultiva la amapola (o adormidera) para el posterior procesamiento de la heroína.

---

[33] Véase Romero, Mauricio, *Paramilitares y autodefensas, 1982-2003*, Planeta, Bogotá, 2003; Aranguren Molina, Mauricio, *Mi confesión: Carlos Castaño revela sus secretos*, La Oveja Negra, Bogotá, 2001; Human Rights Watch, *La "Sexta División": relaciones militares-paramilitares y la política estadounidense en Colombia*, Human Rights Watch, Nueva York, 2001; Medina Gallego, Carlos, *Autodefensas, paramilitares y narcotráfico en Colombia: Origen, desarrollo y consolidación. El caso "Puerto Boyacá"*, Documentos políticos, Bogotá, 1990; Uprimny Yepes, Rodrigo y Vargas Castaño, Alfredo, "La palabra y la sangre: violencia, legalidad y guerra sucia en Colombia", en Palacios, Germán (Comp.), *La irrupción del paraestado*, Cerec, Ilsa, Bogotá, 1989; Reyes, Alejandro, "Paramilitares en Colombia: contexto, aliados y consecuencias", en *Análisis Político*, N° 12, enero-abril de 1991.

Desde el punto de vista del conflicto y la guerra, las bonanzas exportadoras de coca y heroína han transformado los recursos, alianzas y relaciones sociales tanto de la guerrilla como de las fuerzas armadas. Han transformado un conflicto armado polarizado entre dos partes, a uno donde múltiples grupos y sectores están armados y, dependiendo de los nexos de las relaciones sociales en determinada región, están aliados o en conflicto los unos con los otros. El narcotráfico ha complicado las dinámicas originales de las insurgencias de inspiración izquierdista y de las operaciones antisubversivas del Estado. Ha demostrado ser tan lucrativo que ha permitido a la guerrilla ampliar y modernizar su armamento, así como extender en gran medida su presencia territorial. Y, al mismo tiempo, condujo a la creación de grandes ejércitos paramilitares —algunos vinculados a las fuerzas armadas, otros más independientes—, que apuntan sus armas contra guerrilleros, campesinos, políticos de izquierda, periodistas, defensores de los derechos humanos y, crecientemente a lo largo de los años ochenta y noventa, jueces, funcionarios del Estado y dirigentes políticos.

Hacia finales de los años noventa, el surgimiento y la rápida expansión de las fuerzas paramilitares ya se había convertido en la principal fuente de violencia política y en el reto fundamental para la consecución de la paz, al ser responsables de aproximadamente el 70% de todos los asesinatos políticos. En el año 2000, los paramilitares empezaron a penetrar en las zonas productoras de coca del sur y el oriente, disputando a la guerrilla el control de un recurso estratégico y el dominio de las poblaciones locales. La espectacular ampliación de la esfera de acción de los paramilitares revela con exactitud cuán geográficamente dinámica es la violencia. Ello también confirma que la violencia obedece a los cálculos estratégicos de los actores armados, así como a las condiciones sociales que originalmente engendraron el conflicto violento a lo largo del país y que continúan enconándose.

Durante la última década, los funcionarios han afirmado continuamente que el país es víctima del tráfico ilegal de cocaína y heroína. Como revela este análisis, es cierto que el narcotráfico ha contribuido a la violencia. Ha canalizado nuevos recursos —tanto económicos como militares— hacia viejos adversarios. Ha creado nuevos sectores sociales, en particular un empresariado de la droga compuesto de nuevos ricos, que ha invertido cuantiosamente en el campo colombiano y en el desarrollo de la infraestructura paramilitar. Sin embargo, las raíces de la violencia contemporánea son mucho más profundas que el actual auge de la exportación de droga y se remontan a viejos y enconados conflictos, sobre todo en zonas rurales, cuya solución ha sido aplazada durante décadas. El narcotráfico puede haber aumentado y acelerado la violencia, pero no la ha causado.

Dos decenios de negociaciones de paz en Colombia

En Colombia se ha negociado con éxito el cese al fuego, la desmovilización y la reincorporación de cinco movimientos guerrilleros distintos y una milicia urbana vinculada a la guerrilla[34]. Se realizaron acuerdos de paz con el M-19 (1990), el EPL, el Partido Revolucionario de los Trabajadores (PRT), el Quintín Lame (1990-1991), la Corriente de Renovación Socialista, facción disidente del ELN, (1994) y un grupo de milicias urbanas de Medellín (1994). Al mismo tiempo, el gobierno colombiano entabló negociaciones regulares con las FARC y el ELN. En 1984 firmó con las FARC un acuerdo de cese al fuego que perduró hasta 1987. A lo largo de este período, aunque algunos grupos por separado depusieron las armas, el número de hombres y mujeres alzados en armas se incrementó, así como la incidencia de la violencia política y el número de regiones afectadas por ella. Además, tal como se ha dicho, el número de grupos paramilitares aumentó de forma exponencial.

A pesar de años de esfuerzos, las fuerzas armadas han sido incapaces de derrotar militarmente a la guerrilla. Algunos han calificado esto como un "empate negativo". Ninguna de las partes parece ser capaz de derrotar a la otra. Aunque el presupuesto de las fuerzas armadas tuvo notables incrementos entre 1986 y 1994, y al mismo tiempo reestructuraba sus capacidades contrainsurgentes, el "empate negativo" perduraba. Por su lado, Pastrana también incrementó los gastos de defensa con ayuda de Estados Unidos y Uribe ha creado varios programas para aumentar el número de soldados, policías, "soldados campesinos" e informantes civiles, como parte de su estra-

---

[34] Para un estudio de los procesos de paz durante los años ochenta y comienzos de los noventa, véanse Bejarano, Jesús Antonio, *Una agenda para la paz: aproximaciones desde la teoría de la resolución de conflictos*, Bogotá, Tercer Mundo, 1995; Pardo Rueda, Rafael, *De primera mano: Colombia 1986-1994: entre conflictos y esperanzas*, Cerec, Norma, Bogotá, 1996; García Durán, Mauricio, *De La Uribe a Tlaxcala: procesos de paz*, Cinep, Bogotá, 1992; Ramírez, Socorro y Restrepo, Luis Alberto, *El proceso de paz durante el gobierno de Belisario Betancur, 1982-1986*, Siglo XXI, Cinep, Bogotá, 1989.

tegia de "seguridad democrática". Pero estas iniciativas de defensa no han podido, hasta ahora, alterar de manera fundamental el equilibrio militar y es poco probable que lleguen a hacerlo. Una de las razones es que la guerrilla también ha crecido en tamaño, se ha vuelto más profesional y ha recibido mayores cantidades de dinero durante este período, con lo cual ha neutralizado cualquier ventaja que el Estado haya podido ganar. Ha demostrado que son tácticamente capaces de responder al mejoramiento de estrategias militares de sucesivos gobiernos, desde la "guerra integral" de Gaviria hasta la "estrategia de seguridad democrática" de Uribe. Desde 1992, aunque la guerrilla no ha podido alterar la ecuación militar fundamental, ha ampliado su radio de operaciones y su capacidad militar. Durante un breve período, a mediados de los años noventa, su acrecentada capacidad ofensiva pareció superar la renovada capacidad de las fuerzas armadas[35].

En términos políticos, sucesivos gobiernos se han enfrentado a un dilema fundamental: ¿cómo negociar con grupos insurgentes que no están reconocidos internacionalmente sin conferirles una inmerecida legitimidad? Desde un principio, a los negociadores gubernamentales les preocupaba que las negociaciones les otorgaran el "estatus de beligerantes", de acuerdo con el derecho internacional humanitario, y de ese modo la naturaleza del conflicto se elevara más allá de lo que la situación militar sobre el terreno indicaba. Esta preocupación ha sido una de las razones para que los gobiernos colombianos hayan mostrado su renuencia a que actores internacionales participen de forma directa. Al menos hasta el gobierno de Pastrana, este dilema retardó seriamente cualquier participación internacional posible. Sin embargo, ya con Pastrana, con el claro agotamiento de las iniciativas internas y de los anteriores modelos, el gobierno, la guerrilla y los sectores de la sociedad civil empezaron a pronunciarse de forma directa en favor de alguna forma de ayuda internacional. Tanto Pastrana como Uribe se han mostrado más receptivos que sus predecesores a un desempeño internacional, aunque la guerrilla ha guardado bastante reserva al respecto (véase capítulo 3).

Los procesos de paz en Colombia pueden dividirse en períodos de acuerdo con los sucesivos mandatos presidenciales: Betancur (1982-1986), Barco (1986-1990), Gaviria (1990-1994), Samper (1994-1998) y Pastrana (1998-2002). Uribe (2002-   ), período que se discutirá más adelante, alteró lo que

---

[35]   Véase Rangel Suárez, Alfredo, *Colombia, guerra en el fin de siglo*, Tercer Mundo, Universidad de los Andes, Facultad de Ciencias Sociales, Bogotá, 1998.

normalmente se considera un proceso de paz, enfatizando la desmovilización de los grupos paramilitares proestatales y el escalamiento de la guerra contra los grupos guerrilleros alzados en armas en contra del Estado. Cada presidente acogió unas lecciones y asumió unas conclusiones con respecto a la gestión de su antecesor. Excluyendo a Uribe, en general, ha habido dos modelos básicos: agenda de negociación amplia, que abarcaba toda una gama de cuestiones económicas, políticas y sociales; y agenda limitada, en la que las negociaciones se han restringido al cese al fuego, desarme y reincorporación. Sin embargo, hubo significativas variaciones en cada período; Betancur y Pastrana representan el primer modelo; Barco y Gaviria, el segundo. A continuación se analiza cada uno de los períodos.

1) Belisario Betancur (1982-1986): las condiciones objetivas y subjetivas de la violencia

El primer proceso de paz, el de Belisario Betancur, llevado a cabo entre 1982 y 1986, se centró en tres elementos derivados del análisis de la violencia que predominaba a comienzos de los años ochenta. Tomando la idea de Lenin, Betancur habló de condiciones subjetivas y objetivas de la violencia. Betancur, político de estilo populista, afiliado al partido conservador, declaraba que un proceso de paz tenía que abordar tanto las necesidades de los combatientes individualmente, las condiciones subjetivas, como las causas políticas y estructurales de la violencia, las condiciones objetivas. Su proceso de paz estuvo conformado por:

a. Acuerdos bilaterales de cese al fuego que incluyeron a las fuerzas armadas y a cuatro movimientos guerrilleros: M-19, FARC, EPL y Autodefensa Obrera (ADO).

b. Amnistía y ayuda a los ex guerrilleros (el aspecto subjetivo).

c. Promoción de una reforma política y apertura democrática, utilizando para este fin una variedad de foros y vías, entre estas las negociaciones con las guerrillas; reuniones especiales de "diálogo nacional" entre la guerrilla, la sociedad civil y el gobierno, y la expedición de leyes por parte del Congreso para impulsar importantes reformas estructurales (el aspecto objetivo).

d. Un programa especial de desarrollo para las áreas afectadas por la violencia, por medio del Plan Nacional de Rehabilitación (PNR) (de nuevo el aspecto objetivo y estructural, basado en la idea de que la violencia florece en las zonas donde el Estado tiene poca o ninguna presencia).

La visión de Betancur era amplia; muchos de estos elementos fueron resucitados en el proceso de paz de Andrés Pastrana, veinte años después. No obstante, a Betancur le faltó apoyo político significativo. Las fuerzas armadas socavaron abiertamente sus órdenes de cese al fuego y la dirigencia de los partidos tradicionales se mostró reacia a respaldar sus programas de reforma y amnistía[36].

La guerrilla, por su parte, exageró su nuevo papel como actor reconocido políticamente y dio por sentado que había obtenido más de lo que en realidad tenía. Ningún grupo, en esta etapa inicial, parecía ver el proceso de paz más que como un nuevo foro dentro del cual se combinaba la acción política con la ampliación y preparación simultáneas de la capacidad militar. El M-19 fue el más temerario. Después de un tenso cese al fuego de diez meses firmado en agosto de 1984, el M-19 rompió los diálogos de forma unilateral y acusó al gobierno de no cumplir los acuerdos originales. Entonces, el 6 de noviembre de 1985, sobrestimando el apoyo popular con el que contaba, el M-19 envió un comando a apoderarse del Palacio de Justicia y a realizar un juicio público contra el presidente Betancur. El ejército, de inmediato y sin autorización presidencial, respondió a la provocadora acción. El trágico desenlace fueron veintiocho horas de combate en el centro de Bogotá que dejaron más de cien muertos, entre ellos once magistrados de la Corte Suprema de Justicia y los altos dirigentes del M-19[37]. El proceso de paz yacía en un montón de escombros de los llameantes restos del edificio público que había sido erigido para albergar la justicia. Betancur, visiblemente envejecido, apareció en la televisión para declarar que las instituciones de la democracia no eran negociables. Durante días y semanas después, los ciudadanos aún deambulaban conmocionados por los alrededores de las

---

[36] Véase Chernick, Marc, "Insurgency and Negotiations: Defining the Boundaries of the Political Regime in Colombia", tesis doctoral, Columbia University, 1991.

[37] Las fuerzas armadas actuaron sin descanso para recuperar el ocupado edificio que albergaba a la Corte Suprema y al Consejo de Estado. La toma y la posterior respuesta militar llevaron a la muerte de casi todos los guerrilleros, a la mitad de los magistrados de la Corte Suprema y del Consejo de Estado y a veintenas de otras personas atrapadas en el edificio entre el 6 y el 7 de noviembre de 1985. Véanse Carrigan, Ana, *The Palace of Justice: A Colombian Tragedy*, Four Walls, Eight Windows, Nueva York y Londres, 1993; Jimeno, Ramón, *Noche de lobos*, Siglo XXI, Bogotá, 1989; Behar, Olga, *Noches de humo*, Planeta, Bogotá, 1988.

ruinas del palacio de justicia. ¿Cómo había podido llegar a este extremo el proceso de paz?

Por su parte, las FARC promovieron y ampliaron activamente su presencia en el escenario político durante los dos años en que mantuvieron su acuerdo de cese al fuego con el gobierno. En 1985, fundaron un partido político: la Unión Patriótica. El nuevo partido participó en las elecciones presidenciales y legislativas de 1986 con resultados sorprendentes: catorce congresistas y veintenas de concejales en todo el país. Sin embargo, la experiencia electoral de las FARC tuvo un final tan amargo como el del M-19. Los partidos tradicionales empezaron a acusar a las FARC de "proselitismo armado" o de mantener una ventaja electoral en ciertas zonas mediante la fuerte e intimidante presencia militar. Las FARC replicaron que los viejos partidos oligárquicos gozaban de una ventaja similar con ejércitos privados vinculados a las fuerzas armadas. Cientos de candidatos de la UP fueron asesinados durante su primera incursión electoral, tras lo cual prosiguieron de manera continua los asesinatos de sus dirigentes elegidos para cargos representativos, entre ellos senadores, representantes a la Cámara y dos candidatos presidenciales. Poco después de las elecciones, los acuerdos de cese al fuego comenzaron a deshacerse en escaramuzas con las fuerzas armadas a todo lo largo del país. En junio de 1987, los acuerdos se volvieron añicos. Las FARC volvieron a iniciar hostilidades, mientras la UP se quedaba huérfana en la arena política, tratando desesperadamente de crear una identidad independiente de las FARC. A pesar de sus esfuerzos, la guerra sucia contra ella era implacable. En 1995, diez años después de su fundación, la UP denunció que más de 2 mil de sus dirigentes y seguidores fueron exterminados. En 1994, aún consiguió elegir un senador. Pocos días después de posesionarse, también él caía abatido por una bala asesina en la propia capital del país. Reiniciar, entidad que hoy lleva un proceso por genocidio frente a la Comisión Interamericana de Derechos Humanos, registra más de 3.000 asesinatos identificados y de 200 desaparecidos, entre 1985 y 2006, de militantes o simpatizantes de esa organización.

Entre 1980 y 1988, período que enmarca los primeros intentos de negociar un acuerdo sobre el conflicto armado, el número de muertes violentas por año se duplicó de 10 mil a 20 mil. La primera apertura a la paz contribuyó a desencadenar una guerra sucia que fue facilitada por varias tendencias que por entonces se presentaban en Colombia: el auge de la exportación de droga, la fundación de ejércitos paramilitares por narcoterratenientes, la oposición de las fuerzas armadas a las aperturas a la paz, principalmente de aquellos de sus integrantes que colaboraban con los paramilitares. Los acontecimientos rebasaron la audaz y original política de Betancur, quien careció de la autoridad individual para ejecutar o decretar el cambio, o para negociar la reincorporación de los movimientos guerrilleros de la nación. Internamente, no contó con suficientes aliados. La comunidad internacional estuvo ausente del proceso. El proceso de paz murió a causa de mil muertes pequeñas, y se ahogó en un creciente mar de violencia.

2) Virgilio Barco (1986-1990): cese unilateral al fuego, desarme, reincorporación, "mano tendida, pulso firme"

Al tomar posesión, Barco llegó a la conclusión que la estrategia de paz descentralizada y sin plazo definido no podría funcionar. El nuevo equipo de negociación del presidente, que básicamente permanecería en funciones durante dos períodos presidenciales[38], inspeccionó el panorama y propuso pautas. La orientación estaba sintetizada en el lema de la campaña de Barco: "Mano tendida, pulso firme":

a. El control del proceso de paz debía estar a cargo de la rama ejecutiva.

b. El gobierno debía partir de la premisa de que el Estado es la entidad política legítima y las guerrillas están actuando por fuera de la ley.

c. Las negociaciones deberían tener lugar sólo cuando la guerrilla declarara un cese al fuego *unilateral* y aceptara que el resultado final sería el desarme[39].

d. No se requería que el gobierno negociara reformas políticas y sociales con la guerrilla. Los foros institucionales apropiados para la reforma, como

---

[38] Como figura central de este grupo estuvo Rafael Pardo Rueda, quien actuó como principal negociador en los diálogos con el M-19. Más tarde llegó a ser ministro de defensa del presidente Gaviria, el primer civil designado para este cargo desde el estallido de la violencia en los años cuarenta. Pardo atribuye los éxitos logrados durante los mandatos de Barco y Gaviria a la estabilidad y a la duración de los respectivos núcleos del equipo de asesores, que se sucedieron el uno al otro como principales negociadores con la guerrilla durante los dos períodos presidenciales. Véase Pardo Rueda, Rafael, *op. cit.*

[39] Presidencia de la República, *El camino de la paz*, Vols. I y II, Consejería para la Reconciliación, Bogotá, 1989.

el Congreso y los tribunales ya existían (el Estado podría ser magnánimo y otorgar amnistías; sin embargo, no se requería que el gobierno aceptara a la guerrilla como interlocutor privilegiado de la sociedad política o civil).

e. Las negociaciones deberían limitarse a dos cuestiones fundamentales: el desarme y la reincorporación a la sociedad.

El Estado ayudaría en el proceso de reincorporación y conversión de la insurgencia en movimiento político. Betancur había decidido eludir el tema de las armas, planteando la cuestión con cierta ambigüedad al señalar que un acuerdo de paz definitivo llevaría al fin de la guerra y, por lo tanto, la guerrilla ya no utilizaría las armas. Barco, por el contrario, hizo de la cuestión de las armas el eje de las negociaciones e insistió en que la guerrilla debía abandonarlas.

Barco también decidió reforzar el Programa Nacional de Rehabilitación creado por Betancur. Incrementó su presupuesto y lo amplió, agregándole foros democráticos denominados Consejos de Rehabilitación, que fueron creados tanto en el ámbito regional como en el municipal, y estaban destinados a estimular la participación de la comunidad en la planificación del desarrollo. La idea era crear un apoyo local a las iniciativas del Estado y "cerrar la puerta" a la guerrilla, tal como lo expuso sucintamente un consejero de paz presidencial[40].

Cuando Barco enunció cuál era su posición para negociar, pocos esperaron que alguien se interesara. Parecía más bien un llamado a la rendición y, desde el punto de vista de la guerrilla, lo restringido de la agenda de negociación parecía un paso atrás y no un avance hacia la mesa de negociaciones.

El gobierno de Barco se apresuró a recalcar otro problema que rápidamente se había hecho evidente para toda la sociedad: la violencia social y el crimen superaron a la violencia política como la causa principal de la violen-

---

[40] Entrevista con Ricardo Santamaría, asesor político, Consejería Presidencial para la Reconciliación, Normalización y Rehabilitación, Bogotá, octubre de 1987. En realidad, otro consejero presidencial afirmó que los Consejos trabajaron con los actores de la comunidad local, incluso con representantes de la guerrilla y en algunos casos tuvieron éxito en la creación de foros democráticos locales en medio de la violencia. Conversación con Patricia Cleves, asesora de asuntos indígenas durante el gobierno de Virgilio Barco, Washington, abril de 1998.

cia en el país. Una Comisión Especial de Estudio de la Violencia, creada por el Ministerio de Gobierno, informó que la violencia guerrillera representaba tan solo el 7,51% del total de muertes violentas en 1985[41].

"Mucho más que la violencia en las montañas y las selvas" —decía el informe—, "la violencia que nos está matando proviene de la calle"[42].

Funcionarios del gobierno y analistas echaron mano de esto para restarle importancia a la idea de las negociaciones con la guerrilla, aunque esta no era la intención de la comisión[43]. Sin embargo, el informe sirvió para desplazar a la guerrilla del centro del escenario. Además, al reorientar la discusión desde la violencia política y la paz hacia los nacientes temas de la violencia y crimen urbanos —lo que parecía lógico en una sociedad cuya población ya era urbana en un 66%—, se minimizó erradamente la constante centralidad de la violencia rural como fuente del conflicto político.

Durante los primeros años del gobierno de Barco, el proceso de paz languideció. Sin embargo, en 1989, faltando tan solo un año para que concluyera el mandato de Barco, el M-19 rompió filas con las demás agrupaciones dentro de la Coordinadora Guerrillera Simón Bolívar, y aceptó las dos precondiciones de Barco: cese unilateral al fuego y acuerdo, cuyo resultado final de las negociaciones sería el desarme y la reincorporación política. Este fue un audaz e inesperado movimiento del M-19 y el gobierno de Barco actuó hábilmente para capitalizar la oportunidad. El gobierno acordó con el M-19 que sus combatientes se concentraran con sus armas en una pequeña zona desmilitarizada en el norte del Cauca. De igual manera acordaron que el M-19 depondría las armas y participaría en las próximas elecciones. Las armas fueron entregadas a una delegación de la Internacional Socialista.

Dos semanas después de entregar las armas, el M-19 participó en las elecciones del Congreso y dos meses más tarde en las elecciones presidenciales. Su primer candidato presidencial, Carlos Pizarro, fue asesinado a tiros en un avión comercial durante un viaje de proselitismo político en su campaña

---

[41]   Compare esta cifra con los datos actuales presentados anteriormente: según la Comisión Colombiana de Juristas, el 18,58% de los homicidios entre 2002 y 2006 eran de carácter político. Ver pág. 62.

[42]   Comisión de Estudios sobre la Violencia, *Colombia: violencia y democracia. Informe presentado al Ministerio de Gobierno*, Universidad Nacional de Colombia-Colciencias, Bogotá, 1989, p. 18.

[43]   Conversación con varios miembros de la comisión, 1990.

electoral. Era una provocación, pero el M-19 reafirmó su compromiso con el proceso democrático. En el funeral de Pizarro, la inmensa multitud gritaba, mientras marchaba a lo largo de las calles de Bogotá: "Los votos de Pizarro serán de Navarro", refiriéndose al segundo en el mando del M-19, Antonio Navarro Wolff. Navarro Wolff, ingeniero de formación, obtuvo el 12% de la votación. Seis meses después, en elecciones especiales para elegir a los miembros de la Asamblea Nacional Constituyente, la lista del M-19 obtuvo casi el 30% de los votos y Navarro Wolff se convirtió en uno de los tres copresidentes de la asamblea encargada de elaborar la nueva Constitución. Parecía que la decisión de abandonar las armas había valido la pena.

Con esto Barco demostró que el gobierno podía negociar de forma exitosa la paz con un grupo guerrillero separadamente. Sin embargo, antes de terminar su período, no pudo concertar negociaciones con los demás grupos, legando el impulso inicial a su sucesor.

3) César Gaviria (1990-1994): ligera ampliación de la agenda y apoyo a una asamblea constituyente como foro para la paz

César Gaviria fue elegido en una campaña que enmarcó el asesinato de tres candidatos presidenciales: Luis Carlos Galán, principal precandidato del partido liberal; Bernardo Jaramillo Ossa, de la UP y Carlos Pizarro, del M-19. La campaña de 1990 incluyó también una papeleta separada, propuesta inicialmente por una coalición de estudiantes universitarios, que hacía un llamado a reformar la Constitución con el fin de encarar la crisis política y la violencia que estaban ahogando al país. Al posesionarse, una de las primeras decisiones de Gaviria fue estudiar cómo poner en ejecución el abrumador deseo del pueblo de que se reformara la Constitución, tal como lo había expresado en el plebiscito informal. Él interpretó el mandato, en términos generales, como el pedido para que se eligiera una asamblea constituyente. Consultada, la Corte Suprema de Justicia dictaminó que no había impedimentos para ello, y que dicha asamblea tendría plena autoridad para elaborar una nueva Constitución. Así que, en diciembre de 1990, se celebraron elecciones especiales para integrar la Asamblea Nacional Constituyente.

El gobierno de Gaviria vio la Constituyente como un instrumento para la paz. Ello proporcionó otra oportunidad para que el M-19 consolidara su transición de agrupación armada a partido político. En efecto, Gaviria quiso estimular al nuevo partido nombrando ministro a su jefe, Antonio Navarro Wolff. Además, hizo de la participación en la Constituyente, por medio de las elecciones o mediante designación especial, el eje de su estrategia de negociación con los grupos guerrilleros restantes. La estrategia funcionó con el EPL —salvo una pequeña facción disidente—, el Quintín Lame y un pequeño grupo de la costa atlántica, el PRT.

En la negociación del desarme y la reincorporación de estos grupos, se aplicó el modelo de Barco: cese unilateral al fuego, concentración en unas cuantas zonas desmilitarizadas, entrega formal de las armas. Esta vez, después de su desarme, los guerrilleros amnistiados podrían presentarse a las elecciones de la Constituyente. Además de la vía electoral, al PRT y al Quintín Lame se les garantizó la representación de un vocero para cada grupo, en tanto que al EPL se le asignaron dos representantes con pleno derecho de voto. En las elecciones posteriores, el EPL se convirtió rápidamente en un nuevo partido político, Esperanza, Paz y Libertad y estableció una alianza con el M-19.

El modelo fue exitoso con estos grupos. Sin embargo, fracasó en lograr acuerdos con las FARC y el ELN. Ambos grupos declararon que no estaban interesados en negociaciones limitadas ni en el cese al fuego unilateral, que por entonces definían los procesos de paz. Gaviria respondió a la ausencia de progreso en los acercamientos, avalando un ataque militar al principal bastión de las FARC, La Uribe —el mismo día que se realizaban las elecciones nacionales para la asamblea constituyente—, donde sus dirigentes recibieron delegaciones del gobierno desde 1984. El ataque puso de relieve la posición, recién surgida, que había grupos guerrilleros que se adaptaban a las cambiantes condiciones de Colombia y del naciente mundo posterior a la Guerra Fría, y grupos anacrónicos, aislados de las corrientes internacionales, cuyas actuaciones degeneraban de modo creciente en conductas criminales. Aquellos que no aceptaran las ofertas del gobierno serían enfrentados con todo el peso de la fuerza militar.

El ataque militar del gobierno a La Uribe desencadenó una importante ofensiva de las FARC y el ELN que distrajo el trabajo de la Constituyente y puso de manifiesto, una vez más, la ineficiencia de la solución militar. En efecto, la guerrilla pareció ser capaz de golpear a voluntad, demostrando por primera vez cuánto había llegado a mejorar sus capacidades militares. Esto también frustró cualquier posible participación posterior de estos movimientos guerrilleros en la Asamblea Nacional Constituyente.

En los últimos meses de trabajo de la Constituyente, el gobierno de Gaviria entabló, de nuevo, negociaciones con las FARC y el ELN, en un esfuerzo final para acabar con la insurgencia. Esta vez, el gobierno no insistió en un cese unilateral al fuego ni en cualquier otra precondición[44]. El gobierno y la guerrilla, ahora unidas en la Coordinadora Guerrillera Simón Bolívar, se reunieron en varias ocasiones en Caracas (Venezuela) y Tlaxcala (México). Estas fueron algunas de las más interesantes negociaciones y revelaron tanto aspectos favorables como obstáculos a un acuerdo. La CGSB rechazó expresamente el modelo Barco. Sostuvo que sus fuerzas eran demasiado grandes para concentrarse en una o dos zonas desmilitarizadas. Insistieron en que la agenda se debía ampliar a más puntos que el simple desarme y la reincorporación.

El primer tema de la agenda fue el cese al fuego. La CGSB insistió en mantener sus fuerzas en las zonas en donde ya contaban con influencia. Aseguraba que ejercía control en unos seiscientos municipios, pero que estaría dispuesta a reagrupar a sus combatientes en doscientos municipios. El gobierno respondió con una oferta atractiva, designando sesenta sitios donde la guerrilla podría concentrarse, en cada uno de los cuales, según afirmaba, podría ubicarse un frente guerrillero. Estos territorios se denominarían "zonas de distensión" y podrían incluir áreas submunicipales (veredas, corregimientos, inspecciones de policía). La CGSB respondió diciendo que aceptaría noventa y seis zonas, pero que cada una de ellas debía comprender un municipio completo. En dichas zonas, debía implantarse un cese bilateral al fuego y a cada una se agregaría una zona neutral en cuyos límites se restringiría la presencia de las fuerzas armadas[45].

Las negociaciones se estancaron principalmente en la cuestión de cuánto territorio dentro del municipio debía desmilitarizarse. La guerrilla quería que fuese el municipio completo, incluidos el centro de la población y los edificios públicos. El gobierno quería conceder sólo un pequeño campo, lejos de los centros residencial y administrativo. En este punto fracasaron las negociaciones. No obstante, estas pusieron de relieve un punto central que a menudo es pasado por alto: la guerrilla da mucha importancia a la política y al poder locales. De manera concomitante, importantes sectores de la sociedad y el Estado se resisten a reconocer esta influencia local, aspecto que tuvo resonancia en los años cincuenta y sesenta, cuando el gobierno denunció la influencia comunista local como "repúblicas independientes".

---

[44] Véanse Pardo Rueda, Rafael, *op. cit.,* Bejarano, Jesús Antonio, *op. cit.*

[45] Véase García Durán, Mauricio, *op. cit.* Bejarano, Jesús Antonio, *op. cit.* Entrevista con Jesús Antonio Bejarano, Consejero Presidencial para la Reconciliación, Normalización y Rehabilitación y principal negociador por parte del gobierno en Caracas, agosto de 1994.

Sin haber logrado un acuerdo de cese al fuego, las dos partes convinieron reunirse en Tlaxcala (México) a fin de tratar más a fondo los puntos de la agenda que fueron expuestos en las primeras reuniones en Caracas. El ejecutivo, abandonando la posición del anterior gobierno, una vez más consintió en ampliar la estrategia de negociación y reunirse sin condiciones previas. La agenda de negociación incluyó: 1) cese al fuego; 2) relaciones con la Asamblea Nacional Constituyente y otros organismos democráticos como el Congreso; 3) paramilitares, impunidad y doctrina de seguridad nacional; 4) democracia y "favorabilidad" política, es decir, el establecimiento de condiciones excepcionales para ayudar a la transformación de una organización guerrillera en partido político, así como la concesión de condiciones electorales favorables por una sola vez; 5) soberanía nacional; 6) acuerdos de verificación, y 7) democracia económica, política y social[46]. Sin embargo poco se avanzó en la agenda después del arribo de las dos partes a México. Las negociaciones fracasaron pocos meses después cuando una facción disidente del EPL secuestró y asesinó a un ex ministro de gobierno. Tal como ha sucedido repetidas veces, el gobierno suspendió las negociaciones a raíz de las protestas públicas y de los congresistas por las acciones de la guerrilla. Las negociaciones con la CGSB no se reanudaron durante el gobierno de Gaviria. La experiencia pone de manifiesto el punto flaco de un proceso en donde el gobierno es a la vez parte del conflicto y árbitro en las negociaciones. Por lo tanto, se requiere que haya una suerte de tercera parte mediadora junto con el compromiso de permanecer en la mesa de negociaciones, pese a las provocaciones de la otra parte negociadora.

Los dos últimos años del período de Gaviria presenciaron un cambio total en la posición del gobierno. Habiendo llevado a buen término la Constituyente y logrado la reincorporación de varios grupos guerrilleros, el gobierno retornó a la estrategia militar contra la guerrilla. El Ministro de Defensa, Rafael Pardo Rueda, declaró que en un período de dieciocho meses la guerrilla se vería forzada a volver a la mesa de negociaciones después de un importante fortalecimiento de la capacidad de las fuerzas armadas. Muchos analistas interpretaron esto como una señal de que el gobierno intentaría derrotar a la guerrilla y, poco más o menos, obligarla a aceptar una negociación estilo

---

[46] Conversación con Horacio Serpa, Consejero para la Paz y principal negociador por parte del gobierno en Tlaxcala, Washington, mayo de 2003; García Durán, Mauricio, *op. cit.*

Barco: una reducida agenda, limitada al desarme y a la reincorporación. El gobierno de Gaviria desencadenó también una ofensiva propagandística: la guerrilla había perdido sus ideales marxistas y ahora era poco más que narcotraficantes y criminales.

Para complicar aún más el panorama, el M-19 y el EPL, los dos grupos que entregaron las armas y transformaron sus organizaciones en partidos políticos, no llegaron muy lejos en los escenarios político y social. El M-19 vio derrumbarse su apoyo electoral. En las elecciones de 1994, su representación en el Congreso se redujo de diez a cero. Su candidato presidencial obtuvo menos del 2% de la votación. Para el EPL, la situación era peor. Desde su ingreso en la vida política, sus militantes fueron atacados permanentemente por sus ex camaradas de armas y por grupos paramilitares. En lugares como Urabá, los asesinatos y desapariciones aumentaron. Esperanza, Paz y Libertad nunca pudo consolidarse como fuerza política local. Con el declive del M-19 se perdió la presencia nacional alcanzada por medio de la alianza política que había sido forjada entre los dos antiguos grupos guerrilleros. La caída en picada de la fortuna política del M-19 y el EPL levantó una barrera para negociaciones futuras. Para las FARC y el ELN el fracaso de los primeros grupos en constituirse en fuerzas políticas desacreditó aún más el modelo original de negociación basado sobre todo en el desarme y la reincorporación. Cualquier eventual negociación tendría que basarse en importantes cambios estructurales, económicos y políticos. En resumen, las iniciativas de paz durante el gobierno de Gaviria dieron como resultado, de un lado, acuerdos de paz con algunas fuerzas guerrilleras numéricamente pequeñas pero políticamente significativas, y la elaboración de una nueva e importante Constitución. Por otro lado, estimuló la ampliación de la actividad guerrillera de las FARC y el ELN y aumentó los niveles de violencia y guerra sucia.

4) Ernesto Samper (1994-1998): el propósito de volver a una agenda de negociación más amplia es socavado por la crisis presidencial

Una vez más, el tema de la paz ocupó el lugar central en la campaña presidencial de 1994. Ernesto Samper, en su discurso de posesión, dio instrucciones a su recién nombrado Alto Comisionado para la Paz, Carlos Holmes Trujillo, para que, en un plazo de cien días, le presentara un informe sobre si la guerrilla y los principales sectores de la política y de la sociedad civil estaban interesados y dispuestos a comprometerse en iniciar negociaciones sustantivas de paz. Así, de un golpe, Samper restituyó —si bien sólo de forma temporal— la legitimidad política a los guerrilleros. Se les transformó de bandidos y narcotraficantes, como Gaviria los había calificado después del colapso de Tlaxcala, una vez más en partícipes de posibles negociaciones. Cien días después, Carlos Holmes Trujillo afirmó que la guerrilla aún constituía un desafío político y que la solución a un conflicto armado que llevaba decenios de existencia requería una solución política, es decir, negociada.

Fue un promisorio comienzo de un proceso tempranamente descarrilado por la crisis política que agobió al gobierno de Samper cuando unas cintas grabadas sacaron a la superficie que había dineros del cartel de Cali vinculados a la triunfante campaña electoral del presidente. El proceso de paz languideció mientras el gobierno buscaba defenderse y Samper practicaba la política de sobrevivencia. Con todo, durante el primer año, el gobierno alcanzó a esbozar una estrategia general y comenzó a desarrollar un modelo alternativo de negociaciones que se apartaba sustancialmente de los modelos Barco-Gaviria de cese al fuego-desarme-reincorporación. Para la guerrilla, esto era esencial. Después de la desaparición política del M-19 y de la implacable guerra sucia contra la UP, el desarme unilateral y la participación en elecciones resultaba poco atractivo para los demás grupos.

Durante el primer año, el gobierno de Samper estableció un amplio marco para las negociaciones y esbozó cinco puntos para orientar a sus negociadores:

a. Los contactos entre el gobierno y la guerrilla deberían ser discretos —fuera del espectáculo de los medios de comunicación— pero no secretos.
b. El gobierno garantizaría la seguridad de los representantes de la guerrilla durante los diálogos.
c. El gobierno dialogaría con la totalidad de la CGSB, o con sus partes constituyentes, según lo prefiera la guerrilla.
d. No habría ninguna precondición de cese al fuego, fuese unilateral o bilateral.
e. El gobierno acordaría respetar las normas y procedimientos reconocidos por el derecho internacional humanitario para los conflictos armados internos. Específicamente, la política del presidente incluía: 1) promulgación de una ley general de desarme que contendría medidas para desarticular a los grupos paramilitares; 2) adopción de una medida unilateral para "humanizar la guerra" o aplicación de disposiciones existentes del derecho internacional humanitario en materia de derechos humanos y conducción de la guerra, y 3) invitación a respetadas organizaciones internacionales como la Cruz Roja, para verificar la obediencia por ambas partes a las normas internacionales para la guerra interna y la insurgencia.

El gobierno y el Congreso procedieron, en 1995, a ratificar el Segundo Protocolo de Ginebra. Sin embargo, la estrategia de negociación nunca fue puesta en ejecución en su totalidad, debido a que la crisis interna y las tensiones con Washington, causadas por la corrupción relacionada con el narcotráfico, consumieron la política colombiana y debilitaron gravemente al gobierno de Samper. Tres años después, cuando el gobierno de Samper intentó llevar adelante el proceso de paz, las FARC respondieron que no reconocían al gobierno de Samper como interlocutor válido. Y agregaron que su condición para negociar era la destitución de Samper. La política de supervivencia de Samper significó la profundización de la crisis política, fragmentación y mayor propagación de la guerra interna.

Samper, incluso sin tener en cuenta la crisis presidencial, ejecutó políticas contradictorias que contrabalancearon los primeros pasos positivos que dio para reanudar las negociaciones. En lo que tan solo puede considerarse una profunda y errada interpretación de la política y la sociedad colombianas, el gobierno de Samper inició de nuevo la política de armar a los civiles y organizarlos en cooperativas rurales de seguridad, que después adoptaron el nombre de Convivir. Los grupos de Convivir se convirtieron en unas bandas armadas, ahora abiertamente vinculadas al Estado, responsables de algunos asesinatos. Un alto oficial admitió de manera tardía que la creación de las Convivir dio esencialmente luz verde a los paramilitares ilegales[47]. Luego, la Corte Constitucional declaró inconstitucionales a las Convivir. El favorecido aumento de la violencia paramilitar echó gasolina a la ya encendida guerra sucia.

Samper, en su iniciativa final de paz, durante los últimos meses de su mandato, reconoció de nuevo la necesidad de abordar directamente el problema del paramilitarismo. Casi una década de expresadas intenciones de desarticular los grupos paramilitares no se tradujo en una política eficaz y viable. En efecto, ellos se fueron expandiendo en tamaño, capacidad militar y presencia nacional, hasta culminar en la fundación de las AUC, organización nacional paramilitar que unió a siete bloques regionales en 1997.

La rápida expansión de los grupos paramilitares planteó un nuevo interrogante a los consejeros de paz de Samper: si los paramilitares no podían ser desarticulados, ¿debería invitárseles a la mesa de negociaciones? En un documento público, redactado por los principales consejeros de paz, el gobierno de Samper admitió que los paramilitares mantenían relaciones sustantivas con

---

[47]   Entrevista confidencial, Washington, mayo de 1998.

instituciones y actores estatales, si bien no eran controlados completamente por el Estado. El término *semiautónomas*, que empezó a usarse de forma oficial para describir las citadas relaciones, significaba que los grupos paramilitares tenían una relación poco clara y patética con actores estatales pero que eran también en gran medida autónomos. De por sí, el gobierno de Samper sostuvo que los paramilitares no debían ser vistos ni como insurgentes ni simplemente como criminales. Ellos eran consecuencia de la guerra interna. Samper planteó que el gobierno debía iniciar negociaciones con la guerrilla, sin condiciones previas, sobre una reforma política, social y económica. Al mismo tiempo, debían empezar a explorarse vías para abrir un diálogo separado con los paramilitares, con la idea de lograr acuerdos conducentes a su desarticulación en el contexto de los acuerdos de paz con la guerrilla[48].

Además, en 1997, bajo enormes presiones de Estados Unidos y con la acción concertada de importantes figuras políticas colombianas, el Congreso colombiano aprobó leyes que permitieron al gobierno incautar tierras adquiridas con ganancias del narcotráfico. Años más tarde, estos poderes fueron fortalecidos aún más. Si se ponían en ejecución con un alcance mayor, se darían las condiciones para realizar finalmente una importante reforma agraria, al revertir millones de hectáreas al Estado, que podría disponer de ellas para su redistribución. Esto sólo podría constituir una poderosa ficha de negociación en un futuro proceso de paz y proporcionaba un incentivo que difícilmente rechazaría la guerrilla[49].

---

[48] Véase Ríos, José Noé y García-Peña Jaramillo, Daniel, *Building Tomorrow's Peace: A Strategy for Reconciliation*, Report by the Peace Exploration Comission, presentada al presidente de la república, Ernesto Samper, Oficina del Alto Comisionado para la Paz, Presidencia de la República, Bogotá, 9 de septiembre de 1997.

[49] Sobre la Ley de Confiscación de este período, véase "Question for the Record submitted to Ambassador-designated Curtis W. Kamman", Sub-Comittee on the Western Hemisphere and Peace Corps Affairs, 10 de septiembre de 1997. El gobierno "dialogó" con los narcotraficantes en varias ocasiones, entre ellas en Panamá en 1984; con el cartel de Medellín, en 1990-1991, respecto a su entrega a la justicia a cambio de una reducción de penas, y con el cartel de Cali, en 1994 y 1995, antes de que sus miembros fueran capturados o se entregaran. En 2006, el gobierno de Estados Unidos hizo un acuerdo con los hermanos Rodríguez Orejuela, ya extraditados a ese país, para entregar sus bienes, reportados en más de dos mil millones de dólares. Más aún, la Ley de Justicia y Paz, resultado de los acuerdos entre el gobierno de Uribe y las AUC incluyeron

5) Andrés Pastrana (1998-2002): negociaciones en el ámbito
presidencial, con amplia agenda, sin cese al fuego y con la creación
de una zona de despeje para las FARC

El 22 de junio de 1998, el conservador Andrés Pastrana, quien declaró que la paz sería el objetivo central de su gobierno, fue elegido presidente. Poco después, el 9 de julio, el presidente electo voló a la selva y se reunió personalmente con el máximo dirigente histórico de las FARC, Manuel Marulanda Vélez, reunión celebrada con treinta años de retraso. Ambos estuvieron de acuerdo en iniciar negociaciones de paz tres meses después de la posesión de Pastrana, el 7 de agosto. Por otra parte, el nuevo presidente expresó su conformidad para retirar las fuerzas militares oficiales de cinco extensos municipios situados en el sur de Colombia (un territorio con el doble del tamaño de El Salvador), para facilitar las negociaciones. Una semana después del histórico encuentro de Pastrana con las FARC, un grupo de dirigentes de la sociedad civil viajó a Maguncia (Alemania) a reunirse con dirigentes del ELN, iniciativa patrocinada por las Iglesias católicas colombiana y alemana. A finales de julio, otra delegación de dirigentes de la sociedad civil se reunió con Carlos Castaño, jefe de las AUC. Una semana antes de la posesión presidencial, miles de personas y veintenas de organizaciones fundaron la Asamblea Permanente de la Sociedad Civil por la Paz, en una multitudinaria reunión de tres días en Bogotá.

El proceso de paz de Pastrana con las FARC agregó varios componentes innovadores que parecían encarar de manera directa algunas de las fallas percibidas en procesos anteriores. No obstante, esta experiencia también fracasó y tuvo como consecuencia —no buscada— la profunda disminución del apoyo público a un acuerdo negociado. El fracaso de las iniciativas de Pastrana condujo a que surgiera un amplio consenso en torno a la priorización en la seguridad que proponía el candidato, y posteriormente presidente, Álvaro Uribe Vélez. Las políticas de Pastrana merecen especial análisis, por cuanto parecían ser de gran alcance; su fracaso suscita serios interrogantes acerca de los costos de los procesos de paz fallidos.

Esta sección analiza, principalmente, el proceso de paz con las FARC. La estrategia con el ELN, en la cual la comunidad internacional desempeñó un papel más significativo, se examina con más detalle en el capítulo 3. Los

---

algunas formas de reparaciones a las víctimas así como la confiscación de tierras. Todo ello posiblemente facilitaría futuras negociaciones con las FARC y el ELN.

componentes medulares y las "reglas del juego" que el gobierno de Pastrana y las FARC acordaron fueron:

a. *No cese al fuego*: el gobierno colombiano y las FARC acordaron negociar en medio de las hostilidades, sin cese al fuego. Esta medida constituyó una reacción tanto al rechazo de las FARC del método de cese al fuego unilateral empleado durante los gobiernos de Barco y Gaviria, como al rechazo de las fuerzas armadas del cese al fuego bilateral impuesto por Betancur durante su gobierno. En este punto existía un precedente internacional de peso: en El Salvador, las dos partes acordaron negociar en medio de la guerra y discutir un cese al fuego tan solo después de que se hubieran alcanzado acuerdos sustantivos.

b. *Creación de una zona de despeje*: esta polémica medida tenía antecedentes en la insistencia de las FARC en negociar en Colombia, en vez de hacerlo en un lugar fuera del país. La posición de las FARC reflejaba su preocupación por la seguridad interna, motivada por la guerra sucia y los trágicos episodios ocurridos durante los primeros procesos de paz. También demostraba el gran interés de las FARC en establecer bases estables de poder local. Antes de Pastrana, hubo dos precedentes: en 1994, cuando se iniciaba el mandato de Samper, las FARC propusieron un despeje en un municipio para facilitar las negociaciones. Después de que Samper dijera al principio que esto era posible, las fuerzas armadas declararon públicamente su oposición a la propuesta, y el gobierno de Samper se echó para atrás. En las postrimerías del mandato de Samper, el gobierno consintió en un despeje temporal de un municipio, a fin de facilitar la puesta en libertad de unos prisioneros tomados por las FARC y su entrega a una delegación encabezada por el Comité Carter, ONG estadounidense dirigida por el ex presidente y premio Nobel de la paz Jimmy Carter.

c. Cuando Marulanda y Pastrana se reunieron por primera vez en julio de 1998, las FARC solicitaron el despeje de los cinco municipios. En esta zona, el gobierno aceptaría retirar sus fuerzas militares y de policía, y la seguridad sería proporcionada por la guerrilla y una fuerza civil de policía que cooperaría con las FARC. Para sorpresa de las FARC, Pastrana consintió y la zona de despeje se estableció el 7 de noviembre de 1998, tres meses después de su posesión.

d. *Retorno a una agenda de negociaciones amplia*: el 6 de mayo de 1999, después de la inauguración oficial de los diálogos en enero de ese año, las FARC y el gobierno lograron un acuerdo sobre una agenda de negociaciones de doce puntos que comprendía: reformas económicas, políticas agrarias, cultivos ilícitos, derechos humanos, derecho internacional humanitario, recursos naturales, reforma judicial, reforma política, reforma del Estado, fuerzas armadas y relaciones internacionales. Era una agenda ambiciosa que incluía los principales temas, puntos de divergencia y problemas que enfrentaba el país. Después de una cuidadosa discusión, las dos partes acordaron empezar a discutir sobre reformas económicas.

e. *No discutir sobre armas o desarme:* en total contraste con Barco y Gaviria, Pastrana retornó a la fórmula usada en un principio por Belisario Betancur: el desarme sería el subproducto de un proceso de paz exitoso, no su objetivo central. El desarme no se mencionó en la agenda de negociaciones.

f. *Participación internacional en el proceso:* aunque al principio no se llegó a un acuerdo concreto, las partes acordaron suscribir una declaración, redactada en términos vagos, que abría la puerta a la participación internacional. Finalmente, tanto las FARC como el gobierno aceptaron el nombramiento de un representante especial del secretario general de las Naciones Unidas y la constitución de un Grupo de Amigos conformado por diez miembros, cuatro naciones americanas (Venezuela, México, Cuba y Canadá) y seis naciones europeas (véase capítulo 3).

g. *Foros públicos para la participación de la sociedad civil:* conocidos como *audiencias públicas,* estos foros representaron el reconocimiento de que la paz requeriría una amplia participación de la sociedad civil. Dichos foros fueron organizados en torno a temas específicos relacionados con la agenda de negociación como los cultivos ilícitos o la reforma económica. Se celebraron tanto en la zona de despeje como en otras partes del país[50].

Las FARC también propusieron ciertas condiciones para los diálogos. En primer lugar, el gobierno debía enfrentar a los paramilitares, y segundo, el gobierno debía acordar un canje de prisioneros que supondría la puesta en libertad, por parte del gobierno, de los prisioneros políticos pertenecientes a las FARC a cambio de más de cuatrocientos policías y soldados que las FARC mantenían cautivos. Sobre estas condiciones sólo se llegó a un acuerdo

---

[50] Es difícil formarse un juicio acerca de los efectos de las audiencias públicas, puesto que nunca se logró un acuerdo de los principales actores en la mesa de negociaciones sobre los principales problemas de la agenda. Muchas de las conclusiones de los foros que se celebraron pueden encontrarse en la página web de las FARC: http//www.farcep.org

parcial. El gobierno destituyó a unos pocos generales acusados de mantener vínculos con los paramilitares y en 2001 —el único logro concreto del proceso— varios cientos de soldados y policías fueron puestos en libertad por las FARC a cambio de un reducido número de guerrilleros prisioneros que se hallaban gravemente enfermos.

Durante el primer año del gobierno de Pastrana, el proceso de paz pareció mantenerse como una importante promesa, a pesar de un incómodo y desfavorable comienzo, en enero de 1999, cuando el presidente Pastrana viajó a la zona de despeje a las ceremonias de inauguración y Manuel Marulanda decidió no asistir. Dejó a Pastrana sentado junto a una silla vacía, frente a diplomáticos, periodistas y personalidades de todo el mundo, entre ellos el premio Nobel Gabriel García Márquez y el embajador estadounidense en Colombia, Curtis Kammen. Las FARC se quejaron de medidas de seguridad insuficientes, razón que parecía sacudir los cimientos de la verdadera *raison d'être* para la zona de despeje. El incidente produjo muchos sentimientos hostiles tanto nacional como internacionalmente. Sin embargo, las partes siguieron reuniéndose y, al cabo de varios meses, llegaron a un acuerdo sobre una agenda de negociación global.

Una vez establecido el marco de las negociaciones, poco se avanzó en los años siguientes. Las partes nunca llegaron a ningún acuerdo sobre cualquiera de los puntos de la agenda. Al mismo tiempo, el conflicto militar y la guerra sucia empeoraban fuera de la zona de despeje, y pronto la opinión pública colombiana se volvió contraria al proceso de paz. Después de más de tres años de estar dando bandazos de una crisis a otra, el proceso se rompió definitivamente el 20 de febrero de 2002, cuando Pastrana ordenó a las fuerzas armadas recuperar la zona de despeje. Lo que había parecido ser una prometedora oportunidad final después de veinte años de fracasados diálogos de paz fue desaprovechada por obra de desaciertos y decisiones erradas de lado y lado.

¿Qué pasó? Este libro sostiene que el proceso habría podido ser viable, pero fue estructurado inadecuadamente y ambas partes no pudieron o se rehusaron a adoptar las decisiones y compromisos necesarios que lo habrían hecho avanzar. Cada parte acusó a la otra de no haber tenido suficiente voluntad política o el deseo de poner fin a la guerra. Las FARC denunciaron la expansión exponencial de las AUC, de 4 mil a 8 mil integrantes, durante los tres primeros años del gobierno de Pastrana. Asimismo, condenaron en repetidas ocasiones el Plan Colombia, patrocinado por Estados Unidos, que incrementó enormemente la ayuda militar estadounidense a Colombia y militarizó aún más la guerra contra las drogas, en un momento en que el gobierno había declarado públicamente que su prioridad central era la paz. Dada la insistencia de las fuerzas armadas y de Estados Unidos en que las drogas y la guerrilla estaban interrelacionadas, la verdad era que las dos políticas, combatir las drogas y negociar la paz, se contradecían y se socavaban entre sí (véase capítulo 3).

El gobierno, por su parte, condenaba el aumento de las actividades militares de las FARC en todo el territorio nacional y su creciente participación en secuestros y otras actividades criminales. El proceso de paz, tal como estaba estructurado, era inadecuado para discutir las preocupaciones de ambas partes y terminó cegando las salidas en la mesa de negociaciones.

Sin embargo, los procesos de paz no deben depender sólo de la voluntad política. Deben estructurarse para calmar las preocupaciones y crear dinámicas que cambien las percepciones y las tácticas de cada parte combatiente. La estructura de paz de Pastrana dejó de hacer eso. De por sí, vale la pena reexaminar los componentes clave del proceso de paz tal como se esbozó anteriormente. El fracaso no era inevitable.

1) *Cese al fuego.* Las reglas de juego acordadas por el gobierno y las FARC estipularon que las negociaciones se harían en medio de la guerra. Como se señaló, así se desarrolló el proceso en El Salvador. Asimismo, se mostró el marcado contraste con el proceso llevado a cabo durante el gobierno de Barco y los primeros años del de Gaviria, cuando el proceso de paz estuvo condicionado a ceses al fuego unilaterales por parte de la guerrilla.

Sin embargo, después de la experiencia de Pastrana, es evidente que en Colombia este modelo de negociaciones sólo llevó a la intensificación de la violencia. Cada parte creía, de forma equivocada, que su ventaja en la mesa de negociaciones aumentaría si incrementaba sus acciones militares. Las FARC crearon corredores estratégicos más allá de los límites de la zona de despeje, mientras el gobierno fortaleció su capacidad militar con la ayuda y el entrenamiento de Estados Unidos.

En Colombia, el tipo de reformas necesarias planteadas en la agenda de negociaciones no dependen necesariamente de la fortaleza en el campo de batalla. La ventaja militar no es, o no debe ser, el ingrediente central en estos procesos. Hay reformas necesarias sobre las cuales se llegaría a consensos por parte de muchos actores políticos y ciudadanos. Con todo, sin cese al fuego, el recrudecimiento de la violencia durante las negociaciones llevó a la mayoría de la opinión a volverse crecientemente escéptica respecto al proceso de paz. ¿Por qué aumenta la violencia, se preguntaban muchos, si están sentados en la mesa de negociaciones? Aunque la estrategia haya funcionado en otras partes, en el contexto colombiano *un cese bilateral al fuego verificable* debe preceder a los diálogos fundamentales a fin de evitar dicha dinámica.

En efecto, los negociadores de Pastrana pronto se dieron cuenta de que el tema del cese al fuego necesitaba ser reconsiderado. A principios del año 2000, las dos partes intercambiaron propuestas al respecto. En octubre de 2001, en un convenio conocido como acuerdo de San Francisco, las FARC y el gobierno acordaron priorizar la búsqueda de un cese al fuego. Sin embargo, el problema es de grandes proporciones. Las cuestiones logísticas por sí solas son apabullantes. Como se ha dicho, en 1991, en Caracas, las dos partes estuvieron a punto de alcanzar un cese al fuego. Pero la decisión fracasó al no ponerse de acuerdo sobre el número de lugares, el grado de movilidad de la guerrilla dentro de los municipios designados y la viabilidad de participar en política en esos lugares. No obstante, ambas partes, en esa ocasión, haciendo esfuerzos desesperados hasta el último momento, casi logran un entendimiento —entre sesenta y noventa y seis municipios donde la guerrilla mantenía presencia fuerte.

En 2002, en vísperas del fracaso total del proceso, las Naciones Unidas y el Grupo de Amigos trabajaron con ambas partes en la elaboración de un cronograma para alcanzar resultados específicos. El cronograma estableció que las partes debían lograr un acuerdo de cese al fuego el 7 de abril de 2002. Las negociaciones comenzaron, una vez más, por identificar las zonas donde los combatientes podrían ser ubicados y determinar el número de dichas zonas y el tamaño de cada una[51]. Mientras se elaboraban los mapas correspondientes, empezaron a filtrarse detalles a la prensa. El candidato Uribe denunció el plan como la creación disfrazada de decenas de nuevas zonas de despeje, hecho que sería inaceptable para el país. Las negociaciones no avanzaron. Las tensiones aumentaron. Las FARC secuestraron un avión con un importante senador a bordo. Pastrana ordenó recuperar la zona de despeje, anticipándose a que un final cese al fuego pudiera llegar a alcanzarse.

La salida también se complicó por los problemas que acompañan cualquier cese al fuego. Entre ellos, los principales son: el secuestro y los cultivos ilícitos, actividades que deben ser abordadas si se suspenden los combates. La pregunta es: ¿debería permitirse que continúen durante un cese al fuego

---

[51]   Conversaciones con Gonzalo de Francisco, consejero presidencial, agosto de 2002.

pero en ausencia de un acuerdo final de paz? Esto también es difícil pero no imposible de resolver. En los acuerdos de octubre de 2001, las FARC accedieron a suspender la práctica de las "pescas milagrosas", que consistía en el secuestro masivo de personas que caían en poder en los puntos de control y bloqueos de carreteras que estos realizaban. En los acuerdos de cese al fuego efectuados en La Uribe en 1984, las FARC condenaron el acto del secuestro y, luego proporcionaron una lista de las víctimas de secuestro que tenían en su poder[52]. Ambos precedentes necesitan ser examinados más detenidamente por su fuerza y alcances.

En cuanto a los cultivos ilícitos, la posición de las FARC aparece claramente expresada en el acuerdo de Los Pozos (febrero de 2001) y en sucesivas declaraciones: las FARC se oponen a la fumigación aérea y a la erradicación forzada pero no se opondrán a la erradicación manual de cultivos ilícitos en comunidades que lleguen a un común acuerdo con el gobierno para la ayuda al desarrollo de cultivos alternativos. Este, por supuesto, era uno de los temas en la agenda de negociaciones. Los diálogos de fondo y el acuerdo de cese al fuego necesitan ser coordinados.

2) *Zona de despeje.* La zona estaba constituida por cinco municipios poco poblados (menos de 100.000 personas), donde las FARC habían tenido fuerte presencia durante décadas, mientras que la del Estado había sido históricamente escasa o nula. En condiciones apropiadas, la medida de retirar la policía y las fuerzas militares, incrementando al mismo tiempo otros programas estatales, podría haber sido una ventaja para los habitantes y también un estímulo al proceso de paz.

Sin embargo, el gobierno de Pastrana no pensó demasiado en la naturaleza, el alcance y las normas que regirían la zona de despeje. Tampoco dio explicaciones concretas y sinceras al país sobre las razones para crear la zona, ni los objetivos que se proponía alcanzar al poner en práctica este programa. Esta falta de claridad dio como resultado repetidas crisis, entre las cuales es memorable la que se produjo entre el gobierno y las fuerzas armadas que llevó a la renuncia del ministro de Defensa y, en general, a la desilusión nacional por considerar esta política como una concesión excesivamente generosa para las FARC.

52 Véase Comisión Internacional de las FARC-EP, "Acuerdos de La Uribe", en *FARC-EP: Esbozo histórico,* Comisión internacional, 1998.

También se autorizaba que la existencia de la zona de despeje se prorrogara por tres, seis o nueve meses. En la práctica, esto significó que el proceso de paz sufriera una crisis cada vez que se aproximaba la fecha para autorizar la prórroga. Al no producirse avance alguno en la mesa de negociaciones, muchos querían que se suspendiera y que se "retomara" militarmente la zona. Se requería una simple fórmula para establecer que mientras las negociaciones prosiguieran, el despeje seguiría vigente, aunque sujeto a alguna forma de verificación nacional y/o internacional que evitara los abusos.

Las FARC insisten aún en la necesidad de una zona de despeje como condición para futuras negociaciones. Sin embargo, habida cuenta de la experiencia negativa de la política de Pastrana, es poco probable que un futuro gobierno colombiano consintiera otro programa semejante sin llegar a un acuerdo con mayor definición sobre el uso de la zona y, lo más probable, con formas de verificación nacional e internacional.

3) *La agenda de negociación.* La mayoría de los doce puntos que fueron incluidos en la Agenda Común no eran apropiados para una mesa de negociaciones entre el gobierno y los dirigentes guerrilleros. Muchos era mejor dejarlos para una asamblea constituyente, que en el contexto colombiano tendría más amplia representación y legitimidad. Esto no implica un regreso a la agenda restringida de los períodos de Barco y Gaviria. El punto es evaluar en forma realista qué es negociable y qué no lo es. Una agenda realista debería comprender los problemas esenciales que han contribuido a alimentar la guerra. La mayoría de esos problemas estuvieron, de hecho, en la Agenda Común. A mi juicio, los problemas medulares de la agenda serían:

a. Cuestiones agrarias, principalmente reforma agraria, desarrollo rural y cultivos ilícitos
b. Fuerzas armadas y organizaciones paramilitares
c. Derechos humanos y derecho internacional humanitario
d. Condiciones de gobierno y poder locales
e. Condiciones de gobierno y poder nacionales.

Pueden añadirse otras cuestiones. Una agenda de negociaciones eficaz debería incluir tanto *áreas de reformas esenciales* como *cuestiones de poder político.* Aunque las FARC luchan por el poder nacional, en este punto hay mayor oportunidad para llegar a un acuerdo sobre las condiciones de participación en los órganos de poder locales y regionales.

4) *Armas y desarme.* En algún momento del proceso de negociaciones es necesario tratar la cuestión de las armas. Es mejor empezar a pensar tempranamente en este problema. Las FARC, durante los diálogos con el gobierno de Pastrana, insistieron en que esta cuestión no era negociable: cuando las condiciones para la guerra dejen de existir, la necesidad de utilizar las armas desaparecerá. Sin embargo, un proceso de paz conducente al éxito, sobre todo a la luz de repetidos fracasos, exige mayor claridad sobre esta cuestión.

Es posible que Colombia pueda hallar una solución propia. La cuestión no es simplemente de desarme, sino de la manera como los grupos desarmados son incorporados a la lucha política (obsérvese cómo se hace hincapié en los grupos y no, como se ha hecho antes en Colombia, en los individuos). Una paz que no se base en la derrota militar, requiere que ambas partes aborden los problemas de reforma y poder. En lo que concierne a este último, dos aspectos sobresalen con relación al desarme y a la reincorporación. En primer lugar, la necesidad de convertir al movimiento guerrillero en un partido político viable, con acceso a puestos significativos de gobierno. Esto deberá ser negociado con sumo cuidado, a fin de evitar que corra la misma suerte de la UP (eliminación física) o del M-19 y del EPL (inviabilidad política). Puede ser útil poner mayor atención a la creación de condiciones favorables en los ámbitos del poder local y regional, como ocurrió durante los primeros procesos de paz.

En segundo lugar, la incorporación de las unidades guerrilleras a los cuerpos militares y de policía estatales, especialmente en los ámbitos local y regional. Si uno de los objetivos fundamentales del proceso de paz es construir una presencia coherente y legítima del Estado a lo largo y ancho de todo el territorio nacional —algo que no se ha logrado desde la fundación misma del Estado—, entonces tal autoridad debería ser construida al mismo tiempo que los combatientes de las FARC son asimilados de forma gradual a las fuerzas de policía a escala nacional, regional o local. Durante el período de transición, las FARC y los actores estatales compartirían responsabilidades. Al final del período, la presencia del Estado se habría incrementado notablemente, creándose al mismo tiempo condiciones de seguridad para las FARC en el período del posconflicto. La regulación de esta transición y su punto final necesitarían ser negociados. En todo caso, ello conduciría a un sustancial aumento de la autoridad del Estado y a la institucionalización de un acuerdo de paz viable.

5) *Mediación internacional.* Veinte años de experiencia negociadora indican que para alcanzar la paz se requiere la mediación internacional. Si se permite que se las arreglen solos, los actores armados siempre encontrarán la

manera de "pararse de la mesa de negociaciones". Esto requerirá gran paciencia y significativos períodos de tiempo para crear confianza. El proceso de décadas de participación internacional en los procesos de paz de Centroamérica, desde el plan de paz de Contadora hasta el plan Arias, con la eventual mediación de las Naciones Unidas, proporciona un precedente. La naciente participación internacional durante el período de Pastrana también aporta un rico caudal de experiencia. La paz requerirá probablemente un alto grado de atención adicional del secretario general de las Naciones Unidas, y por lo menos una aceptación por parte de Estados Unidos (véase capítulo 3).

Conclusión

Una concienzuda lectura de la historia reciente demuestra, de manera convincente, que no existe ninguna solución militar a los conflictos armados en Colombia. A pesar del sostenido incremento de la capacidad militar, iniciado en el período de Gaviria, y acelerado durante los mandatos de Pastrana y Uribe, el Estado sigue siendo incapaz de derrotar a la guerrilla. Las opciones, entonces, son: a) intensificar la guerra en procura de lograr una ventaja militar antes de llegar a la mesa de negociaciones; b) proseguir la guerra en los niveles actuales y tratar de elevar la capacidad del Estado y la fuerza y legitimidad de las instituciones en medio de la guerra; 3) intentar alcanzar un acuerdo negociado directo.

Durante un período de más de veinte años, hubo tentativas de llevar adelante versiones de todas estas opciones. Entre 1998 y 2002, el Departamento de Estado de Estados Unidos y muchos miembros del gobierno de Pastrana sostuvieron básicamente que la primera opción era la vía para llegar a un acuerdo de paz. A partir de las discusiones con encargados de elaborar las directrices políticas, se infiere con claridad que muchas de las razones, no declaradas, que estaban detrás de la ayuda estadounidense al Plan Colombia se basaban en la supuesta necesidad de incrementar la capacidad militar de las fuerzas armadas colombianas para que estuviesen en una mejor condición de empujar a la guerrilla hacia la mesa de negociaciones. Sin embargo, también la guerrilla practicó, en esencia, la misma estrategia de aumentar su capacidad militar para obligar al gobierno a negociar. El resultado fue que el proceso de paz se convirtió en un estímulo para la ampliación de la guerra.

Álvaro Uribe optó, en lo esencial, por continuar apoyándose en el razonamiento fundamental subyacente en la estrategia de Pastrana: aumentar la ventaja militar para asegurar mayor éxito en la mesa de negociaciones. No obstante, esta vez Uribe escogió aplazar las negociaciones hasta que las condiciones en el campo de batalla fueran más favorables y la guerrilla estuviera bastante debilitada, en vez de perseguir ambos objetivos de manera simultánea como lo hizo Pastrana. Asimismo, optó por intentar desmovilizar a los grupos paramilitares mediante negociaciones separadas, dejando, de esta manera, más claramente definido el campo de batalla.

La debilidad de esta estrategia es que la guerrilla también puede hacer un intento por incrementar su capacidad militar y contrarrestar, en gran medida, la estrategia del gobierno, lo que simplemente llevaría a la continuación de la misma dinámica anterior de empate negativo, sin que ninguna de las partes obtenga una ventaja decisiva. Y si la desmovilización de los paramilitares no logra desmantelar las estructuras del paramilitarismo, o si los ex combatientes vuelvan a rearmarse —ahora aún más vinculados con el crimen organizado y el narcotráfico—, entonces la estrategia no conduciría a una mejor definición del campo de batalla. Tampoco, y quizás más importante, lograría eliminar la fuerza que ha saboteado de manera permanente, durante más de veinte años, todo posible o efectivo acuerdo de paz.

En Colombia la paz consiste, fundamentalmente, en la construcción de un régimen incluyente y participativo y de una presencia legítima, legal, respetuosa y proveedora del Estado a lo largo y ancho del territorio nacional. Esto no es posible determinarlo, ni ahora ni en el futuro, en el campo de batalla. A pesar de muchas opiniones contrarias, la fortaleza militar no será decisiva para estructurar los acuerdos de paz. Se necesitan otras iniciativas y estrategias de negociación.

En Colombia, hay varias cuestiones fundamentales que, imprescindiblemente, deben formar parte de una futura agenda de negociaciones. Las principales son:

a. Reforma agraria

Los conflictos de tierras y las desigualdades en el campo continúan siendo una de las principales causas motoras de la violencia política en Colombia, tanto en las zonas de colonización como en las tierras agrícolas tradicionales. El acelerado proceso de contrarreforma agraria llevado a cabo por la compra de tierras por parte de los narcotraficantes ha alimentado la violencia rural, pero al mismo tiempo ha creado una enorme oportunidad. Con las leyes que permiten al gobierno expropiar bienes y propiedades de los narcotraficantes y paramilitares, sería posible entrar a negociar sobre la base de varios millones de hectáreas disponibles para su distribución y desarrollo. Esta contra "contrarreforma agraria" podría resultar una importante arma —y oportunidad— en el arsenal de negociación del gobierno. Para las FARC, cuyos orígenes datan de los conflictos agrarios de los años treinta, sería muy difícil rechazar una propuesta sobre una reforma agraria de fondo.

b. Fin de la guerra sucia

No puede haber ninguna paz si la guerra sucia permanece y los ex guerrilleros y nuevos actores políticos continúan siendo asesinados y silenciados. La experiencia de la UP no puede repetirse. El Estado, las fuerzas armadas, la guerrilla y los sectores representativos de la política y de la sociedad civil necesitan forjar el solemne compromiso de acabar con la guerra sucia. Este compromiso debe ser respaldado con claras garantías institucionales y el fortalecimiento del poder judicial que haga posible asegurar que el imperio de la impunidad llegue a su fin y que los violadores de la ley sean llevados ante la justicia.

Los procesos legales de esclarecimiento de los crímenes de los paramilitares y sus aliados, dentro del Estado y el gobierno, pudieran ser un paso positivo hacia este objetivo.

c. Reorientación de la misión estratégica de las fuerzas armadas y de la policía en el contexto de la paz interna

La misión tanto de la policía como de las fuerzas armadas en una sociedad de posconflicto necesita ser ampliamente discutida entre expertos civiles y militares, representantes del Estado y de la sociedad civil y la guerrilla. Las cuestiones que deben precisarse son: rol y estructura de la policía en cuanto al mantenimiento del orden; desmilitarización de la sociedad; relación de la policía con las autoridades civiles locales, regionales y nacionales; relaciones cívico-militares y misión estratégica de las fuerzas armadas en la defensa de la soberanía, las fronteras nacionales y las amenazas a la seguridad nacional —por ejemplo del narcotráfico, del crimen organizado o incluso del terrorismo— después de que la guerra haya terminado; desmovilización de las fuerzas guerrilleras y su incorporación a las unidades militares y policiales. El objetivo es sentar las bases para el desarrollo de una fuerza y un programa de seguridad que sean democráticos y responsables ante la autoridad civil, pero que eviten los vacíos de autoridad que se presentaron después de otros procesos de paz, sobre todo en Centroamérica.

d. Incorporación de los guerrilleros y otros actores de la comunidad en las estructuras local y nacional del Estado y la política electoral

Las FARC son una organización nacional y, como tal, su acceso al poder nacional debe ser negociado. No obstante, gran parte de la violencia tiene raíces en conflictos sociales locales. La paz debe ser negociada en el ámbito nacional, pero debe ser construida y consolidada en el local. Una de las principales limitaciones del Frente Nacional era que impedía toda salida a los conflictos sociales locales. La mejor garantía de la paz será que los guerrilleros y los dirigentes comunitarios, anteriormente excluidos, sean incorporados al ejercicio del poder en el ámbito local. Los principales procesos de paz de comienzos de los años noventa crearon condiciones favorables para la participación política nacional de los dirigentes guerrilleros desmovilizados. Un nuevo acuerdo requerirá la creación de condiciones similares en el ámbito local. De hacerse, el Estado creará de un golpe las condiciones para fortalecer, legitimar y ampliar su presencia en gran parte del territorio nacional.

e. Una última cuestión tendrá que incluirse en la agenda

La necesidad de constituir una comisión de la verdad y la reconciliación en el período de posconflicto. Muchos insisten en alguna forma de rendición de cuentas nacional, otros exigen justicia; otros, en cambio, insisten en que todos los crímenes de guerra deberían ser objeto de perdón y olvido. Tal como en otros países, de Argentina a Sudáfrica, este asunto puede llegar a ser el más polémico de todos. Después de tantas décadas de violencia, muy pocos llegarán a la mesa con las manos limpias. Sin embargo, no podrá haber paz sin elaborar un completo registro histórico que precise la memoria colectiva nacional de estos largos años de violencia. Este proceso deberá ser objetivo y sin obstrucciones de ninguna clase. En Guatemala y El Salvador, la comunidad internacional encabezó las iniciativas. En otros países, se constituyeron comisiones nacionales. Sólo cuando hay una contabilidad comprensiva de las acciones y violaciones de todos los actores en conflicto —guerrilla, paramilitares, Estado, otros— la sociedad puede comenzar a enfrentar adecuadamente las cuestiones más difíciles de la amnistía, el perdón, la justicia y el castigo.

Una primera y muy limitada aproximación a este tema es la Comisión Nacional de Reparación y Reconciliación (CNRR), fundada en 2005 por el presidente Uribe quien nombró como su primer director a Eduardo Pizarro, hermano del líder del M-19 asesinado en plena campaña electoral. Esta comisión fue creada para hacerle el seguimiento a los decretos reglamentarios de la desmovilización paramilitar.

Sin embargo, una Comisión de Verdad, por definición, tiene que ser independiente; no puede cumplir sus funciones a satisfacción en medio de la guerra, apoyada por una de las partes en conflicto. Esta experiencia tendría que ser completamente repensada como parte de un proceso comprensivo de paz. Empero, debería estar respaldada con el apoyo de varias instituciones nacionales e internacionales, tanto oficiales como no gubernamentales. Hay varios modelos en el ámbito internacional y todos tienen sus limitaciones. Colombia tendrá la oportunidad de forjar una nueva forma de justicia posconflicto que satisfaga tanto las exigencias de la justicia como de la paz.

Las concesiones relacionadas con cada una de estas cuestiones generarán mucha resistencia, y se requerirán una audacia y una visión nunca antes demostradas por ninguna de las partes. Aún no es seguro que la mayoría de la dirigencia de cada una de las partes crea que las reformas estructurales sean preferibles a continuar la guerra. Un rol clave que deben desempeñar los grupos organizados de la sociedad civil consiste en ejercer constante presión en favor de la paz y en demandarla sin tregua, mediante paros laborales, paros cívicos, referendos, publicaciones en los medios de comunicación, manifestaciones artísticas, seminarios universitarios y foros populares.

Los repetidos fracasos e interrupciones de los procesos de paz durante seis períodos presidenciales consecutivos demuestran, de manera convincente, que la paz es demasiado importante como para dejarla exclusivamente en manos de los combatientes o de las partes en conflicto. Por tales razones se requiere de observadores, mediadores o facilitadores ajenos al conflicto para que intervengan en el proceso de paz. El gobierno, a pesar de su legitimidad popular y de su autoridad soberana, no puede ser juez, mediador y parte del conflicto al mismo tiempo. Aunque la fórmula funcionó en las negociaciones con el M-19, el EPL y otros grupos pequeños, es poco probable que funcione con las FARC.

Uno de los más fuertes argumentos a favor de internacionalizar el proceso de paz es que el conflicto colombiano ya ha sido internacionalizado. Primero el narcotráfico y la guerra antinarcótica, y luego factores contradictorios como la guerra global contra el terrorismo patrocinado por Estados Unidos y el nuevo mandato internacional de la Corte Penal Internacional han colocado la violencia política colombiana dentro de las preocupaciones de la comunidad internacional. Los militares estadounidenses han forjado nuevos vínculos con sus homólogos colombianos y los diplomáticos estadounidenses actúan crecientemente como procónsules, exigiendo que Colombia erradique cultivos y ajuste su sistema político para atacar de forma más efectiva al terrorismo y al crimen organizado. Al mismo tiempo, la tragedia de los derechos humanos ha hecho que la Unión Europea intervenga en la política interna de Colombia y ha llevado a que se establezca una oficina de las Naciones Unidas para los derechos humanos, una de las dos únicas oficinas especiales en el mundo.

El éxito o el fracaso del proceso de paz tendrá, asimismo, serias consecuencias para la lucha nacional e internacional contra el narcotráfico y el terrorismo y en favor de los derechos humanos. La paz fortalecerá y extenderá la presencia del Estado a vastas zonas del territorio nacional en que esta ha faltado históricamente. La paz hará posible una estrategia realista de desarrollo alternativo para las zonas cocaleras dominadas por la guerrilla en la actualidad. Un proceso de paz exitoso abrirá el camino para acabar con mucho del acaparamiento de la tierra por parte de los narcotraficantes a lo largo del país. El proceso de paz no pondrá fin al narcotráfico, pues este depende de fuerzas económicas internacionales que el Estado colombiano no puede controlar. Sin embargo, sí colocará al Estado colombiano en una mejor situación para limitar su impacto dentro del territorio nacional y mejorará su capacidad para enfrentar muchos de los serios desafíos sociales y políticos que han desbordado a las instituciones estatales durante las últimas décadas.

Las opciones se pueden enunciar de manera escueta: intensificación de la guerra, en busca de una solución militar o de una negociación impuesta; o intensificación de los esfuerzos de paz, en busca de una solución pacífica de los múltiples conflictos. De las dos opciones, la que ofrece las máximas oportunidades de poner fin a los múltiples conflictos armados y la que extenderá el alcance y la legitimidad del Estado es la estrategia centrada en la negociación *con la oposición armada* basada en reformas, distribución de poder y justicia.

Capítulo 3.

LA COMUNIDAD
INTERNACIONAL Y LA PAZ[*]

INTRODUCCIÓN

Después de más de medio siglo de violencia ininterrumpida en Colombia, por fin, en los años noventa del siglo pasado, la comunidad internacional fijó su atención en los conflictos internos de esa nación. Para entonces, el conflicto se había transformado en un enfrentamiento multipolar y atomizado que oponía a dos agrupaciones insurgentes izquierdistas contra las fuerzas de seguridad del Estado y una red de ejércitos privados de derecha que mantenían vínculos con los actores estatales y los dueños locales del poder. El conflicto había desembocado en una crisis humanitaria[1] y se estaba desbordando hacia los países vecinos. Entre 1985 y 2002, más de 2 millones de personas fueron

---

[*] Una versión preliminar de este capítulo fue publicada originalmente en Sriram, Chandra y Wermeister, Karen (Eds.) *From Promise to Practice: Strengthtening UN Capacities for the Prevention of Violent Conflict*, Lynne Reiner and International Peace Academy, Boulder y Nueva York, 2003.

[1] La investigación interdisciplinaria Program on Root Causes of Violence (PIOOM por sus siglas en inglés) ha elaborado un modelo de conflicto con dos niveles de crisis. El segundo nivel es la *crisis humanitaria*, al cual se llega cuando un conflicto de baja intensidad caracterizado por las hostilidades armadas abiertas y de insurgencia desemboca en un conflicto de alta intensidad con destrucción masiva y desplazamiento de sectores de la población civil. Véase Schmid, Alex P., "Indicator Development: Issues in Forecasting Conflict Escalation", en Davies, John L. y Gurr, Ted Robert (Eds.), *Preventive Measures*, Rowman and Little Field, Lanham y Oxford, 1998.

desarraigadas de sus hogares a causa de la creciente violencia, generando una de las mayores crisis de desplazamiento interno de personas en el mundo. Las violaciones de los derechos humanos y del derecho internacional humanitario —especialmente masacres de civiles, ejecuciones extrajudiciales y secuestros, que se incrementaron de modo significativo durante este período— sobre-pasaban las de las demás naciones del hemisferio occidental. De forma pa-ralela, Colombia se había convertido en el mayor cultivador de coca ilícita en el mundo mientras mantenía su liderazgo como productor de cocaína procesada, lo cual alimentaba el crecimiento del violento conflicto armado. Al mismo tiempo, las organizaciones criminales de Colombia diversificaron su alcance a la amapola y la heroína y se convirtieron en los principales pro-veedores de esta droga en el mercado de Estados Unidos. El orden público se hallaba evidentemente fracturado y el Estado, durante mucho tiempo ausente de vastas zonas del territorio nacional, retrocedía cada vez más.

El vacío dejado por la débil autoridad estatal colombiana era con fre-cuencia llenado por grupos partidarios o enemigos del régimen, entre ellos guerrilleros, paramilitares, actores estatales actuando por fuera de la ley, or-ganizaciones de narcotraficantes y jefes políticos locales con poco control ciudadano y por ende sin rendición de cuentas[2]. Sin embargo, pese a esta ruptura de la soberanía territorial y del orden público, aún sería un error con-siderar a Colombia un "Estado fallido"[3]. El Estado y el régimen continúan manteniendo suficiente coherencia para conducir con éxito una economía moderna, celebrar elecciones regularmente, alternar el poder entre los dos partidos tradicionales y un creciente movimiento de candidatos independien-tes, y proveer servicios básicos a la gran mayoría de la población, que se halla concentrada en las amplias zonas urbanas de las altiplanicies andinas y a lo largo de la costa caribe.

---

[2]   La versión original en inglés utiliza la palabra *accountability*, concepto que la co-munidad académica hispanohablante no ha podido traducir adecuadamente (nota del traductor).

[3]   Para un buen análisis de la aplicación de la literatura del Estado fallido al caso de Colombia, véase Mason, Ann C., "Colombia State Failure: The Global Context of Eroding Domestic Authority", ponencia presentada en la Conferencia sobre estados fallidos, celebrada en Florencia (Italia) del 10 al 14 de abril de 2001.

La construcción de paz (*peacemaking*): un negocio arriesgado

"La construcción de paz es un negocio arriesgado", anotó un analista del conflicto, confirmando lo que no siempre es tan obvio[4]. Los fracasos de los procesos de paz pueden agudizar el conflicto, crear nuevos niveles de desconfianza entre los antagonistas, inducir a los saboteadores a socavar los acuerdos y conducir a los actores armados a renovar los actos de violencia a fin de obtener beneficios políticos. Los veinte años de intentos de construcción de paz de Colombia representan un caso típico de los costos de dichos fracasos.

La comunidad internacional sólo empezó a comprometerse de forma directa con el proceso de paz a finales de la década de 1990, principalmente durante la presidencia de Andrés Pastrana (1998-2002). Las anteriores experiencias de una imperfecta y fallida construcción de paz convencieron a muchos, tanto dentro como fuera del país, de que alguna forma de acompañamiento de una tercera parte era necesaria si se quería que el proceso de paz avanzara. Sin embargo, para la época en que la comunidad internacional asume un papel destacado en el proceso de paz de Colombia, el conflicto civil se había tornado más faccionalizado, complejo, extenso y, durante un prolongado período, más sangriento que en los anteriores cincuenta años.

Pese a todo, Pastrana se jugó su elección al compromiso de reanudar los esfuerzos de paz. Incluso antes de posesionarse, visitó al legendario líder de las FARC en su propio campamento, instalado en las profundidades de la selva. La elección de Pastrana volvió a suscitar las expectativas populares; esta vez, muchos pensaron que las condiciones podían ser propicias para la paz. El gobierno recién elegido parecía tener la voluntad política de comprometerse en diálogos de paz serios. La guerrilla, aunque militar y económicamente fuerte, había perdido mucho apoyo político. Era bastante lo que podría ganar si reanudaba las conversaciones de paz con el gobierno. Por otra parte, surgieron varias organizaciones de la sociedad civil y su mensaje era claro: la población estaba cansada de la violencia.

De inmediato, las dos partes estuvieron de acuerdo en establecer un marco para reanudar el diálogo. Pastrana aceptó la condición de la guerrilla de que el Estado cediera el control de una zona desmilitarizada de más de cua-

---

4   Véase Stedman, Stephen John, "Conflict Prevention as Strategic Interaction", en Wallensteen, Peter (Ed.), *Preventing Violent Conflicts,* Departamento de Investigación sobre Paz y Conflicto, Universidad de Upsala, Upsala, 1998, pp. 68-69.

renta y dos mil kilómetros cuadrados. La fórmula aceptada era: diálogo en la zona desmilitarizada —o de despeje— y continuación de la guerra en el resto del país.

LOS ACTORES EXTERNOS: ESTRATEGIAS DIVERGENTES

La respuesta internacional, por su parte, fue a menudo vacilante y poco coordinada. Con frecuencia, los diferentes actores persiguieron estrategias que estaban fundamentalmente en conflicto. Mientras Estados Unidos enfocó su interés en combatir el narcotráfico —con una creciente preocupación sobre el tráfico de drogas como un asunto de seguridad nacional—, otros gobiernos y organizaciones internacionales, sobre todo las Naciones Unidas, la Unión Europea y organizaciones no gubernamentales (ONG) internacionales, centraron más su atención en el estancado proceso de paz, la crisis humanitaria y las violaciones de los derechos humanos.

Aplicando una tipología de la Academia Internacional de la Paz que describe las fases de expansión de un conflicto armado, casi todos los actores internacionales llegaron a la conclusión de que el conflicto colombiano se hallaba, evidentemente, en la última etapa, "escalada del conflicto", es decir en el punto más critico[5]. La situación representaba el más desestabilizante conflicto del hemisferio occidental. En este caso no se trataba de prevenir un conflicto. Ahora lo imperativo era atenuar los efectos de hostilidades abiertas y de buscar los medios para reducir la violencia o de encauzarla hacia su fin.

Sin embargo, cada actor trajo instrumentos políticos diferentes para influir en la situación, los cuales reflejaban análisis e intereses geoestratégicos divergentes. Estados Unidos consideraba que el problema de los narcóticos era el motor clave del conflicto y subordinó todas las demás políticas, desde las que tenían que ver con los derechos humanos hasta las de asistencia judicial y de seguridad, a ese punto de vista. Las agencias de las Naciones Unidas como

---

[5]   La escala va desde la etapa "potencial" y sigue progresivamente a las etapas de "gestación", de "desencadenamiento/movilización", hasta llegar a la etapa de "escalada del conflicto". Para una discusión más amplia sobre estas categorías, véase Sriram, Chandra y Wermeister, Karen (Eds.), *From Promise to Practice: Strengthening UN Capacities for the Prevention of Violent Conflict*, Lynne Reiner and International Peace Academy, Boulder y New York, 2003.

la ACNUR, la Oficina del Alto Comisionado para los Derechos Humanos en Colombia o el Programa de las Naciones Unidas para el Desarrollo (PNUD), trazaron programas dirigidos a atender las necesidades humanitarias, de derechos humanos y de desarrollo institucional que estaban siendo gravemente amenazadas por la violencia. Estas iniciativas incluyeron la vigilancia al respeto de los derechos humanos, la ayuda a las poblaciones desplazadas dentro del país y el apoyo al desarrollo institucional. En este último aspecto también cooperaron de forma bilateral agencias de desarrollo de Europa, Estados Unidos y Canadá.

Pero lo más "riesgoso" —aunque fundamentalmente necesario— en ese momento era la creación de un mecanismo internacional para facilitar un acuerdo negociado. Durante el gobierno de Pastrana, este rol internacional fue forjándose con lentitud. A finales de 1999 el secretario general de las Naciones Unidas, Kofi Annan, sentó los cimientos para un mayor compromiso en las negociaciones de paz entre el gobierno y la guerrilla, nombrando un consejero especial para Colombia. Salvo una resolución del Consejo de Seguridad en sentido contrario, las Naciones Unidas no pueden intervenir unilateralmente en un conflicto sin una invitación del gobierno respectivo. En situaciones de conflicto interno armado, las Naciones Unidas podrán buscar el apoyo de ambas partes. Ni el gobierno colombiano ni las FARC dieron acogida a un papel vigoroso del nuevo enviado de las Naciones Unidas. De por sí, los poderes de este cargo eran bastante limitados. Al consejero especial no se le permitía abrir una oficina en Colombia ni participar en las sesiones de negociación. Su principal responsabilidad era mantener informado al secretario general de la ONU. Sin embargo, como se verá más adelante, un enviado hábil puede actuar de forma discreta, sembrar confianza, brindar asesoramiento y hacer que sus funciones vayan más allá de las que le confiere formalmente su cargo. Esta es la lección aprendida de El Salvador con la experiencia de un representante especial de las Naciones Unidas en el proceso de paz salvadoreño de 1990[6].

El enviado de las Naciones Unidas también siguió otro ejemplo de la experiencia centroamericana. En los años 2000 y 2001, el gobierno colombiano, con la ayuda de las Naciones Unidas, formó dos grupos de "naciones

---

[6]   Véase De Soto, Álvaro, "Ending Violent Conflict in El Salvador", en Crocker, Chester A., Hampson, Fen Osler y Aall, Pamela (Comps.), *Herdings Cats: Multiparty Mediation in a Complex World*, United States Institute of Peace Press, Washington, 1999.

amigas" para que acompañaran los procesos de paz separados que se seguían con las dos mayores agrupaciones guerrilleras del país: las FARC y el ELN. Cinco países —Suiza, España, Noruega, Francia y Cuba— se alistaron para apoyar el proceso con el ELN. En el caso de las FARC, cuatro países americanos y seis europeos se constituyeron en un Grupo de Amigos para actuar en nombre del cuerpo diplomático acreditado en Bogotá. Ellos fueron: México, Venezuela, Canadá, Cuba, Francia, España, Suecia, Noruega, Suiza e Italia.

Estas experiencias fueron difíciles de manejar y, a la larga, sólo lograron modestos avances durante los cuatro años de gobierno de Pastrana. Cada actor llevó a la mesa un punto de vista diferente, como también sus propios intereses y predilecciones. Además, el único actor extranjero con la máxima influencia, Estados Unidos, se mantuvo casi siempre al margen de los esfuerzos de construcción de paz. Más aún, esos actores podían ejercer muy poca influencia más allá de la persuasión política y moral y la oferta de sus buenos oficios y de su perspicacia táctica. Ni las Naciones Unidas, ni la Unión Europea, ni cada una de las naciones europeas y americanas presentes en el Grupo de Amigos consiguieron manejar los suficientes recursos para, de cierta manera, haber aumentado su influencia respecto a actores colombianos específicos o respecto a Estados Unidos.

RUPTURA DEL PROCESO DE PAZ: ¿QUÉ PASÓ?

La comunidad internacional, en esta primera tentativa de ayudar a promover un acuerdo negociado en Colombia, fue incapaz de aprovechar las dos anteriores décadas de fallidos esfuerzos nacionales de paz. El 20 de febrero de 2002, seis meses antes de finalizar su período, el presidente Pastrana declaró que el proceso de paz con las FARC se había terminado. Al igual que muchos de sus predecesores que ocuparon el palacio presidencial, también él declaró que había negociado con buena fe pero que los guerrilleros no eran interlocutores serios, razonables, ni válidos. En una alocución nacional televisada, Pastrana conminó a las FARC a abandonar la zona de despeje en el término de exactamente cuatro horas. Las fuerzas armadas del gobierno se encontraban ya en posición y preparadas para retomar la zona. La iniciativa de paz de Pastrana acababa en forma tan ignominiosa como las de casi todos sus predecesores. Cada una de las partes culpó a la otra; cada una prometió arreciar sus ataques y transformar la dinámica del campo de batalla. Tres meses después, los diálogos con el ELN también se rompieron por completo.

Con la ruptura del proceso de paz, todos los actores se preguntaron qué había pasado. ¿Debía haber actuado de modo diferente la comunidad internacional para ayudar a evitar la ruptura? El presente capítulo examina este momento particular del proceso de paz colombiano, señalado por el comienzo de la participación internacional en él. La abrupta ruptura de los diálogos a finales del gobierno de Pastrana parecía presagiar no sólo la reanudación de la escalada del conflicto, sino también el fin de un modelo de negociaciones que había durado veinte años. En 2002, era evidente que la población colombiana ya no apoyaba el proceso de paz. Cuando Pastrana declaró el fin de las negociaciones, la abrumadora mayoría de la opinión pública respaldó su posición. Antes del 20 de febrero, cuando la violencia continuaba extendiéndose al mismo tiempo que los diálogos marchaban con dificultad, el estado de ánimo nacional se había endurecido y el debate político tomaba un pronunciado giro a la derecha. Incluso antes de la ruptura de los diálogos, los principales contendientes en la campaña para la elección presidencial de mayo de 2002 empezaron a competir sobre quién podría, con mayor eficacia, reestablecer el orden, aunque hasta el último momento varios candidatos —con la notable excepción de Álvaro Uribe— trataron de salvar el proceso de negociación y varios viajaron a la zona de despeje con el mismo objetivo. Después del colapso, el tono del debate político se endureció definitivamente.

El ganador de la elección, Álvaro Uribe Vélez, interpretó mejor que sus rivales el estado de ánimo público. Propuso duplicar la policía y las fuerzas armadas y la creación de una red de auxiliares e informantes civiles que actuarían contra el "terrorismo". La posición de Uribe, aunque fue expuesta antes de los sucesos del 11 de septiembre en Estados Unidos, se acomodaba, no obstante, a los sísmicos cambios producidos en el mundo a raíz del ataque efectuado en Estados Unidos. Dichos sucesos llevaron al gobierno estadounidense a emprender la reestructuración de su política de seguridad exterior sobre la base de una nueva arquitectura de la guerra contra el terrorismo. El Departamento de Estado de Estados Unidos ya había señalado a tres agrupaciones colombianas como terroristas y se apresuró a levantar las restricciones a su ayuda a los programas antinarcóticos en curso, de modo que la futura ayuda militar pudiera ser utilizada para enfrentar el terrorismo. Dicho de manera más simple, Estados Unidos se despojó rápidamente de su renuencia a comprometerse con la contrainsurgencia y el contraterrorismo. Uribe se encontraba en sintonía con los nuevos imperativos en materia de seguridad global.

Aprendiendo del fracaso: ¿y ahora qué?

A pesar de los tambores de guerra, a la postre los actores en conflicto necesitarán regresar a la mesa de negociaciones. La idea de una solución militar a este conflicto no es más que una ilusión. Incluso con mayores gastos del gobierno colombiano y el incremento de la ayuda y el entrenamiento estadounidenses, las fuerzas armadas colombianas no serán capaces de alcanzar una victoria militar sobre la guerrilla en un futuro previsible. Y, a pesar de las crecientes capacidades y destrezas militares de la guerrilla, esta no cuenta con el suficiente apoyo popular ni con amplias alianzas con otras organizaciones o sectores sociales que pudieran conducirlas a la toma revolucionaria del poder.

Una lección que dejan veinte años de procesos de paz en Colombia es que las iniciativas de paz fallidas resultan costosas. Con cada fracaso, los rescoldos de la guerra se han avivado, los actores se han polarizado aún más, los apoyos a una paz negociada se han debilitado. Por consiguiente, antes de embarcarse en un nuevo esfuerzo, la comunidad internacional necesita comprender mejor la compleja dinámica que frustró las tentativas iniciales de ayudar a alcanzar una paz viable en Colombia.

Incluso en medio de la ausencia de negociaciones, las organizaciones internacionales clave, las ONG y las naciones amigas necesitan actuar de modo urgente para prevenir un dramático agravamiento de las violaciones de los derechos humanos y de las crisis humanitarias. A corto plazo, los instrumentos políticos que favorezcan la solución de estos problemas —vigilancia del respeto a los derechos humanos, capacitación, ayuda humanitaria, desarrollo institucional, desarrollo en las zonas del conflicto— necesitarán ser priorizados. Sin embargo, la comunidad internacional finalmente tendrá que ayudar a las partes a negociar una terminación de la guerra. Esto requerirá un retorno, en algunos casos, y una profundización, en otros, a algunos de los programas y políticas parcialmente desarrollados durante los fallidos esfuerzos del gobierno de Pastrana y en menor grado durante el proceso de desmovilización de los paramilitares durante el primer gobierno de Uribe: acompañamiento internacional, facilitación, mediación, verificación, asistencia institucional y ayuda en el posconflicto. Los actores en conflicto y la comunidad internacional necesitarán encontrar una forma de desempeño internacional más viable que esté mejor orientada y que tenga mayores poderes para facilitar la paz. Una mayor claridad acerca del desempeño internacional puede conducir a la articulación de una agenda de negociación más eficaz, realista y aceptable para todas las partes. Ello puede, también, reducir la confusión y las recriminaciones que surgen cuando los actores armados se enfrentan simultáneamente en el campo de batalla y en la mesa de negociaciones, con o sin cese al fuego.

Después de la ruptura del proceso de Pastrana, no es claro dónde se situaría esa mesa, a quiénes se invitaría a sentarse o qué agenda se elaboraría. Las estrategias empleadas en el pasado tuvieron grandes fallas y poco apoyo público. En el presente capítulo se analizarán tales estrategias, con el fin de aportar un análisis provechoso y algunas lecciones claras para la comunidad internacional que sirvan para preparar el terreno de un renovado esfuerzo de paz.

EL CAMBIANTE CONTEXTO INTERNACIONAL DE LAS INICIATIVAS DE CONSTRUCCIÓN DE PAZ NACIONAL

Colombia ha padecido una guerra permanente durante más de sesenta años. Al mismo tiempo se ha experimentado con amnistías, negociaciones, convenios de reparto del poder y ceses al fuego. Las principales amnistías fueron concedidas a oficiales del ejército y a las fuerzas insurgentes en 1953 y 1958. Desde 1982, el gobierno de Colombia y la guerrilla han iniciado varios intentos por negociar un convenio para acabar con el conflicto armado, como se presentó en el capítulo anterior. Durante cada uno de estos esfuerzos de paz, el conflicto siempre fue considerado una cuestión nacional; la mediación internacional no fue nunca solicitada ni bienvenida.

El final súbito de la Guerra Fría, que sobrevino con la caída del Muro de Berlín en 1989, inició una nueva era de mediación internacional en los conflictos civiles. Una primera iniciativa de las Naciones Unidas se produjo en El Salvador con el nombramiento de un representante especial en 1990, sobre la base de más de una década de esfuerzos de paz regionales y de la solicitud de ambos bandos de que la ONU tomara parte en el proceso de negociación[7]. Dos años después, en enero de 1992, un acuerdo final fue firmado tras maratónicas sesiones en la sede de las Naciones Unidas en Nueva York. Antes de su actuación en el caso de El Salvador, las Naciones Unidas sólo desempeñaron oficialmen-

---

[7]   Véase De Soto, Álvaro, *op. cit;* Weiss Fagen, Patricia, "El Salvador: Lessons in Peace Consolidation", en Farer, Tom (Ed.), *Beyond Sovereignty: Collectively Defending Democracy in the Americas,* Johns Hopkins University, Baltimore y Londres, 1996.

te un papel en guerras internacionales entre naciones soberanas; por lo tanto, no tenían experiencia alguna en cuanto a mediación y terminación de guerras civiles. Por esa época era común pensar, al menos en el hemisferio occidental, que las fuerzas insurgentes clasistas y marxistas, que se extendieron por toda la región tras el triunfo de la Revolución Cubana en 1959, siguieron su curso. La etapa posterior a la terminación de la Guerra Fría vería acuerdos negociados sobre esas guerras. La insurgencia armada continuó hasta 1996 en Guatemala, y disminuyó de forma notable en el Perú con la captura de la dirigencia de la agrupación maoísta Sendero Luminoso que había avanzado con intensidad en los años ochenta. Incluso en Colombia, como se anotó, algunos de los más pequeños movimientos revolucionarios entregaron las armas a cambio de su participación en una asamblea constituyente, la primera que se celebraba en Colombia después de más de cien años.

Sin embargo, el conflicto colombiano se mostró excluido de esos iniciales dividendos de paz que trajo para el hemisferio el fin de la Guerra Fría. Su guerra no siguió la corriente hacia la paz, sino que se vio envuelta en nuevas realidades geopolíticas y económicas globales que fueron profundizando y alimentando el viejo conflicto. El nuevo contexto internacional podría describirse de la siguiente manera: primero, la inserción de la región andina en la economía mundial como principal productor de coca y cocaína; y segundo, la reestructuración de la injerencia militar estadounidense en la región alejándola de la contrainsurgencia y el anticomunismo para dirigirla hacia una estrategia hemisférica de cooperación con los militares y la policía de cada país para la erradicación del narcotráfico en su fuente.

Agravación del conflicto: auge del tráfico de drogas y del poder paramilitar

En la década de los noventa, el auge del comercio de las drogas y la consiguiente guerra contra ellas socavaron de innumerables maneras los sucesivos intentos de paz en Colombia. La experiencia ponía una vez más de manifiesto, de modo central, cómo el contexto internacional puede influir en la paz o en la guerra interna.

En la Colombia de los años cincuenta, la extensión regional y mundial de la Guerra Fría contribuyó a frustrar un acuerdo de paz integral. Dado que la Violencia cedió el paso a una segunda etapa de agitación caracterizada por la insurrección guerrillera contra un Estado relativamente excluyente, el conflicto interno llegó a polarizarse siguiendo las grandes divisiones internacionales. La violencia interna en Colombia se remodeló tanto por la ideología revolucionaria en ascenso entre los sectores de izquierda como por la alianza surgida entre los dirigentes militares y civiles colombianos y Estados Unidos a raíz del triunfo de la Revolución Cubana. En efecto, Colombia vino a ser el eje de una nueva estrategia contrainsurgente dentro del marco de la Guerra Fría que fue desplegada contra las guerrillas liberales recalcitrantes y sus aliados comunistas en los primeros años del Frente Nacional, lo cual culminó con campañas de bombardeos aéreos contra las "repúblicas independientes" comunistas en 1964 y 1965. En este contexto, las negociaciones fueron excluidas. La estrategia transformó, asimismo, grupos de campesinos armados provenientes de la guerrilla liberal y comunista del período de la Violencia en la guerrilla de las FARC.

Después del fin de la Guerra Fría, a medida que los conflictos internos en muchas partes del mundo, especialmente en Centroamérica, se fueron desgajando de la polarización internacional que de manera artificial había sustentado muchas insurgencias y guerras, la influencia internacional modificó una vez más a Colombia. El narcotráfico y la naciente guerra de las drogas alimentaron aún más el arraigado conflicto. El narcotráfico corrompió al Estado y socavó la eficacia de instituciones fundamentales relacionadas con la justicia y el orden social. Y proveyó a los rebeldes de una nueva y abundante fuente de sustento, a medida que Colombia se convertía en el principal productor de coca y cocaína ilegal. La guerrilla de las FARC controlaba la mayoría de las regiones cultivadoras de coca, constituidas básicamente por vastos y poco poblados territorios situados al este de los Andes que atraían a cientos de miles de agricultores que buscaban sacar provecho de la bonanza de la exportación ilícita. Por último, el narcotráfico contribuyó a crear un nuevo actor armado que se oponía a la expansión guerrillera: los grupos de "autodefensas", mejor conocidos como paramilitares aliados con los terratenientes, las estructuras de poder local, algunos elementos del Estado nacional y los narcotraficantes.

EL PAPEL INTERNACIONAL EN EL PROCESO DE PAZ: PASOS PRELIMINARES

En las décadas de 1980 y 1990, la transformación de la región andina, y sobre todo de Colombia, en la principal productora de narcóticos ilícitos del hemisferio occidental, condujo a una irrefutable internacionalización del conflicto. Ante todo, provocó una considerable injerencia de Estados Unidos en la región andina por medio de una militarización de la política contra las drogas concebida para frenar el narcotráfico en su fuente. La internacionalización del conflicto demoró un tiempo. A lo largo de los años ochenta, la mayor parte de la ayuda estadounidense para la lucha contra los narcóticos estuvo destinada a erradicar los extensos campos cocaleros de Perú y Bolivia. Sólo desde 1989, cuando Estados Unidos y Colombia declararon una guerra frontal contra los principales carteles de la droga —especialmente contra el cartel de Medellín—, la ayuda a Colombia para la lucha contra las drogas se elevó de forma significativa. Una década después, Colombia se había convertido en la cuestión prioritaria de la política exterior de Estados Unidos en América Latina. Para entonces, Colombia ya sobresalía como el tercer receptor en el mundo de la ayuda estadounidense para seguridad, lo cual culminó en una asignación adicional de 1,3 billones de dólares, en junio de 2000, para apoyar la estrategia conocida como Plan Colombia. Otros actores internacionales respondieron con más cautela y albergaron serias dudas sobre la estrategia estadounidense contra los narcóticos.

El año 1997 resultó fundamental para la intervención internacional en el conflicto colombiano. En noviembre de 1996, las Naciones Unidas crearon la figura de un alto comisionado especial para los derechos humanos en Colombia y acordaron establecer una oficina especial en Bogotá. En 1997, la Alta Comisión para Refugiados de las Naciones Unidas (ACNUR) creó otra oficina especial en Colombia para personas desplazadas, a fin de enfrentar el problema de una población cada vez mayor de refugiados internos en el país, por entonces una de las más graves crisis humanitarias en el mundo. En diciembre de 1999, el Secretario General de la ONU, Kofi Annan, creó el cargo de consejero especial del secretario general para Colombia, con la función de acompañar el proceso de paz colombiano.

Paralelamente a la creciente actuación de las Naciones Unidas, el Banco Mundial también asumió una posición diferente respecto a Colombia. Este había estado vinculado a Colombia desde su fundación, en el período subsiguiente a la Segunda Guerra Mundial. Sin embargo, no es sino hasta 1997 cuando el banco señala, en su informe anual sobre el país, la barrera que constituye para el desarrollo colombiano el problema de la violencia. El nuevo enfoque era consecuencia de la intervención del banco, en la década de 1990, en varias situaciones de posconflicto como las de Angola, Gaza, Bosnia y otros lugares. Estas experiencias llevaron al Banco Mundial a crear una "Unidad de Reconstrucción en Posconflictos" y a investigar más sobre los nexos entre violencia, pobreza y subdesarrollo[8].

No obstante, Colombia planteaba un reto especial al Banco Mundial. Hablar de una situación posconflicto en 1997 era prematuro. La cuestión era, entonces, cómo hacer inversiones que pudieran contribuir a la paz, incluso antes de que el conflicto hubiera terminado. Dos pequeños préstamos fueron aprobados para promover la paz y obras de desarrollo de carácter regional. El primero se destinó para apoyar un programa de desarrollo básico y de planificación local en una de las zonas más violentas, complejas y llenas de contrastes del país: el Magdalena Medio. La región es el centro de la industria petrolera nacional, sede de la única refinería con la que cuenta el país. Además, entre sus renglones económicos figuran el oro, la coca, la ganadería, pequeñas explotaciones campesinas y de pescadores y otras actividades productivas. El Programa para la Paz y el Desarrollo del Magdalena Medio buscaba trabajar con las comunidades de veintinueve municipios y crear canales de diálogo entre esas comunidades y los múltiples actores violentos que operaban en la zona, entre ellos frentes de las FARC, el ELN y las AUC[9].

El segundo proyecto del Banco Mundial, Zonas de Reservas Campesinas, buscaba crear un programa piloto para proteger y prestar asistencia a pequeñas economías campesinas en extensiones de tierras no cultivadas, conocidas como frontera agrícola de la cuenca amazónica. Por lo general, después de que las selvas eran quemadas y taladas, los campesinos eran expulsados de sus parcelas y, dado que no poseían títulos de propiedad, sus tierras eran incorporadas a las grandes haciendas. La idea de zonas de empresa campesina protegidas había sido incluida en la legislación sobre reforma agraria aprobada en 1994, que nunca había sido ejecutada. Las zonas especiales en dichas regiones fueron designadas para romper un importante ciclo de la violencia en Colombia: la concentración de la tierra, expulsión de campesinos, consiguiente

---

8   Véase Banco Mundial, Unidad de reconciliación en posconflictos, *Post-Conflict Reconstruction*, Banco Mundial, Washington, 1998.

9   Véase Banco Mundial, "Project Appraisal Document on a Proposed Learning and Innovation Loan in the Amount of U. S. $5.0 Million to the Republic of Colombia for a Magdalena Medio Regional development Project", en *Environmentally and Socially Sustainable Development Sector Management Unit*, Oficina regional para América Latina y el Caribe, junio 19 de 1998. El autor era consultor para los proyectos: Magdalena Medio y Zonas de Reserva Campesina.

emigración hacia la selva tropical húmeda y la tala de nuevas tierras, seguida de la renovación del conflicto, la expulsión y la emigración.

El Banco Interamericano de Desarrollo (BID) también sentó las bases, en 1997, de un importante proyecto, denominado La paz es rentable, para lo cual encargó estudios que esbozaran propuestas de soluciones a las cuestiones del conflicto que surgirían en una futura mesa de negociaciones, entre ellas la reforma agraria, la justicia, los recursos naturales, la violencia urbana y los derechos humanos. El proyecto no sólo trazó los parámetros de una solución negociada, sino también el tipo de ayuda al desarrollo que se necesitaría para consolidar la paz en la etapa posterior a la terminación del conflicto[10].

En 1998, el Banco Mundial y las Naciones Unidas estudiaron y prepararon la celebración de una importante conferencia sobre ayuda internacional que abordara el conflicto colombiano. Esta reunión debía celebrarse en octubre de 1998, con el secretario general Kofi Annan como orador principal. Este evento se pretendió llevar a acabo durante los primeros meses de la administración de Andrés Pastrana. Se prepararon ponencias sobre la manera como el Banco Mundial y las Naciones Unidas podrían ayudar a Colombia a poner fin a largas décadas de conflicto. Sin embargo, el gobierno colombiano canceló la conferencia a último momento, tan solo una semana antes de su celebración. No se dieron explicaciones. No obstante, en privado, varios funcionarios indicaron que las FARC —que ya habían iniciado conversaciones preliminares con el gobierno colombiano— hicieron saber que se oponían a que la comunidad internacional desempeñara un papel más amplio. No querían que los términos de las negociaciones o la dirección de la futura ayuda internacional fueran determinados por extraños. Asimismo, rechazaron una tardía oferta para participar en la conferencia[11]. El incidente constitu-

---

[10] Véase "La paz es rentable: balance de los estudios", Proyecto de Consultoría del Departamento Nacional de Planeación, Bogotá, Instituto de Estudios Políticos y Relaciones Internacionales, Universidad Nacional de Colombia, Bogotá, septiembre de 1997.

[11] El autor fue consultor del equipo del Banco Mundial encargado de las labores preparatorias de la conferencia. Muchos de esos trabajos preparatorios fueron publicados posteriormente como un trabajo de campo del Banco Mundial: *Violence in Colombia: Building Sustainable Peace and Social Capital*, Banco Mundial, Washington, 2000.

yó una temprana advertencia de las grandes dificultades que debería afrontar la comunidad internacional al tratar de intervenir de forma constructiva en el proceso de paz. Las FARC cooperaban con la comunidad internacional en proyectos de carácter local, así como en zonas de empresa campesina en Caquetá y Guaviare y con el programa para la paz y el desarrollo del Magdalena Medio. Sin embargo, sus dirigentes albergaban una gran desconfianza hacia las élites políticas del país y un profundo fastidio hacia los actores internacionales[12].

Inicialmente, el gobierno de Andrés Pastrana (1998-2002) se mostró renuente a comprometer a la comunidad internacional en el proceso de paz. Enfrentado a una profunda crisis de la economía, el presidente Pastrana expresó su interés en reestablecer una relación más tradicional entre el Banco Mundial y el gobierno colombiano. La ejecución de los pequeños proyectos del Magdalena Medio y de las zonas de empresa campesina proseguiría. Sin embargo, ello no constituiría un augurio, en lo fundamental, del establecimiento de una nueva relación.

Durante este período Estados Unidos también exploró su desempeño de un papel menor en la facilitación de la paz. Los esfuerzos en este sentido fueron mínimos en comparación con las campañas de paz del gobierno de Clinton en Irlanda del Norte y el Oriente Medio. Sin embargo, en febrero de 1998, la Agencia de Información de Estados Unidos llevó a Houston (Texas) a un pequeño grupo de colombianos que representaban diversos intereses políticos y sociales, para que elaboraran un enfoque común sobre la crisis colombiana. El evento, denominado Proyecto Houston, convocó a un heterogéneo grupo de figuras clave de la política, el gobierno, los medios de comunicación, los trabajadores, la economía y la intelectualidad de Colombia. La reunión, que duró una semana, demostró que Estados Unidos tenía capacidad para convocar un grupo de tales características y facilitar un diálogo entre sus integrantes. A esta reunión siguió una más amplia, que se celebró en Cartagena de Indias, a la cual se invitó a algunos de los principales protagonistas de los procesos de paz salvadoreño y guatemalteco, a fin de que compartieran sus experiencias con un grupo de dirigentes colombianos vinculados a las principales organizaciones políticas, sociales y armadas del país. Las experiencias resultaron constructivas y congregaron a personas que normalmente no se

---

[12]   Véase FARC-EP, *FARC-EP: Historical Outline,* Comisión internacional, impreso en Canadá, s. f.

reunían en el mismo recinto[13]. Sin embargo, como sucede con muchas de las iniciativas de política exterior estadounidenses formuladas por un actor institucional secundario —en este caso, la Agencia de Información de Estados Unidos[14]— las experiencias quedaron en gran medida desconectadas de la política general y del proceso de toma de decisiones en Estados Unidos.

Las experiencias contribuyeron, no obstante, a crear el marco para que los esfuerzos iniciales de Pastrana consiguieran que el gobierno de Clinton apoyara un renovado proceso de paz. Durante los primeros años del gobierno de Pastrana, surgió un pequeño grupo de presión en los círculos gubernamentales de Estados Unidos, principalmente centrado en el Departamento de Estado, la Agencia de Información, y la Agencia de los Estados Unidos para el Desarrollo Internacional (USAID por sus siglas en inglés). Esto llegó a su punto más alto en diciembre de 1998, cuando el gobierno de Pastrana logró los arreglos necesarios para que Phil Chicola, funcionario de mediano rango del Departamento de Estado, director de la Oficina de Asuntos Andinos, se reuniera con dirigentes de las FARC en San José (Costa Rica). La reunión abrió un canal entre el gobierno estadounidense y las FARC. Sin embargo, este canal se cerró apenas dos meses después, el 25 de febrero de 1999, cuando las FARC asesinaron a tres activistas estadounidenses. Estados Unidos exigió que las FARC entregaran a los responsables de esas muertes a las autoridades colombianas antes de tan siquiera pensar en reanudar el diálogo.

Al mismo tiempo, algunas naciones europeas empezaron a intervenir de forma gradual en el proceso de paz colombiano. La Iglesia católica alemana auspició una reunión en Maguncia (Alemania) entre miembros de la sociedad civil colombiana y guerrilleros del ELN, la cual se realizó en julio de 1998, precisamente en el último mes del gobierno de Samper, antes de que el presidente electo, Andrés Pastrana, tomara posesión de su cargo. Con anterioridad, ese mismo año, España había promovido un acuerdo de corta duración entre el ELN y el gobierno de Samper. Y, mucho antes, los Países Bajos de-

---

[13] El autor fue el facilitador de las reuniones iniciales de Houston y Cartagena, como también de otra celebrada en Medellín (Colombia) en abril de 1999, dedicada a los derechos humanos y al derecho internacional humanitario. También se realizaron otras reuniones que congregaron a líderes militares, del comercio y de otros sectores sociales fundamentales.

[14] Ahora forma parte del Departamento de Estado después de una reorganización institucional aprobada por el congreso estadounidense.

sempeñaron un activo papel en las negociaciones con una facción disidente del ELN, conocida como Corriente de Renovación Socialista, que condujo al desarme de ese grupo y a su reincorporación a la vida civil en 1994[15].

Todos estos fueron esfuerzos aislados. Una participación más sistemática de los europeos y otras naciones extranjeras no tendría lugar hasta los años finales del gobierno de Pastrana, entre 2000 y 2002.

La comunidad internacional, un actor no unitario

Estados Unidos y el Plan Colombia

Los limitados esfuerzos de los actores internacionales durante el gobierno de Samper, abrieron unas cuantas puertas y sentaron varios precedentes. Sin embargo, en los cuatro años siguientes, durante el gobierno de Andrés Pastrana, el rol de la comunidad internacional se reconfiguró radicalmente como reflejo de los cambios ocurridos tanto en el ámbito nacional como en el internacional.

En un principio el gobierno de Pastrana tomó la decisión estratégica de volver a darle prioridad a las relaciones con Estados Unidos. El gobierno colombiano y Estados Unidos habían sido tradicionalmente aliados estrechos. No obstante, durante la presidencia de Samper (1994-1998) las relaciones se deterioraron de forma considerable. Estados Unidos acusó a Samper de haber aceptado dineros del cartel de Cali para financiar su campaña. Durante tres años consecutivos, Estados Unidos no volvió a certificar a Colombia o le concedió una aprobación provisional en su informe anual sobre países cooperantes en el combate contra las drogas ilícitas. Una vez elegido, Pastrana se dio a la tarea de recomponer las relaciones. Lo cual dio resultados tanto positivos como negativos. Por el lado positivo, mejoraron las relaciones bilaterales entre los dos países, permitiendo al gobierno de Pastrana tomar algunas audaces iniciativas para promover la paz mientras que Estados Unidos se mantuvo relativamente dispuesto a apoyarlo. Lo negativo consistió en que, debido a la insistencia del gobierno estadounidense, la guerra contra las drogas y sus razones continuaron marcando la pauta principal de las relaciones bilaterales.

---

[15] Véase Valencia, León, *Las columnas de la paz*, Corriente de Renovación Socialista, Bogotá, 1998.

A comienzos de su gobierno, el presidente Pastrana presentó una atractiva propuesta a sus conciudadanos y a la comunidad internacional: el objetivo de sus cuatro años de gobierno era hacer avanzar las negociaciones para un acuerdo de paz con la guerrilla. Sólo mediante un acuerdo negociado, alegaba, Colombia podía enfrentar los múltiples retos que tenía ante sí, sobre todo el mejoramiento de la situación de los derechos humanos, el desarrollo económico y el control del tráfico de drogas ilegales. Originalmente pidió un "Plan Marshall" para las regiones cultivadoras de coca y afirmó que los cultivos podían ser erradicados y sustituidos mediante acuerdos de cooperación con la guerrilla, que de hecho controlaban esas zonas. Afirmó, asimismo, que la paz podría constituir una exitosa política contra las drogas[16].

Estados Unidos, sin embargo, se mostró escéptico ante esta argumentación. Muchos congresistas veteranos, sobre todo los líderes al interior del comité de relaciones exteriores de la Cámara, se burlaron de la idea de que la guerrilla colombiana pudiera colaborar con los programas contra las drogas. Desde su punto de vista, la guerrilla era simplemente narcoguerrilla. Basándose en los análisis de oficiales colombianos de alto rango, tanto de la policía como de las fuerzas militares, varios congresistas estadounidenses insistían en que la guerrilla se había convertido en una organización principalmente narcotraficante. Ellas eran parte fundamental del problema, no de su solución[17].

En consecuencia, Estados Unidos apoyaba de manera nominal el proceso de paz de Colombia, pero no estaba dispuesto a reorientar su programa contra los narcóticos, basado en las fumigaciones aéreas y en la destrucción de los laboratorios de cocaína, muchos de los cuales estaban situados en zonas rebeldes. Después de los éxitos logrados en Perú y Bolivia, ahora se creía necesario aumentar la ayuda militar a Colombia para reducir el tráfico de drogas en su territorio (ver capítulo 5).

---

[16] Véase Pastrana Arango, Andrés, "El Plan Colombia: Una gran alianza con el mundo contra el delito internacional, por los derechos humanos, los derechos sociales y por la ecología", 22 de octubre de 1998, en Presidencia de la República, Oficina del Alto Comisionado para la Paz, *Hechos de paz V-VI*, Bogotá, 7 de agosto de 1998-24 de octubre de 1999.

[17] Véase "Narrative of the Floor Debate for the 2001 Foreign Operations Appropiations Bill (S. 2522)". Disponible en: http://ciponline.org/colombia/fullsenate. htm.

Desde el momento en que tomó posesión, en agosto de 1998, Pastrana tuvo éxito en comprometer a Estados Unidos, y se ganó la aprobación de la Casa Blanca de Bill Clinton, al incremento de la ayuda estadounidense. Empero, en el momento en que el paquete de ayuda fue aprobado, en un proyecto de ley de asignaciones adicionales, en junio de 2000, la propuesta original de Pastrana había sido trastocada. La idea original se basaba en la premisa de que una paz negociada podría facilitar los programas de lucha contra los estupefacientes. En el contexto de un cese al fuego y un proceso de paz, los programas contra las drogas puestos en ejecución conjuntamente mediante acuerdos negociados, permitirían al Estado establecer una eficaz y legítima presencia en las zonas que antes no controlaba. No sería necesario que los programas contra los narcóticos continuaran basándose en el enfrentamiento militar. En contraste, la nueva orientación, que surgió principalmente de la Oficina de Política Nacional de Control de las Drogas de la Casa Blanca, con importante apoyo en todas las esferas del gobierno de Clinton, y firmemente respaldada por el Congreso estadounidense, se basaba en la consideración de que el tráfico de drogas alimentaba la guerra colombiana. Por consiguiente, atacando el tráfico ilegal se cortaría, de raíz, la principal fuente de recursos de la guerrilla. Sólo entonces una paz negociada sería posible. La primera formulación priorizaba el proceso de paz. La segunda priorizaba la lucha contra las drogas[18].

A medida que avanzaban las conversaciones entre Pastrana y Clinton, Estados Unidos insistía en que Colombia desarrollara una estrategia integral contra el tráfico de drogas como condición previa para un paquete de ayuda más amplio[19]. El resultado fue la rápida suscripción de un acuerdo estratégi-

---

[18] Esta evolución puede verse si se compara la visión original de Pastrana, expresada poco después de asumir el mando, con el programa que finalmente fue financiado por Estados Unidos como parte del Plan Colombia. Véanse *Plan Nacional de Desarrollo. Bases 1998-2002: cambio para construir la paz*, Bogotá, Presidencia de la República, Departamento Nacional de Planeación, 1998; Embajada de los Estados Unidos, *U. S. Support for Plan Colombia*, Bogotá, febrero de 2001.

[19] Un grupo de diplomáticos estadounidenses de alto nivel viajó a Bogotá en agosto de 1999 para entregar este mensaje. El grupo incluía a Peter Romero, secretario de Estado adjunto para asuntos interamericanos; Arturo Valenzuela, consejero especial del presidente para asuntos latinoamericanos; Randy Beers, secretario de Estado adjunto para narcóticos y aplicación de la ley. Esta visita fue seguida por varios viajes del subsecretario de Estado, Thomas Pickering.

co, con considerable influjo de Estados Unidos, al que se denominó Plan Colombia y que hizo público la embajada colombiana en Washington[20]. El Plan destinaba 7,5 mil millones de dólares a una estrategia que encarara múltiples aspectos de la crisis colombiana. Inicialmente se requería que Estados Unidos, la Unión Europea y las instituciones financieras internacionales invirtieran aproximadamente 3,5 mil millones de dólares, mientras que Colombia debía contribuir con los cuatro restantes. En teoría, el Plan Colombia era un programa integral de prevención de conflictos, reforma estructural e iniciativas de construcción de paz, dividido en cinco componentes principales. Se refería a las causas fundamentales del conflicto en múltiples frentes mientras buscaba activamente que sus actores se comprometieran en las negociaciones. Los cinco componentes clave fueron:

a. El proceso de paz
b. Enfoque de la economía colombiana
c. Estrategia contra las drogas
d. La reforma de la justicia y la protección de los derechos humanos
e. Plan para la democratización y el desarrollo social[21]

En la práctica, el Plan Colombia fue poco más o menos que una hoja de parra para el paquete de la ayuda estadounidense. Los legisladores y dirigentes políticos de Estados Unidos se mantuvieron divididos en cuanto a las proporciones en que se debía distribuir la ayuda estadounidense al plan. Una pequeña facción dentro del Departamento de Estado y un grupo más amplio dentro de la USAID querían promover activamente el proceso de paz, los derechos humanos y el desarrollo institucional, así como la ayuda a los desplazados internos y a un desarrollo alternativo. Sin embargo, la opinión generalizada en los departamentos de Estado y de Defensa, en la Oficina para la Política de Control de Drogas de la Casa Blanca y en los servicios de inteligencia fue que se debía priorizar la guerra contra los estupefacientes. El Congreso no actuó a tiempo para incluir la ayuda dentro del paquete presupuestal para el año fiscal 2000, aprobado en octubre de 1999. No obstante, en junio de 2000, después de abrirse paso con dificultad, sometiéndose a recortes y negociaciones, en la Cámara

---

[20] Véase *Plan Colombia: Plan for Peace, Prosperity and the Strengthening of the State*, Presidencia de la República, Bogotá, octubre de 1999.

[21] *Ibíd.*

y el Senado, fue aprobado un proyecto de ley de asignaciones adicionales que fueron desproporcionadamente desviadas hacia la lucha contra los narcóticos. Al parecer, la cuestión más debatida fue el aspecto individual más grande que contenía el plan: si se debían incluir helicópteros fabricados en Texas o en Connecticut dentro del paquete de asistencia. El Senado, a instancias del senador Patrick Leahy, durante largo tiempo defensor de los derechos humanos, estableció ciertas restricciones relativas a los derechos humanos, entre ellas una certificación regular por parte del presidente de Estados Unidos sobre si Colombia hacía progresos en materia de respeto a los derechos humanos[22]. Empero, la ley proporcionaba una ancha puerta de escape: al presidente le estaba permitido dejar sin efecto las restricciones por razones de seguridad nacional, reeditando cada año los mismos rituales, confrontaciones y tácticas de prestidigitación que caracterizaron regularmente la política de ayuda a los militares salvadoreños durante las guerras centroamericanas de los años ochenta.

Finalmente, el Congreso aprobó un total de 1.319.100 millones de dólares para apoyar el Plan Colombia. De ellos, 911,1 millones se destinaron a apoyar operaciones militares y programas de erradicación; 106 millones a apoyar programas de desarrollo alternativo, y los 302 millones restantes se asignaron a derechos humanos, reforma del sistema judicial y otros programas en la región andina. Un pequeño programa de 3 millones de dólares fue financiado para apoyar el proceso de paz, lo cual puso de manifiesto hasta qué punto la prioridad original del presidente Pastrana se había reducido hasta convertirse casi en un mero gesto simbólico[23].

---

[22] Estas restricciones se añadían a las establecidas por la enmienda Leahy, aprobada años antes, la cual prohibía cualquier ayuda militar de Estados Unidos en todo el mundo a la "unidad militar" cuyas tropas u oficiales estuvieran involucrados en violaciones a los derechos humanos. En la práctica, en Colombia, esto había significado que la sección política de la embajada de Estados Unidos en Bogotá debía someter a investigación a cada unidad, soldado por soldado, para que esa unidad pudiera recibir ayuda. Durante esa época las fuerzas armadas estaban divididas entre las unidades investigadas a las que se permitía recibir ayuda de Estados Unidos y las que no lo estaban. Es un importante instrumento, aunque no del todo eficaz, que puede haber tenido el efecto contrario de aplacar a los críticos en materia de derechos humanos permitiendo, a la vez, que la ayuda siguiera fluyendo.

[23] Véase Embajada de Estados Unidos, *U.S. Support for Plan Colombia, U.S. Department of State, 2000.*

De inmediato, las asignaciones fueron objeto de polémica. Ahora Estados Unidos estaba comprometido a entregar una importante ayuda militar a Colombia. Muchos temían que el paquete de ayuda pudiera intensificar el conflicto y socavara el proceso de paz. Importantes grupos de derechos humanos sostenían que los componentes del paquete de ayuda destinados a los derechos humanos y a la justicia estaban en contradicción con los asignados a gastos militares, dado, especialmente, el alto nivel de las violaciones a los derechos humanos cometidas por las fuerzas armadas colombianas y por sus demostrados nexos con los grupos paramilitares de derecha[24]. Por su parte, el gobierno de Clinton insistió en que el apoyo militar conduciría a un mejoramiento de la actuación de las fuerzas armadas en materia de derechos humanos y aumentaría la influencia de Estados Unidos en la reforma del ejército colombiano.

El debate en el Congreso reflejó los intereses, tendencias y prioridades de cada uno de los representantes y senadores más que una cuidadosa comprensión del conflicto colombiano. Además, estuvo basado en las discutibles premisas de la guerra de Estados Unidos contra las drogas, que priorizan la prohibición y la erradicación en los países productores sobre la reducción de la demanda, la rehabilitación y otros programas. La naturaleza multiforme del conflicto colombiano y el impacto de una más amplia ayuda militar estadounidense no fueron suficientes ni adecuadamente debatidos en ninguna de las cámaras.

Desde el principio, diferentes sectores de la sociedad colombiana, así como organizaciones internacionales, ONG y gobiernos, expresaron preocupación porque lo que en un principio había sido un plan estratégico de múltiples estratos para afrontar la crisis colombiana, y para el cual se debían destinar 7,5 billones de dólares, había sido transformado habilidosamente en 1,3 billones de ayuda militar estadounidense que priorizaba la guerra contra las drogas.

De inmediato, las FARC denunciaron el plan como un paquete contrainsurgente disfrazado que apuntaba directamente hacia ellas. Las ONG colombianas y muchos políticos lamentaron que Pastrana se hubiera comprometido con un extenso diálogo con las autoridades estadounidenses y que, al mismo tiempo, se hubiera abstenido de consultar con ellos, de informar lo que estaba sucediendo a la nación e incluso al Congreso colombiano.

---

[24] Véase, por ejemplo, Human Rights Watch, *The Sixth Division: Military-Paramilitary Ties in Colombia,* Human Rights Watch, Washington, 2002.

Rechazo europeo al Plan Colombia

Tampoco los europeos vieron con buenos ojos la propuesta. En reunión celebrada en Madrid en julio de 2000, justo un mes después de que el paquete de ayuda estadounidense fuera aprobado, casi todas las naciones representadas en ella rechazaron el Plan Colombia ante los consternados funcionarios colombianos presentes. Los europeos estuvieron de acuerdo en organizarse bajo la sombrilla del Grupo Consultivo de Apoyo al Proceso de Paz Colombiano, y no como donantes europeos al Plan Colombia. Se mostraron abiertamente opuestos al paquete de ayuda militar estadounidense al igual que a las fumigaciones aéreas, por el efecto que ocasionaban sobre la subsistencia de las comunidades campesinas en las regiones con cultivos de coca. Muchos declararon que el enfoque militar estaba causando el desplazamiento forzoso de comunidades enteras, reclamo apoyado por las ONG colombianas y las Naciones Unidas[25].

Surgió el consenso de que la ayuda internacional debía orientarse hacia el proceso de paz. Algunos gobiernos adoptaron la posición de que la ayuda debía ajustarse al acuerdo aprobado por ambas partes en la mesa de negociaciones. Aunque el plan original requería que la Unión Europea y sus Estados miembros lo sustentaran con más de mil millones de dólares, en Madrid sólo España y Noruega (país que no pertenece a la Unión Europea) estuvieron de acuerdo en contribuir de manera indirecta. Los españoles se comprometieron a aportar 100 millones de dólares, mientras que Noruega ofreció 20 más. Por su parte, Japón prometió 70 millones, a los cuales posteriormente adicionaría otros 100.

Después de la reunión de Madrid, se celebraron otras en Bogotá (octubre de 2000) y en Bruselas (abril de 2001). Para la época en que se realizó esta última, ya los europeos habían sido capaces de desarrollar una política más

---

[25] Según Codhes (Consultoría para el Desplazamiento y los Derechos Humanos), organización no gubernamental colombiana y una de las fuentes de información más confiables sobre personas desplazadas forzosamente en Colombia, 317.375 personas fueron desplazadas en el año 2000, en comparación con 288.127 en 1999. Con la iniciación del Plan Colombia, se preveía un fuerte incremento del desplazamiento involuntario y forzoso en 2001. Véase "Informe sobre el estado de situación del desplazamiento y retos para el 2001", elaborado por el Grupo Temático de Desplazamiento, en coordinación con ACNUR (Alto Comisionado de las Naciones Unidas para Refugiados), Bogota, 2001.

unificada respecto a Colombia. En Bruselas, la Unión Europea prometió una ayuda de más de 300 millones de dólares para apoyar el proceso de paz colombiano.

La reunión de Bruselas siguió la dirección general de la resolución, redactada en términos enérgicos, aprobada por el Parlamento Europeo en enero de 2001, con 474 votos a favor, 1 en contra y 33 abstenciones. La resolución denunciaba abiertamente al Plan Colombia y enfatizaba el apoyo europeo al proceso de paz colombiano[26]. Declaraba que la militarización de la lucha contra las drogas podría tener desastrosas consecuencias en toda la región andina y desestabilizaría el proceso de paz. Asimismo, afirmaba que el Plan Colombia era directamente opuesto a muchos de los objetivos y compromisos de la Unión Europea y que podría amenazar su cooperación. La resolución llamaba a realizar "un programa europeo de apoyo socioeconómico e institucional al proceso de paz colombiano ajustado a la protección de los derechos humanos, el derecho internacional humanitario y las libertades fundamentales, mejorando las condiciones de la población local, fomentando la sustitución de cultivos y la protección de la biodiversidad y ayudando a la implementación de reformas estructurales en áreas en que ha sido estimulado el conflicto armado"[27]. También llamaba al gobierno colombiano a redoblar sus esfuerzos para disolver las fuerzas paramilitares.

En la práctica, la ayuda prestada inmediatamente no representó un cambio sustancial de las políticas de ayuda ya existentes. De manera individual, los gobiernos europeos ya mantenían relaciones con las ONG colombianas y ya estaban trabajando en materia de derechos humanos, el medio ambiente, la reforma judicial y el desarrollo local en las zonas de violencia. Sin embargo, las instituciones supranacionales europeas, con todo su peso colectivo, dieron renovada importancia y urgencia —e incrementaron algunos recursos— a estos esfuerzos.

La acción más concertada alcanzada por la Unión Europea reflejaba tanto su propio desarrollo interno como las necesidades urgentes de Colombia. La Unión Europea, tratando de ser una nueva voz en la política mundial, parecía estar dispuesta, en esta etapa posterior a la Guerra Fría, a adoptar una posición de contrapeso respecto a Estados Unidos, especialmente en las cues-

---

[26]   Véase Resolución del Parlamento Europeo sobre el Plan Colombia y el apoyo al proceso de paz en Colombia, adoptada el primero de febrero de 2001.

[27]   *Ibíd.*, p. 77.

tiones de derechos humanos, del medio ambiente y del desarrollo social. Los estados miembros parecían dispuestos a explotar las debilidades y a percibir los excesos y errores de la política de Estados Unidos en Colombia y estaban prestos a presentar una alternativa.

Además de los estados miembros de la Unión Europea, otros dos países europeos, Noruega y Suiza, se ofrecieron a compartir con los colombianos su larga experiencia en resolución de conflictos en el mundo. Los dos países establecieron vínculos con los diferentes actores en el conflicto y organizaron foros donde el gobierno, la guerrilla y la sociedad civil pudieran intercambiar ideas. De igual manera, movimientos transnacionales de ONG, intelectuales, ambientalistas, activistas de derechos humanos, defensores de las reformas en materia de drogas y otros empezaron a participar, vinculándose a sus homólogos colombianos y presionando a los gobiernos estadounidense y europeo a actuar en las cuestiones fundamentales. Ningún otro país en Latinoamérica, desde la terminación de la guerra civil salvadoreña en 1992, ha generado tal activismo internacional.

Retos para los facilitadores internacionales: dos procesos de paz separados

La posición emergente de la Unión Europea y del Parlamento Europeo condujo de manera inmediata a que los Estados europeos y americanos, individualmente, intervinieran de modo creciente en los procesos de paz entre el gobierno, el ELN y las FARC. El principal mecanismo utilizado fue el del "grupos de amigos". La discreta participación del consejero especial de las Naciones Unidas para Colombia contribuyó a coordinar estos esfuerzos. A medida que los procesos de paz avanzaron, aunque con escollos, la comunidad internacional empezó, gradualmente, a proporcionar cierto grado de seguridad y continuidad que en varias coyunturas críticas contribuyó a mantener las difíciles negociaciones.

Sin embargo, debe anotarse que los procesos estuvieron constreñidos por el hecho de que se desarrollaran de forma separada. Cada organización guerrillera exigía que fueran creados mecanismos especiales para tratar los problemas nacionales, puesto que cada foro de negociación excluía, de hecho, a la otra organización guerrillera. Ningún movimiento guerrillero quería ser considerado como subordinado o secundario.

El proceso de paz con el ELN

El ELN, en comparación con las FARC, había mostrado desde el principio una mayor aceptación de la participación internacional. Durante el gobierno de Samper (1994-1998), el ELN aceptó la oferta de buenos oficios de España y Alemania para facilitar su propuesta de diálogos con la "sociedad civil" y con el gobierno. Un "preacuerdo" de corta duración se firmó en Madrid, en el palacio de Viana en febrero de 1998, para establecer el marco de las negociaciones entre el gobierno y el ELN. En julio de ese año, un grupo de colombianos pertenecientes a todos los sectores de la sociedad civil se reunió con dirigentes del ELN en Maguncia (Alemania) en un encuentro facilitado por las Conferencias Episcopales de la Iglesia católica colombiana y alemana y apoyado por ambos gobiernos. Allí, representantes de ambas partes firmaron un acuerdo para celebrar una "Convención Nacional" que congregara a dirigentes de la guerrilla y a sectores representativos de la sociedad colombiana para discutir reformas fundamentales para el país como preludio de las negociaciones que finalmente se celebrarían con el gobierno. Era un procedimiento novedoso. El ELN proponía conceder a la sociedad civil el papel de principal interlocutor; al gobierno se le asignaría en un principio un papel secundario[28].

La reunión de Maguncia condujo al acuerdo de Puerta del Cielo, llamado así por el monasterio alemán donde se celebró el encuentro. Fue firmado por el ELN y dirigentes de la sociedad civil y pronto generó mucha controversia. En el documento final, el ELN se comprometió a suspender los secuestros de menores de edad y de personas mayores de sesenta y cinco años. Los grupos defensores de los derechos humanos se mostraron alarmados de que los representantes de la sociedad civil hubieran, de hecho, redactado de nuevo el derecho internacional humanitario y aprobado implícitamente el secuestro de personas de las otras edades. La experiencia planteaba varias preguntas: ¿A quiénes representaba este grupo de la sociedad civil? ¿Qué autoridad tenían estas personas para firmar acuerdos con un grupo guerrillero?

---

[28] Discusiones del autor con Daniel García-Peña, comisionado de paz en el gobierno de Ernesto Samper. Véanse también informaciones de prensa reproducidas en DEPAZ, *Documentos de trabajo por la paz II: proceso de solución política del gobierno colombiano con la UC-ELN*, Gobernación de Cundinamarca, Bogotá, 2000.

Sin embargo, el documento de Maguncia contenía también declaraciones que condenaban las minas antipersonales, el reclutamiento de niños y muchachos menores, los ataques contra la infraestructura del país y las violaciones del derecho internacional humanitario. Mientras la cuestión del secuestro era sometida a examen público, el gobierno alemán intervino y anunció que estaba dispuesto a secundar una iniciativa en virtud de la cual la Unión Europea financiaría las actividades políticas del ELN a cambio de que se comprometiera, mediante acuerdo firmado, a suspender su participación en secuestros[29].

Cuando se inició el mandato de Pastrana, en 1998, el sentido común indicaba que, dado que el proceso de paz con el ELN estaba bien avanzado, era más posible proseguirlo con él que con los de por sí más obstinados guerrilleros de las FARC. No obstante, Pastrana enfatizó en las negociaciones con las FARC y se encontró personalmente varias veces con su líder, Manuel Marulanda Vélez. El resultado fue que los diálogos con el ELN se fueron a pique y la convención nacional nunca se realizó. La ruptura de los diálogos llevó al ELN a acometer una serie de acciones de envergadura, entre ellas el secuestro de un avión comercial y la retención de sus pasajeros, así como el secuestro de feligreses en una iglesia situada en un sector relativamente próspero de la ciudad de Cali. A pesar de las deterioradas relaciones entre el ELN y el gobierno colombiano, un grupo de cinco naciones —Francia, Suiza, España, Noruega y Cuba— se constituyó como "amigos" del proceso de paz con el ELN. Suiza celebró una reunión, en julio de 2000, con representantes de la sociedad civil, el gobierno colombiano y la dirigencia del ELN. Dos líderes del ELN recibieron un permiso especial para abandonar la prisión en Medellín, volar a Ginebra en un vuelo especial y asistir a la reunión, tras lo cual regresaron a Colombia y a la prisión.

En Ginebra, una vez más el ELN, el gobierno y la sociedad civil estuvieron de acuerdo en convocar la largamente buscada Convención Nacional. Meses después, en una reunión en La Habana (Cuba), el Grupo de Amigos propició un diálogo entre el ELN y el gobierno colombiano, quienes alcanzaron el acuerdo de crear una "zona de encuentro" en dos municipios al sur del departamento de Bolívar para facilitar las negociaciones y la convención nacional. Para crear esta zona se tomó como modelo la zona de despeje establecida con las FARC en cinco municipios del sur de Colombia. Conforme

---

[29] *Ibíd.*

al nuevo acuerdo con el ELN, los cinco "países amigos", con la colaboración de las Naciones Unidas, debían crear una comisión nacional e internacional de verificación para la zona y estuvieron de acuerdo en promover el desarrollo económico de la región[30]. La comisión internacional de verificación iba a ser coordinada por Suecia y a ella se incorporarían Alemania, Canadá, Japón y Portugal.

Era un modelo prometedor y tenía la posibilidad de volver a encaminar las negociaciones. Sin embargo, la experiencia demostró que el modelo de Grupo de Amigos adolecía de un notable punto flaco. Podían ejercer "buenos oficios" pero tenían poca influencia sobre el gobierno colombiano, en contraste con Estados Unidos, cuya visión de la ayuda a Colombia era diferente. A pesar de varios anuncios del Grupo de Amigos de que las condiciones estaban dadas para el establecimiento de la zona[31], el acuerdo nunca fue implementado. Las AUC se opusieron públicamente a la creación de un segundo territorio controlado por la guerrilla, sobre todo en un área en que las AUC tenían presencia y seguidores[32]. Primero respondieron movilizando a la población contra el acuerdo y después se apoderaron militarmente del área. Cuando las fuerzas armadas retiraron de allí sus efectivos, como lo estipulaban los acuerdos de La Habana, los paramilitares simplemente enviaron sus tropas para sustituirlos, mientras los facilitadores latinoamericanos y europeos observaban impotentes. Algunos instaron al gobierno a enfrentar a las

---

[30] Declaración de La Habana, disponible en http://ciponline/org/colombia/ELN; véase también "Reglamento de la zona de encuentro" reglamento básico elaborado y acordado entre las partes que regirá la zona de encuentro que el gobierno nacional, de conformidad con lo establecido en la Constitución Política y en las Leyes 418 de 1997 y 525 de 1999, ha decidido establecer para adelantar el proceso de la Convención Nacional propuesta por el Ejército Nacional de Liberación (ELN) y los diálogos y las negociaciones de paz entre el gobierno y la citada organización armada al margen de la ley, a la cual se le ha reconocido carácter político (documento no publicado).

[31] Véase "The Conditions are given for the Encounter Zone: Ambassadors", Anncol, Bogotá, 15 de mayo de 2001. Disponible en: http://ciponline/org/colombia/ELN.

[32] Véase Carta del ELN al alto comisionado de paz, Anncol (Agencia de noticias alternativas de Colombia), Bogotá, 26 de abril de 2001; "The Enemies of Peace Oppose Change", Bogotá, Anncol, 19 de abril de 2001.

AUC y volver a ocupar la zona. El gobierno hizo algunos pronunciamientos en favor de mantener la zona de encuentro, pero no mostró disposición alguna a tomar medidas en ese sentido.

El ELN suspendió las negociaciones en marzo de 2001. En abril, Suecia realizó una reunión en Estocolmo con representantes del ELN, el gobierno colombiano y la sociedad civil. Sin embargo, el ELN continuó sosteniendo que los acuerdos de La Habana debían cumplirse y la zona de encuentro debía ser creada para proseguir con las negociaciones.

En agosto de 2001, el presidente Pastrana pronunció un discurso declarando que el gobierno estaba suspendiendo todo contacto con el ELN. Parecía que las negociaciones habían fracasado por el resto del período de Pastrana. Pero, una vez más, intervino el Grupo de Amigos. Esta vez, los representantes de las cinco naciones, más Venezuela, alcanzaron un acuerdo con un grupo de facilitación organizado por dirigentes de la sociedad civil. En una reunión efectuada en Caracas (Venezuela) en noviembre de 2001, el ELN y el gobierno acordaron reanudar los diálogos en La Habana. La cuestión de la zona de encuentro había sido dejada de lado[33].

En La Habana, el gobierno y la guerrilla acordaron una tregua de Navidad de dos semanas y prometieron empezar a discutir un acuerdo de cese al fuego más duradero que comenzaría a mediados de enero de 2002. También alcanzaron un acuerdo para realizar una serie de reuniones, de dos días cada una, con el ELN y figuras destacadas de la sociedad civil, las cuales tendrían lugar en La Habana durante el primer semestre de 2002. Para tales reuniones se convocaría a un máximo de cinco personas y en ellas se trataría: progresos y retos de los diálogos (enero), derecho internacional humanitario (febrero), democracia participativa (marzo), problemas agrarios, narcotráfico y sustitución de cultivos (abril), energía y minas (mayo), problemas sociales y de la economía (junio). Estos temas eran, en esencia, los que en principio se habían propuesto para la Convención Nacional.

En enero de 2002, cuatro años después de los primeros acuerdos en Maguncia, finalmente el ELN comenzó de manera formal su diálogo con la sociedad civil colombiana. Sin embargo, estas conversaciones tampoco se desarrollaron como se había planeado. Mientras los negociadores dialogaban en La Habana con el auspicio de sus anfitriones internacionales, en Colombia

---

[33]   Entrevista del autor con Alejo Vargas, miembro del Grupo de Facilitación de la Sociedad Civil para el ELN, Washington, enero de 2002.

los paramilitares continuaban consolidando política y militarmente su papel y el debilitado ELN retrocedía. Entre tanto, el drama central de las negociaciones lo estaban representando el gobierno y las FARC. En febrero de 2002, Pastrana declaró terminados los diálogos con las FARC y emprendió una campaña a gran escala contra la zona desmilitarizada controlada por esta organización guerrillera. Al mismo tiempo que se intensificaban las hostilidades entre el gobierno y las FARC, en La Habana las negociaciones se tornaban cada vez más precarias. En Cuba, las dos partes no lograban ponerse de acuerdo sobre las condiciones del cese al fuego, y el ELN se quejaba enérgicamente de la incapacidad del gobierno para controlar la actividad paramilitar contra las fuerzas de esa agrupación guerrillera.

Después de febrero de 2002, las dos partes parecían estar agotando sus movimientos. Para entonces, el ánimo de la gente ya se manifestaba contrario al proceso de paz. El candidato independiente de línea dura, Álvaro Uribe, había ganado la presidencia en las elecciones de mayo con una plataforma opuesta al proceso de paz desarrollado durante el gobierno de Pastrana. Quedaba poco oxígeno para la paz, y aún menos para los diálogos con el ELN. En junio el presidente Pastrana anunció que se había producido lo inevitable: su gobierno se retiraba de las conversaciones con el ELN, pues ya no existían condiciones para negociar. En esta circunstancia, la comunidad internacional asistía, como testigo de primera fila, al descarrilamiento del tren. Después de haber hecho un último e inútil esfuerzo para salvar los diálogos de paz con las FARC, muy poco se podía hacer para detener la caída en espiral que se producía en La Habana.

Empero, el proceso general de paz no muere, sólo tiene recesos. Posteriormente, ya entrado el gobierno de Álvaro Uribe se abrieron nuevas esperanzas sobre un acuerdo con el ELN. Entre otras medidas, el gobierno nacional autorizó una salida controlada del líder guerrillero preso, Francisco Galán, para que adelantara conversaciones iniciales con varios sectores de la sociedad colombiana e internacional, y que se instalara en una "Casa de Paz" en Medellín. Más tarde, en 2006, se generaron las condiciones para que se volvieran a abrir espacios de diálogo entre el ELN y una delegación de la sociedad civil en La Habana, acompañados por tres países europeos: Noruega, Suiza y España. Los nuevos encuentros fueron facilitados por los gobiernos de Cuba y Venezuela.

El proceso de paz con las FARC

El proceso de paz con las FARC tuvo un prometedor despegue a comienzos del gobierno de Pastrana. Pastrana se entrevistó con el líder de las FARC,

Manuel Marulanda Vélez, como lo hemos relatado anteriormente. Parecía que se estaba entablando una relación de entendimiento entre los dos, y Pastrana declaró que la paz sería su más alta prioridad como presidente.

Las expectativas se acrecentaron: después de cuatro décadas de guerra y de dos de esfuerzos de paz, muchos analistas creían que ambas partes estaban dispuestas a avanzar en la mesa de negociaciones, aunque ninguna de ellas estuviera malherida militarmente[34]. Ninguno de ellos esperaba, sin embargo, que el proceso fuera fácil, y el propio Pastrana y sus negociadores declararon en varias ocasiones que no preveían firmar un acuerdo definitivo de paz durante los cuatro años de ese período presidencial. En el mejor de los casos, esperaban crear el marco para las negociaciones y quizá firmar algunos acuerdos preliminares. Un acuerdo final de paz que incorporara importantes reformas estructurales del Estado, del régimen político y de la economía tomaría tiempo. Ello le correspondería al sucesor de Pastrana.

La zona desmilitarizada o de despeje fue creada en noviembre de 1998 e inicialmente se autorizó por un período de noventa días. Las dos partes acordaron iniciar las negociaciones sobre la base de una agenda común. Asimismo, acordaron que las discusiones sobre el fin de las hostilidades armadas serían diferidas para una fecha muy posterior, cuando se hubieran logrado acuerdos sobre reformas sustantivas.

A pesar de este favorable comienzo, el proceso sufrió repetidas crisis. Marulanda Vélez rehusó asistir al encuentro inaugural de las dos partes, dejando a Pastrana sentado, en el estrado público, junto a una silla vacía. Justo después del bochorno público sufrido por Pastrana, las negociaciones estuvieron a punto de venirse abajo cuando el gobierno insistió en que debía establecerse un procedimiento de verificación internacional para la zona de despeje. Las FARC replicaron que ellas no habían estado de acuerdo con tal verificación y se negaron a ceder. Durante varios meses las partes permanecieron en un callejón sin salida. Pastrana seguía insistiendo en que las FARC habían estado de acuerdo en ese punto pero, no obstante, terminó echándose para atrás.

En mayo de 1999, el gobierno y las FARC acordaron una amplia y muy general agenda de negociación de doce puntos. Las dos partes convinieron

---

[34] William Zartman ha expuesto la idea de que un conflicto está maduro para un acuerdo cuando los contendientes se hallan en "un empate mutuamente nocivo" (véase capítulo 1).

también celebrar audiencias públicas dentro de la zona de despeje y en el resto del país sobre cuestiones relacionadas con la agenda de negociación. En este punto, vale la pena anotar que la agenda era muy amplia y general. En sus secciones y subsecciones incluía aspectos estructurales como el desempleo, los derechos humanos, la reforma agraria, los cultivos ilícitos, la reforma militar y la reforma política. Las FARC insistieron en una agenda amplia que tratara las principales causas estructurales de la violencia política. El fracaso en alcanzar un acuerdo sobre cómo utilizar esta agenda plantea la siguiente pregunta: ¿qué clase de cuestiones son apropiadas para tratar en una mesa de negociaciones? El hecho de que ninguna de las partes expusiera ninguna propuesta concreta plantea también el interrogante de si el gobierno o las guerrillas valoraban más sostener diálogos mal definidos que alcanzar resultados. Ninguna de las partes parecía estar dispuesta a terminar las hostilidades ni a lograr acuerdos sustantivos.

La agenda, titulada "Agenda común para el cambio hacia una nueva Colombia", firmada el 6 de mayo de 1999 en La Machaca (la zona de despeje), estaba dividida en doce puntos, cuyos títulos eran los siguientes:

a. Solución política negociada
b. La protección de los derechos humanos es responsabilidad del Estado
c. Políticas agrarias integrales
d. Explotación y conservación de los recursos naturales
e. Estructura económica y social
f. Reformas a la justicia, la lucha contra la corrupción y el narcotráfico
g. Reforma política y ampliación de la democracia
h. Reforma del Estado
i. Acuerdos sobre el derecho internacional humanitario
j. Fuerzas armadas
k. Relaciones internacionales
l. Formalización de los acuerdos[35]

Las negociaciones se atascaron casi inmediatamente después de definir esta agenda. Las partes acordaron comenzar por el quinto punto. Tres años

---

[35] Véase Presidencia de la República, Oficina del Alto Comisionado para la Paz, *Hechos de paz V-VI: a la mesa de negociación*, Bogotá, 7 de agosto de 1998-24 de octubre de 1999.

se emplearon en discutir las reformas económicas y el desempleo, sin que se llegara a ningún acuerdo. Durante febrero y marzo de 2000, el gobierno y los dirigentes de las FARC realizaron una gira conjunta por varios países europeos para estudiar qué modelos eran convenientes para Colombia[36]. Entre tanto, todos los actores armados —fuerzas armadas oficiales, paramilitares y guerrillas— incrementaron sus actividades militares fuera de la zona de despeje. Mientras los negociadores viajaban por Europa y la violencia crecía en el país, la opinión pública se volvía cada vez más hostil ante este modelo de negociaciones.

En noviembre de 2000, las FARC anunciaron que suspendían las negociaciones a causa de la incapacidad del gobierno para frenar a los paramilitares, tal como lo había prometido al iniciarse las negociaciones. Una ruptura parecía inminente, dado que la vigencia de la autorización de la zona de despeje expiraba en enero de 2001. La opinión pública se mostraba ahora firmemente adversa al proceso de paz y aumentaba la presión para que el presidente asumiera una posición dura contra la guerrilla. Dirigentes políticos, económicos y militares declararon que el despeje no debía ser renovado si las FARC se negaban a sentarse en la mesa de negociaciones.

En enero de 2001, el presidente voló otra vez al territorio controlado por la guerrilla y, de manera dramática, negoció un nuevo acuerdo con las FARC conducente a reanudar el diálogo. Las dos partes acordaron crear una comisión nacional que hiciera recomendaciones sobre cómo el gobierno podría enfrentar el paramilitarismo. El acuerdo también abría las puertas a una mayor participación internacional. Las FARC solicitaron la celebración de una reunión con representantes de la comunidad internacional, la cual habría de celebrarse el 8 de marzo de 2001 en la zona de despeje.

Treinta y un embajadores y representantes de la comunidad internacional asistieron a la reunión de marzo. Allí, un Grupo de Amigos de diez países fue creado para que se reuniera mensualmente con las FARC y apoyara el proceso de paz. El grupo estaba constituido por México, Venezuela, Canadá, Cuba, Alemania, Suiza, Francia, Noruega, Suecia y España. Estados Unidos rehusó asistir a la reunión, lo cual puso de relieve las diferencias que se mantenían entre estadounidenses y europeos.

---

[36] Véase "Negotiators Trip to Europe, January-February 2000". Disponible en: http://www.ciponline.org/colombia/farc.htm. Página consultada el 10 de agosto de 2007.

Cada uno de los países llevó a la mesa intereses y puntos de vista diferentes, haciendo de sus diálogos un mecanismo importante pero poco manejable. Sin embargo, la complejidad de incluir a diez países en una muy difícil serie de negociaciones no debe exagerarse. Noruega, Suecia y Suiza se han ganado una reputación internacional como pacificadores y están interesadas en aplicar sus experiencias en Colombia. Canadá también ha demostrado su capacidad para mantener la paz, e históricamente ha adoptado una posición más moderada que su vecino del sur. Venezuela, bajo el liderazgo de Hugo Chávez, expresaba cierto grado de simpatía ideológica hacia la guerrilla, al mismo tiempo que se había visto directamente afectada por la extensión de los efectos del conflicto. España tiene intereses económicos, sobre todo en el sector bancario, y su gobierno conservador en ese período albergaba afinidad ideológica con Washington. Algunos hablaban del eje Washington-Bogotá-Madrid. Francia y Alemania tienen también intereses económicos, especialmente en las industrias petrolera y de la construcción e históricamente ha habido cierta rivalidad entre Francia y España en la región. Cuba ha mantenido vínculos con la guerrilla y está dispuesta a desempeñar un papel constructivo. México, inicialmente, parecía querer asumir el rol equilibrado de búsqueda de la paz latinoamericano, pero fue obligado a equilibrar sus propios intereses con su declarada prioridad de forjar nuevas y equitativas relaciones con Estados Unidos.

Otra persona que asistió a la reunión fue el enviado especial de las Naciones Unidas para Colombia, el diplomático noruego Jan Egeland, quien ya había adquirido importante experiencia en la resolución de conflictos como principal facilitador en el proceso de paz de Oslo entre israelíes y palestinos. Aunque los poderes de Egeland eran limitados, discretamente había logrado una posición como acompañante, en cierta manera, en los separados procesos de paz con el ELN y las FARC. En sus funciones de consejero especial para Colombia del secretario general de las Naciones Unidas, había abierto canales directos de comunicación con diferentes sectores en el marco del conflicto como las fuerzas armadas, el ELN, las FARC, organizaciones de la sociedad civil, las élites políticas y económicas y el gobierno. Nueve meses después de esta primera reunión de las FARC con representantes de la comunidad internacional, el sucesor de Egeland, el ex corresponsal del *New York Times* James Lemoyne, fue capaz, de manera hábil, de construir un marco general para el acompañamiento internacional y salvar, aunque temporalmente, al proceso de su colapso.

Una de las fallas estructurales del modelo de negociaciones generales fue la estipulación de que, de manera periódica, el gobierno debía renovar formalmente la zona de despeje. En la práctica, esto provocó momentos críticos cada vez que se aproximaba la fecha límite. En octubre de 2001, el presidente renovó una vez más la zona por un período de tres meses. Al mismo tiempo, cediendo a la presión de los militares y de otros sectores, extremó el control de la zona, prohibiéndole a extranjeros no autorizados viajar a ella y estableciendo controles más estrictos en sus límites. Estas medidas fueron provocadas por la captura de tres miembros del Ejército Republicano Irlandés (IRA por sus siglas en inglés) que el gobierno acusó de entrenar a las FARC en terrorismo urbano. Las FARC y el IRA negaron el cargo. Una vez más, las FARC suspendieron los diálogos, en esta ocasión a causa de dichas restricciones que no fueron negociadas, sino establecidas unilateralmente. Pastrana no quiso ceder, y declaró que los nuevos controles no eran negociables. En enero, cuando se aproximaba la fecha límite para renovar la vigencia de la zona de despeje, las FARC continuaban insistiendo en que no volverían a la mesa si los controles seguían aplicándose.

El 9 de enero de 2002 Pastrana declaró la ruptura del proceso de paz. Se concentraron tropas en los límites de la zona de despeje y el presidente anunció que las FARC disponían de cuarenta y ocho horas para abandonarla antes de que las Fuerzas Armadas la reocuparan. El 10 de enero modificó su posición y concedió a la comunidad internacional cuarenta y ocho horas para tratar de generar un acuerdo, con plazo hasta las nueve y media de la noche del 12 de enero.

Tres años y medio de iniciativas de paz habían, al parecer, desembocado en esta final crisis diplomática. El enviado especial de las Naciones Unidas, James Lemoyne, y el embajador francés en Bogotá, Daniel Parfait, actuando en calidad de coordinador del grupo facilitador de naciones amigas, hicieron un llamado a ambas partes para que llegaran a un compromiso. Lemoyne, Parfait y el presidente de la Conferencia Episcopal Colombiana, monseñor Alberto Giraldo, viajaron a la zona de despeje mientras que los embajadores europeos y americanos acamparon en el palacio presidencial durante ese período de cuarenta y ocho horas. Esta vez fueron las FARC las que transigieron. Se les dieron garantías de que la zona no sería invadida y de que podían permanecer seguras allí. Por su parte, el gobierno no modificó su posición en cuanto a los controles.

Se firmó un nuevo acuerdo que reestructuraba fundamentalmente el marco de las negociaciones. Pastrana declaró, en un discurso dirigido al país, que la fórmula original de negociar en medio de la guerra ya no era viable. Ahora la agenda debía ser reformada para concertar un cese al fuego y darle prioridad en la discusión al fin de los secuestros y de las hostilidades. Además, ahora la comunidad internacional sería invitada, por primera vez, a participar en las negociaciones entre el gobierno y las guerrillas mediante el establecimiento de un nuevo mecanismo: la Comisión Internacional de Acompañamiento. Pastrana prolongó la vigencia de la zona de despeje hasta el 10 de abril de 2002. El gobierno y las FARC establecieron un detallado cronograma para las discusiones sobre el cese al fuego, y acordaron que un acuerdo sobre este debería estar listo el 7 de abril de 2002[37].

Los acuerdos del 12 de enero y la hábil diplomacia parecieron dar nueva vida al agonizante proceso de paz. Las FARC empezaron a reconocer en las Naciones Unidas y en el Grupo de Amigos algo más que un grupo de observadores, que debía conservar las distancias en las afueras del recinto cerrado en que las partes negociaban. Comenzaron a referirse a los diplomáticos como "facilitadores". En el sentido en que las FARC utilizaban el término, la facilitación se refería a un paso intermedio entre la observación y la mediación formal. La mediación implicaba, además, una etapa en la que el mediador podía ejercer mayor control sobre las negociaciones y trabajar activamente con ambas partes para impulsar las negociaciones hacia un acuerdo final[38]. Al poder desempeñar el papel de "facilitadores", el enviado especial de las Naciones Unidas y el Grupo de Amigos estuvieron en capacidad de ganarse la suficiente confianza para abrir canales de comunicación y brindar sugerencias para superar obstáculos y estancamientos.

El otorgamiento de modestos poderes a la comunidad internacional, sin embargo, duró poco. El gobierno, las FARC y los participantes internacionales comenzaron a trabajar para sacar adelante una propuesta de cese al fuego. En ese momento, se filtró la noticia de que los lineamientos del acuerdo exigían el establecimiento de una serie de pequeñas zonas de cese al fuego en donde los combatientes de las FARC pudieran agruparse mientras las hostilidades estuvieran suspendidas. De inmediato, el candidato presidencial Álvaro Uribe denunció la propuesta, declarando que el Estado no debía ceder más

---

37   Véase "Texto del último comunicado de las FARC" (13 de enero); "Texto de la alocución del presidente Pastrana" (12 de enero); "Texto de la propuesta completa de las FARC" (12 de enero); "Texto de la declaración de James Lemoyne" (12 de enero). Disponible en http://www.ciponline.org/colombia/farc.htm. Página consultada el 10 de agosto 2007.

38   Véase Crocker, Chester A. *et al., Herding Cats, op. cit.*

territorio a las FARC. Que estas podrían agruparse en la zona de despeje existente.

El 20 de febrero, las FARC secuestraron un avión comercial y retuvieron a un senador colombiano que presidía la comisión de paz del Senado. Aunque el acuerdo de cese al fuego aún no se había alcanzado, Pastrana declaró que la acción había rebasado la copa. Afirmó que actos tan bárbaros demostraban que las FARC no negociaban de manera seria y les dio sólo cuatro horas para abandonar la zona de despeje. No dio tiempo para que el enviado especial de las Naciones Unidas y los embajadores integrantes del grupo de países amigos intercedieran. Las tropas se movilizaron esa noche. Evidentemente, Pastrana se hallaba muy presionado para que diera por terminado un proceso de paz que en ese momento muchos veían como poco menos que una farsa. La opinión pública apoyó la posición del presidente. La comunidad internacional, asimismo, expresó dudas y respaldó públicamente al presidente. El proceso de paz se había roto.

Tres meses después, el candidato independiente Álvaro Uribe ganó la elección presidencial. Su campaña electoral se basó en el reestablecimiento de la seguridad y el orden, y prometió adoptar una línea dura contra la guerrilla.

Sacando las castañas del fuego: lecciones aprendidas

A corto plazo, entre todas las secuelas del fracaso de las negociaciones, se requiere que la comunidad internacional concentre su atención en la amplia y creciente crisis humanitaria en Colombia. Los abusos contra los derechos humanos, las violaciones del derecho internacional humanitario y el número de desplazados internos han alcanzado niveles críticos y claman por una mayor respuesta internacional. Sin embargo, la comunidad internacional debe empezar a prepararse para un renovado esfuerzo de paz.

Los actores internacionales no pueden imponer un acuerdo de paz en Colombia. El proceso de paz fracasó porque ninguna de las partes estuvo dispuesta a comprometerse en discusiones sustantivas sobre cómo suspender las hostilidades y sobre una futura distribución del poder en los ámbitos local y nacional. Estas cuestiones eran de igual importancia que las no especificadas reformas esbozadas en la agenda de negociaciones.

Durante los cuatro años del gobierno de Pastrana, la comunidad internacional obtuvo valiosa experiencia en el conflicto colombiano. El marco para una participación internacional fue construido de forma sistemática. Las

Naciones Unidas y el Grupo de Amigos adquirieron experiencia como "facilitadores" tanto con el ELN como con las FARC. Desde entonces, muchas de estas experiencias han sido recogidas por los gobiernos de Suiza, Noruega, y España en una serie de diálogos entre el gobierno colombiano y el ELN en Cuba que comenzaron a finales de 2005, y por los gobiernos de Francia, Suiza y España que han intentado facilitar un acuerdo humanitario sobre un intercambio de presos entre el gobierno y las FARC.

Sin embargo, la facilitación no puede sustituir la voluntad política de los actores armados. Las visiones internacionales no pueden superar a las de los colombianos. Los "facilitadores" —o los mediadores— pueden ayudar a precisar posibilidades, a salvar diferencias y, quizá lo más importante, ayudar a las partes a evitar que se retiren de las negociaciones ante percepciones de atrocidades cometidas por el otro actor armado. Durante veinte años, los actores armados colombianos han terminado los procesos de paz levantándose de la mesa, "pateándola" o lanzando insultos a su adversario a causa de un secuestro o de una ofensiva militar. Si el pasado constituye un indicador, es poco probable que los actores colombianos en conflicto puedan alcanzar un acuerdo negociado sin apoyo internacional. La política, como suele ocurrir, o como algunos dicen que ocurre, termina por salirse con la suya, lo cual sólo puede conducir a una grave degradación del conflicto, como efectivamente sucedió en la última década.

Uno de los grandes obstáculos para una respuesta internacional coordinada con el conflicto colombiano durante los años de Pastrana fue la inevitable intromisión de la geopolítica. La comunidad internacional estuvo impedida en sus esfuerzos porque Estados Unidos y las naciones europeas —a pesar de su coincidencia de intereses, compromisos y perspectivas— en lo fundamental veían las causas de la violencia en Colombia desde ópticas diferentes. Estados Unidos apoyaba la paz tan solo de modo marginal y priorizaba y financiaba a manos llenas la guerra contra las drogas. Este hecho, por sí solo, transformó el conflicto, la estrategia de paz del gobierno colombiano y la capacidad de otros actores internacionales para facilitar el proceso de paz. Será necesario cerrar la brecha entre estos actores y Estados Unidos. De los actores internacionales, sólo Estados Unidos tiene la suficiente influencia para presionar a los militares colombianos y empujar a las élites políticas y económicas a apoyar una paz integral.

Justo apenas cuando se generó un cambio internacional en torno a la Guerra Fría y la guerra contra las drogas, dando un giro a la intervención internacional en Colombia, y también transformando sustantivamente la política interna colombiana, la naciente concentración de la atención internacional sobre el terrorismo ha reordenado también las perspectivas, los intereses y las oportunidades dentro de la comunidad internacional. La polémica cuestión de la guerra contra las drogas, que durante tanto tiempo ha separado a europeos y latinoamericanos de Estados Unidos puede desaparecer. Sin embargo, nuevas divisiones entre Estados Unidos y la Unión Europea pueden salir a la luz, tanto sobre cómo combatir el terrorismo como también sobre la manera de ver los conflictos internos armados en cada país en concreto. Particularmente en Colombia, donde a medida que la cuestión del narcotráfico se vuelva secundaria, el nuevo contexto internacional puede proporcionar la oportunidad para que Estados Unidos y Europa puedan concertar mayormente, busquen los medios y resuelvan el complejo conflicto interno colombiano.

No es necesario que Estados Unidos intervenga de forma activa en el proceso de paz. Puede ser más eficaz que otros actores se pongan a la cabeza. En El Salvador, primero los países centroamericanos y después las Naciones Unidas desempeñaron los papeles principales. Sin embargo, su labor fue, ora facilitada u obstaculizada, en gran medida por la política de Estados Unidos. A lo largo de gran parte de la década de los ochenta, Estados Unidos se opuso a una serie de iniciativas de paz, desde la de Contadora —promovida por México, Colombia, Venezuela y Panamá— hasta el plan de paz del presidente costarricense Óscar Arias. Fue sólo cuando el gobierno del primer Presidente Bush cambió de rumbo, al mismo tiempo que terminaba la Guerra Fría, que los procesos centroamericanos de paz avanzaron.

Si el gobierno colombiano y la comunidad internacional pretenden reanudar un proceso de paz más comprensivo, los mecanismos forjados en la época de Pastrana necesitan ser reforzados. Es necesario nombrar de nuevo un consejero especial de las Naciones Unidas y el secretario general de esta organización debería comprometerse directamente con el proceso.

Además, todas las organizaciones internacionales necesitan trabajar en estrecha colaboración con los grupos de la sociedad civil colombiana que hayan empezado a desempeñar un papel importante en la búsqueda de la paz. Entre estos se encuentran la Iglesia católica, los medios de comunicación, los intelectuales y las redes que han sido organizadas especialmente para promover la paz como la Comisión de Reconciliación Nacional y la Asamblea Permanente para la Paz.

Organizaciones financieras internacionales como el BID y el Banco Mundial han acumulado mucha experiencia práctica y perspicacia en el transcurso del conflicto colombiano. La paz no sólo resultará rentable para el país, como alguna vez afirmara el BID, sino que también será costosa. Es necesario que el BID y el Banco Mundial y otros se comprometan con el proceso desde el momento en que se inicien las negociaciones.

El modelo de negociaciones que se siguió durante el gobierno de Pastrana está ampliamente desacreditado a los ojos de muchos en Colombia. Este modelo implicaba: 1) no cese al fuego, 2) cesión de amplias áreas de territorio a actores no estatales, y 3) discusiones generales sobre amplias reformas estructurales. La elección y reelección de Álvaro Uribe indicó la gran frustración ante el continuado fracaso de la autoridad legítima en Colombia. Sin embargo, los colombianos han demostrado constantemente que anhelan la paz. Puede que tarde mucho tiempo reconstruir las bases de un sólido proceso de paz, pero no hay ninguna otra alternativa viable. La comunidad internacional puede y debe desempeñar un papel decisivo.

Capítulo 4.

Injusticia, violencia, amnistía y paz[*]

Introducción

A pesar de las variaciones históricas en el conflicto —liberales contra conservadores en los años cuarenta y cincuenta; guerrilla contra el Estado en los años sesenta y setenta; múltiples actores, entre los cuales se encuentran guerrilleros, paramilitares y narcotraficantes, en los años ochenta y noventa—, ha habido una notable continuidad en las zonas geográficas de la violencia, en los actores en conflicto, en el empleo ilegal de la violencia estatal y paraestatal y en las causas regionales y sociales de la violencia.

Se brindaron amnistías en 1953 (a oficiales de las fuerzas armadas), en 1954 (a guerrilleros liberales), en 1958 (a liberales y conservadores de determinadas regiones) y en 1982, 1990 y 1994 (a guerrilleros izquierdistas y a milicias urbanas asociadas con la guerrilla). Las amnistías, en cuanto se dirigían a la situación jurídica individual de ciertos combatientes armados, dejaban intactas las instituciones estatales y paraestatales ilegales, permitiendo que autores significativos de graves violaciones de los derechos humanos escaparan de la justicia.

En Colombia, la prolongada violencia y fracasadas las amnistías, pusieron de manifiesto la incapacidad del Estado para proteger a su ciudadanía y consolidar un orden legal legitimado y vinculante que abarcara todo el territorio

---

[*] Una versión preliminar de este capítulo fue publicada en inglés con el título de "Colombia: Does Injustice Cause Violence", en Wickham-Crowley, Timothy y Eckstein, Susan (Eds.), *What Justice? Whose Justice? Fighting for Fairness in Latin America,* University of California Press, Berkeley, 2003.

nacional. Guillermo O'Donnell[1] sostiene que las dimensiones de lo que él denomina "el Estado legal" —la parte del Estado que es encarnada en el sistema legal—, son decisivas para consolidar la gobernabilidad democrática[2]. En Colombia, la ausencia del Estado legal en muchas regiones del país tuvo consecuencias de gran alcance. A lo largo de la prolongada historia del conflicto colombiano, el Estado legal ha permanecido reducido a un impracticable núcleo de instituciones judiciales ineficaces con limitado alcance y escasa autoridad sobre otros actores estatales.

En el presente capítulo se argumenta que la degradación de la justicia y la ausencia de un sistema legal que funcionara adecuadamente, contribuyeron a alimentar los más de sesenta años de guerra y se convirtieron en los principales obstáculos para la consolidación de un proceso de paz efectivo. Asimismo, este capítulo examina los orígenes, causas y duración de la violencia tanto en el ámbito nacional como en el local. Concluye que las regiones más violentas del país fueron: 1) aquellas áreas donde la autoridad había sido delegada a actores privados ilegales, o usurpada por ellos, y 2) aquellas áreas donde las instituciones y los funcionarios del Estado sobrepasaron los límites del uso legal de la fuerza. De igual manera sostiene que la concesión regular de amnistías, sin tomar en consideración aspectos más amplios como el estado de la justicia y la responsabilidad histórica, tuvo escasos efectos en la promoción de la reconciliación nacional. Tales amnistías, que no se han sintonizado con la aún mayor necesidad de construir un Estado legal, contribuyeron a institucionalizar formas ilegales e injustas de autoridad política que han favorecido la perpetuación de la violencia.

---

[1] Véase O'Donnell, Guillermo, "Polyarchies and the (Un)Rule of Law in Latin America: A Partial Conclusion", en Méndez, Juan E., O'Donnell, Guillermo y Pinheiro, Paulo Sergio, *The (un)Rule of Law and the Underprivileged in Latin America*, University of Notre Dame, Notre Dame, 1999.

[2] O'Donnell describe el "Estado legal" de la siguiente manera: "En la medida en que la mayoría de las leyes formalmente aprobadas existentes en un territorio son expedidas y respaldadas por el Estado, y las instituciones del Estado en sí mismas supuestamente actúan de acuerdo con las normas legales, tenemos que reconocer (como los teóricos de Europa continental lo han sabido, y los anglosajones lo han ignorado) que el sistema legal es parte constitutiva del Estado. Como tal, lo que yo llamo el "Estado legal" —es decir, la parte del Estado que se encarna en un sistema legal— penetra en la sociedad y le da consistencia, proveyendo de un básico elemento de estabilidad a las relaciones sociales" (O'Donnell, 1999: 313). O'Donnell agrega que en Latinoamérica el "Estado legal" está por lo general limitado o ausente.

Dinámica nacional de la violencia

Los años más violentos, de los sesenta años de guerra en Colombia, fueron los comprendidos entre 1948 y 1953. Tan solo en 1950, 50.223 personas fueron asesinadas. En relación con la población que tenía el país en ese tiempo, dicha cifra se traduce en 447 muertes por cada cien mil habitantes. En contraste, en 1991, el año más violento en las décadas más recientes, la tasa de homicidios fue de 79.2 por cada cien mil habitantes, que, sin embargo, se encontraba entre las más altas del mundo (véase cuadro 4-1).

A partir de 1953, la violencia descendió temporalmente después del golpe de Estado del general Gustavo Rojas Pinilla, que en esencia fue considerado un "golpe de opinión". Los dirigentes de las principales facciones de los partidos tradicionales se mostraban preocupados porque la violencia estaba creando su propia dinámica y veían que se les estaba escapando de su control. Temían que la propagación de la violencia fomentara una revolución social. Por lo tanto, actuaron en forma decidida y colocaron a los militares en el poder, a fin de que pacificaran el país. Uno de los primeros actos de Rojas Pinilla fue una amnistía para los militares seguida de una amnistía para las guerrillas liberales.

A medida que un período de la violencia evolucionó al siguiente, también los actores se fueron transformando. Las guerrillas liberales, especialmente las de los Llanos Orientales, entregaron las armas en 1954 y aceptaron amnistías ese año y en 1958. Los partidos liberal y conservador desplazaron del poder a Rojas Pinilla en 1957 y firmaron un pacto para repartirse el poder durante un largo período, constituyendo el Frente Nacional mediante un plebiscito que reformó la Constitución. Sin embargo, un sector importante de las guerrillas liberales —en particular las de las regiones cafeteras andinas— no fue incluido en esas amnistías o se negaron a aceptarlas. Se mantuvieron en armas y concertaron alianzas con los grupos de autodefensa vinculados al partido comunista colombiano que también se establecieron en las zonas cafeteras después del asesinato de Jorge Eliécer Gaitán[3].

---

[3]   Véase Chernick, Marc y Jiménez, Michael, "Popular Liberalism, Radical Democracy and Marxism: Leftist Politics in Contemporary Colombia", en Carr, Barry y Ellner, Steve (Eds.), *The Latin American Left*, Westview and Latin American Bureau, Boulder, 1993.

Cuadro 4-1: **Períodos de la violencia en Colombia**

Violencia	Actores en conflicto	No. de muertes por año		Tasa por 100.000 habitantes	Dptos. más violentos superiores al promedio nacional en orden descendente
Período 1* La Violencia (1946-1957)	Liberales-conservadores Grupos de autodefensa comunistas	1947:	13.968	-	Antiguo Caldas (Caldas, Quindío, Risaralda) Tolima Antioquia Norte de Santander Santander Valle del Cauca Meta Huila Cundinamarca -
		1948:	43.557	404	
		1949:	18.519	168	
		1950:	50.253	447	
		1951:	10.319	90	
		1952:	13.250	113	
		1953:	8.650	71	
		1954:	900	7	
		1955:	1.013	8	
		1956:	11.136	86	
		1957:	2.877	22	
Período 2** Conflicto de baja intensidad (1964-1984)	Guerrillas-Estado	1958-62:	19.449	32	Norte de Santander Meta Risaralda Quindío Boyacá Caquetá Antioquia Bolívar Cauca
		1963-67:	18.827	31	
		1968-72:	21.691	32	
		1973-77:	29.117	37	
		1978:	6.601	-	
		1979:	7.503	37	
		1980:	8.569	37	
		1981:	10.194	36	
		1982:	9.959	36	
		1983:	8.951	35	
		1984:	9.912	-	

Violencia	Actores en conflicto	No. de muertes por año		Tasa por 100.000 habitantes	Dptos. más violentos superiores al promedio nacional en orden descendente
Período 3*** Violencia multipolar intensificada (1985-)	Guerrillas, Estado, Paramilitares	1985:	11.919	-	Antioquia
		1986:	14.315	-	Cundinamarca
		1987:	16.535	-	Valle del Cauca
		1988:	21.509	-	Santander
		1989:	23.441	-	Risaralda
		1990:	24.308	69.5	Caldas
		1991:	28.284	79.2	Norte de
		1992:	28.224	77.5	Santander
		1993:	28.173	75.8	Tolima
		1994:	26.828	70.8	Meta
		1995:	25.398	65.8	Boyacá
		1996:	26.642	67.7	Cesar
		1997:	25.379	63.3	Santander
		1998:	23.096	56.5	Magdalena
		1999:	24.358	58.5	Atlántico
		2000:	26.540	62.7	Cauca
		2001:	27.841	64.6	Córdoba
		2002:	28.837	65.8	Quindío
		2003:	23.523	52.7	
		2004:	20.208	44.1	
		2005:	18.111	39.9	
		2006:	17.479	37.3	

* Fuente para el período 1: Doctor Carlos Lemoine, Compañía Colombiana de Datos; citada en Oquist, Paul, 1978: 16, 59.

** Fuentes para el período 2: Policía Nacional Dijin; citada en Consejería para los Derechos humanos, 1999: 14. Policía Nacional; citada en Departamento Nacional de Planeación, 1998.

*** Fuente para el período 3: Policía Nacional CIC-DIJIN, 2007.

El Frente Nacional redujo la violencia pero fue incapaz de consolidar la paz. Tras fracasados esfuerzos de negociación con los restantes grupos armados, los dirigentes del Frente Nacional desencadenaron una serie de bombardeos aéreos contra las comunidades de autodefensa liberal y comunistas. El bombardeo a la primera de esas comunidades, la de Marquetalia (Tolima), en 1964, se convirtió en parte de la iconografía de la subsiguiente insurgencia guerrillera. Según relata Manuel Marulanda Vélez, por entonces jefe militar de las comunidades de autodefensa, él y una pequeña fuerza de combatientes resistieron a una fuerza combinada de 16.000 hombres del ejército y la aviación del gobierno central[4]. Marulanda escapó a la agresión y procedió a fundar las FARC. Esta nueva campaña militar estatal recibió todo el apoyo de Estados Unidos y colocó directamente al conflicto colombiano dentro del contexto de la Guerra Fría.

En esta nueva etapa, por consiguiente, la división vertical entre los seguidores de los dos partidos multiclasistas dominados por las élites partidistas, cedió el paso a la división horizontal entre el Estado, ahora dominado por el reparto del poder arreglado entre liberales y conservadores, y aquellos que se consideraban excluidos del nuevo régimen. Entre estos últimos se encontraban los grupos de autodefensa liberal y comunistas, ahora convertidos en fuerzas guerrilleras móviles: las FARC. A ellas se agregarían nuevas agrupaciones, fundadas durante este período, sobre todo el ELN y el EPL.

Las viejas y nuevas insurgencias guerrilleras tenían un eco en una ola creciente de acciones sociales, paros laborales, marchas campesinas, paros cívicos y una multitud de formas no tradicionales de protesta y oposición. La respuesta del Estado fue criminalizar la mayoría de estas acciones y considerarlas subversivas. Sucesivos gobiernos ampliaron la autoridad de las fuerzas armadas. Durante el gobierno de Turbay (1978-1982) se estableció un estatuto nacional de seguridad que otorgó a las fuerzas armadas amplios poderes para investi-

---

[4]   Véase Marulanda V., Manuel, *Cuadernos de campaña*, Ediciones CEIS, Bogotá, s. f. Con anterioridad, el político conservador frentenacionalista Álvaro Gómez Hurtado había acusado, en el hemiciclo del Senado, a estas comunidades de ser "repúblicas independientes". Además de Marquetalia, en ellas se incluían: Río Chiquito (Cauca y Huila), El Pato (Caquetá), Guayabero (Meta), Alto Sumapaz (Cundinamarca), Alto Ariari (Meta), El Duda (Meta). Para una información detallada acerca de estas zonas, véase González Arias, José Jairo, *El estigma de las "repúblicas independientes", 1955-1965*, Cinep, Bogotá, 1992.

gar, arrestar, condenar a prisión y someter a juicio a los civiles en tribunales militares. La creciente capacidad represiva del Estado marchaba paralela a la creciente debilidad y reducida legitimidad del régimen. Un estudio reveló que entre 1971 y 1980 el 44% de los paros cívicos terminaron con intervenciones militares[5]. La mayoría de los paros cívicos se centraban en quejas relacionadas con los servicios públicos, como carencias de electricidad, agua, alcantarillado y vías. La criminalización de la protesta social tuvo efectos contrarios a los que se pretendieron. Al cerrar los canales de la participación legítima, el apoyo de la gente se trasladaba a los grupos que actuaban fuera del espacio dominado por el Frente Nacional. La línea entre insurrección armada y protesta legítima es porosa; resulta fácil de cruzar en ambas direcciones, según sean las oportunidades, reales o supuestas, de participación, acceso y cambio[6].

Una segunda generación de agrupaciones guerrilleras apareció en los años setenta y comienzos de los ochenta, reflejando el limitado espacio de la participación política. Las más importantes fueron el M-19, fundado a raíz de las fraudulentas elecciones de 1970, y Quintín Lame, que surgió de la movilización indígena del departamento del Cauca.

En los años ochenta, a medida que la autoridad del Frente Nacional se desgastaba, se inició una tercera y distinta etapa de violencia. Múltiples actores armados, principalmente guerrilleros, paramilitares y las fuerzas militares, se atacaban entre sí con regularidad sin que, no obstante, ninguno fuera capaz de alcanzar el dominio militar. Entre los años 1980 y 2000 la violencia se triplicó. A estas alturas, la guerra interna ya había evolucionado hacia un conflicto atomizado y multipolar. Ninguna de las partes era capaz de derrotar a la otra; ninguna de las partes ganaba suficiente ventaja para imponer condiciones de paz.

Esta periodización del conflicto, que cubre más de sesenta años, desde mediados de la década de 1940 hasta comienzos del siglo XXI, pone de re-

---

[5] Véase Giraldo, Javier y Camargo, Santiago, "Paros y movimientos cívicos en Colombia" *Serie Controversia*, N° 128. En un estudio más reciente, un grupo de investigadores dirigidos por el historiador Mauricio Archila demuestra que esta tendencia de criminalizar la protesta social empeoró en las décadas siguientes. Véase Archila, Mauricio; Delgado, Álvaro; Prada, Esmeralda y García, Martha Cecilia, *25 años de protestas sociales en Colombia (1975-2000)*, Cinep, Bogotá, 2002.

[6] Véase la discusión conceptual sobre este punto entre Charles Tilly y Alain Touraine en el capítulo 2.

lieve una inexorable, aunque mal comprendida, verdad: la violencia es muy anterior al auge de la exportación de droga. El tráfico de estupefacientes surge tan solo en el período final de la violencia. Alimentó y transformó un conflicto ya existente. El tráfico de drogas prosperó en medio de la ausencia de la presencia legítima del Estado y de la aplicación del imperio de la ley en todo el territorio nacional. Canalizó nuevos recursos —tanto económicos como militares— hacia viejos adversarios. Creó nuevos sectores sociales, particularmente el empresariado de la droga, nuevos ricos, que invirtieron bastante en el campo colombiano y financiaron a los paramilitares de ultraderecha. Corrompió a funcionarios estatales y socavó el ya restringido alcance del Estado legal. En algunas áreas urbanas, sobre todo en Medellín, condujo a la creación de pandillas juveniles y de sicarios adolescentes o asesinos a sueldo. El tráfico de drogas profundizó y extendió la violencia y degradó gravemente el conflicto (véase capítulo 5).

Los narcotraficantes, sin embargo, no fueron en sí mismos actores significativos en el conflicto armado, salvo durante el breve período comprendido entre 1989 y 1991. En ese período, el cartel de Medellín desafió directamente al Estado, a causa del problema de la extradición a Estados Unidos, y desencadenó una campaña terrorista en zonas urbanas. El terrorismo urbano había tenido hasta ese momento un alcance limitado, y el advenimiento del cartel de Medellín como otro actor armado pareció augurar una nueva fase de violencia. Sin embargo, los narcotraficantes de Medellín no tardaron en negociar una rebaja de penas a cambio de cesar el terrorismo. Cuando Pablo Escobar, jefe del cartel de Medellín, y otros cabecillas escaparon de prisión, fueron cazados por unidades especiales de policía y ultimados a tiros. Esta experiencia paralizó al cartel de Medellín. Sus sucesores en otras ciudades colombianas, entre los cuales el de mayor notabilidad fue el cartel de Cali, y más tarde otros, incluso algunos más pequeños o "cartelitos", se sustentaron menos en la violencia y prefirieron influir sobre el Estado mediante el soborno y la corrupción[7].

La violencia de finales del siglo XX tuvo, pues, raíces mucho más profundas que el auge de la exportación de drogas. Ellas se remontan a largos y enconados conflictos sociales y políticos cuya resolución ha sido aplazada durante

---

[7]   Véase Salazar J., Alonso, *No nacimos pa' semillas*, Cinep, Bogotá, 1990; Jaramillo, Ana María, *Medellín. Las subculturas del narcotráfico*, Cinep, Bogotá, 1992; Cañón M., Luis, *El patrón: vida y muerte de Pablo Escobar*, Planeta, Bogotá, 1994; y Salazar J., Alonso, *La parábola de Pablo*, Planeta, Bogotá, 2001.

décadas. Además, la prolongada violencia política estuvo fundamentada en conflictos básicamente regionales que no sólo rebasaron su contorno inicial, sino que atizaron de manera constante el conflicto a escala nacional.

Fuentes regionales de la violencia

El ámbito de la violencia colombiana es intensamente regional, lo cual refleja el limitado alcance del Estado legal y su sustitución por un mosaico de redes locales y regionales de poder privado. Estas redes están constituidas por gamonales (políticos) que pertenecen a uno de los dos partidos tradicionales que mantienen fuertes vínculos con las fuerzas armadas, los terratenientes, los comerciantes, los hombres de negocios locales y los grupos paramilitares. En estas redes también se incluyen las que funcionan en zonas dominadas por la guerrilla, así como las controladas por narcotraficantes y grupos paramilitares más autónomos. En todas estas zonas, la justicia y la autoridad son ejercidas en su mayoría por medios extrajudiciales e ilegales. Por su parte, los actores estatales sirven como cómplices conscientes o permanecen totalmente ausentes o marginados del ejercicio del poder.

Tal como muestra el cuadro 4-1, en todos los períodos históricos aparecen en lo fundamental los mismos departamentos como focos de irradiación de la violencia[8]. Algunas personas, grupos y comunidades que tomaron las armas en los años cuarenta eran todavía protagonistas clave medio siglo después. Las divisiones regionales y los conflictos locales han alimentado la agitación y la rebelión. La violencia en el ámbito local está relacionada con las divisiones sociales y económicas que quedaron sin resolver o empeoraron durante la segunda mitad del siglo xx. Entre ellas se cuentan los conflictos

---

[8] Si bien los niveles de violencia han sido clasificados según el número de homicidios por cada cien mil habitantes, en comparación con las cifras absolutas, una tendencia adicional surge de la distribución regional de la violencia: en el decenio de 1990, la violencia se intensificó en las zonas recién colonizadas, en las áreas situadas principalmente al este de los Andes y en las regiones intermontañosas, conocidas en Colombia como fronteras agrícolas. De acuerdo con este criterio, los departamentos más recientemente creados como Guaviare, Casanare y Putumayo, engrosan la lista de los más violentos. Guaviare y Putumayo eran áreas con cultivos de coca. Casanare es una zona petrolera.

por la desigualdad en la tenencia de la tierra, en las condiciones de trabajo, en el acceso al poder político, en el acceso a los recursos y servicios del Estado, por la marginación social, la represión, el control de los recursos naturales y el cultivo de productos agrícolas, incluidos los ilícitos[9].

Aunque Colombia se convirtió, como la mayoría de las naciones latinoamericanas, en una sociedad de predominancia urbana, el conflicto armado se mantuvo abrumadoramente rural, a lo largo de las décadas finales del siglo XX. En los años noventa, el 93% de los municipios más violentos eran de estructura rural, mientras que el 7% eran de estructura urbana[10].

La violencia en Colombia no tiene correlación con las regiones más pobres del país. Más bien, el conflicto se ha mostrado asociado principalmente a las áreas de extracción de recursos naturales o de producción agrícola comercial (tanto legal como ilegal) donde el Estado, la justicia social y el imperio de la ley han tenido mínima presencia y donde ha prevalecido la justicia privada.

En los años noventa, las regiones cafeteras continuaban contándose entre las más violentas, tal como lo fueron en los años cincuenta. Las zonas de colonización más recientes, especialmente las cultivadoras de coca, también surgieron como principales escenarios de violencia. El contraste entre las regiones cafeteras andinas y las tierras bajas cocaleras situadas al este de los Andes refleja la gran diversidad de las zonas violentas a lo largo y ancho del país. Las primeras están incorporadas a la economía legal y cuentan con alguna forma de presencia del Estado, mientras que las segundas se hallan integradas a la economía ilegal y se caracterizan por la ausencia del Estado e incluso de los partidos tradicionales.

En ambos tipos de zonas, uno o más de los actores armados existentes en el país —guerrilleros o paramilitares— surge como actor político significativo o dominante. En muchas de las zonas tradicionalmente cafeteras o ganaderas, los paramilitares fueron integrados a la estructura de las relaciones de poder locales y reprimen la mayoría de las formas de activismo social o de protesta mediante el terror, el asesinato y el desplazamiento forzado[11]. En zonas dominadas por la

---

9   Véase Echandía Castilla, Camilo, *El conflicto armado y las manifestaciones de violencia en las regiones de Colombia*, Presidencia de la República, Oficina del Alto Comisionado para la Paz, Bogotá, 1999.

10 *Ibíd.*

11 Véase Medina Gallego, Carlos y Téllez Ardila, Mireya, *La violencia parainstitucional y parapolicial en Colombia*, Quito Editores, Bogotá, 1994; y Romero, Mauricio, *Paramilitares y Autodefensas: 1982-2003*, Iepri, Bogotá, 2003.

guerrilla, especialmente en regiones cultivadoras de coca donde la autoridad oficial está ausente, a menudo ejercen funciones propias del Estado como el mantenimiento del orden, intermediación de conflictos, construcción y reparación de vías y puentes, e imposición tributaria (ilegal) y regulación del comercio ilegal[12]. En otras partes del país, donde hay presencia pero no dominio guerrillero, los insurgentes encauzan la mayoría de las formas de protesta social dentro de la oposición armada, y amenazan directamente a las élites y a los dueños del poder locales mediante el secuestro, la extorsión y el asesinato.

Un vistazo a algunos de los departamentos y zonas económicas más violentos pone de relieve los problemas de la justicia privada, la violencia ilegal del Estado y la ausencia de un Estado legal. En Urabá (Antioquia), el conflicto se centra en la consolidación de la economía bananera de plantación que ha transformado a la zona en el tercer exportador mundial de banano. Urabá es una zona de colonización con limitada presencia del Estado. Guerrillas de las FARC y el EPL se trasladaron a la zona en el decenio de 1980 y estimularon los primeros sindicatos de trabajadores bananeros. A finales de los años ochenta, el gobierno de Barco (1986-1990), en otro intento por controlar el orden público mediante la cesión de autoridad a los militares, sancionó una nueva legislación antiterrorista que creaba "jurisdicciones de orden público" especiales bajo el control de los militares. Las fuerzas armadas establecieron una de tales jurisdicciones en Urabá, mientras que, al mismo tiempo, ayudaban a organizar una poderosa fuerza paramilitar con estrechos vínculos con los dueños de las plantaciones. La red de paramilitares, militares y dueños de plantaciones desencadenó una campaña a muerte contra los sindicatos y las bases sociales de la guerrilla. La región se convirtió en una de las más violentas del país[13].

En Arauca, Santander y Norte de Santander, gran parte del conflicto se ha centrado en la industria petrolera. El ELN, desde la década de 1960, y después las FARC, en los años ochenta, consolidaron ciertas bases de apoyo

---

[12] Véase Jaramillo, Jaime *et al.*, *Colonización, coca y guerrilla*, Universidad Nacional de Colombia, Bogotá, 1986; Molano, Alfredo, *Selva adentro: una historia oral de la colonización del Guaviare*, El Áncora, Bogotá, 1987; Chernick, Marc, *Insurgency and Negotiations: Defining the Boundaries of the Political Regime en Colombia*, tesis doctoral, Columbia University, 1991.

[13] Véase Comisión Andina de Juristas (seccional colombiana), *Sistema judicial y derechos humanos en Colombia*, Bogotá, 1990.

entre las poblaciones locales. Ambas agrupaciones extorsionaban a las compañías petroleras multinacionales y a las firmas de construcción extranjeras. El ELN, en particular, dirigió su guerra contra las compañías petroleras extranjeras y la empresa estatal Ecopetrol, y dinamitó en reiteradas oportunidades el oleoducto que había sido construido a finales de los años ochenta y que va desde Arauca hasta la costa caribe. La región tiene una larga historia de rebelión, fuertemente asociada con Jorge Eliécer Gaitán y las guerrillas liberales de los años cincuenta. Los trabajadores petroleros y sus sindicatos mantuvieron una conflictiva pero cercana relación con el ELN desde la fundación de este en 1966. En los años 2000 y 2001, los militares y los paramilitares emprendieron una campaña para eliminar el apoyo de la guerrilla en los centros urbanos más relevantes de esta zona, entre ellos Barrancabermeja (Santander), la mayor ciudad de la región y sede de la única refinería de petróleo nacional[14].

En otra región, situada en el departamento de Boyacá, la violencia penetró en el no regulado comercio de esmeraldas y la industria minera esmeraldífera. Grupos paramilitares asociados con los comerciantes de esmeraldas y narcotraficantes intentaron regular la industria e imponer el orden y su propia versión de la justicia[15]. En el departamento del Cauca, los grandes terratenientes entran en conflicto con un renaciente movimiento de campesinos e indígenas que reclamaban sus tierras colectivas. Incluso después del desarme del movimiento guerrillero indígena Quintín Lame, en 1990, las FARC prosiguieron sus actividades en esa región, aunque a menudo en conflicto con las comunidades indígenas que prefieren sus propias autoridades.

En las zonas de colonización de Guaviare, Caquetá y Putumayo, la emigración a gran escala hacia la selva tropical húmeda fue estimulada por el auge de la coca y la cocaína iniciado en los años ochenta. En esas áreas, las FARC han sido el actor político y militar dominante, aunque esa condición fue desafiada a finales de los años noventa, cuando narcotraficantes y paramilitares comenzaron a crear plantaciones de coca a gran escala y a desplazar a la primera

---

[14]   Véase Hernández, Milton, *Rojo y negro: aproximaciones a la historia del ELN*, Nueva Colombia, Bogotá, 1998; y Echandía Castilla, Camilo, *op. cit.*

[15]   Véase Guerrero, Javier, *Los años del olvido. Boyacá y los orígenes de la Violencia*, Tercer Mundo y Iepri, Bogotá, 1991.

generación de pequeños agricultores[16]. La intensificación de la guerra contra las drogas por parte de las fuerzas armadas colombianas y estadounidenses, iniciada en la década de 1990, también intensificó el conflicto.

Por último, en el norte, a lo largo de la costa caribe, en la región del Magdalena Medio, así como en las sabanas occidentales, los narcotraficantes hicieron cuantiosas inversiones en haciendas ganaderas. Las compras de tierras condujeron a una mayor concentración de la tenencia de la tierra en Colombia, país que ya de por sí figuraba entre los de más alta concentración de la tierra en el mundo[17]. Estas inversiones han sido descritas como una contrarreforma agraria de vastas proporciones que menoscabó de forma abrumadora los mínimos esfuerzos que se hicieron a partir de los años sesenta por llevar a cabo una serie de limitadas reformas agrarias[18]. En este caso, los grupos paramilitares fueron formados no sólo para combatir la guerrilla, sino también para desplazar de sus tierras a la población campesina rural y a los cultivadores en pequeña escala, a fin de absorberlas y crear así haciendas más grandes[19].

Se calcula que desde 1987 más de 3,8 millones de personas han sido forzadas a huir de sus hogares a causa del conflicto armado. Más de un tercio de estos desplazamientos han sido atribuidos directamente a los paramilitares y a sus patrocinadores. Según un informe de la ONG Consultoría para los Derechos Humanos y el Desplazamiento (Codhes), publicado en 2007, "Las tierras abandonadas y despojadas están en el centro del conflicto armado y del drama del desplazamiento. Alrededor de 4,8 millones de hectáreas perdieron

---

[16]   Véase González, José Jairo *et al.*, *Conflictos regionales Amazonía y Orinoquía,* Iepri y Fescol, Bogotá, 1998.

[17]   Véase Banco Mundial, "Colombia: The Role of Land in Involuntary Displacement", en *Social Development Notes,* Conflict Prevention & Reconstruction, No. 17, marzo de 2004. Disponible en:http://siteresources.worldbank.org/INTCPR/214578-1111751313696/20480297/CPRNote17MARCH19.pdf

[18]   Véase Reyes, Alejandro, "Compra de tierra por narcotraficantes", en Thoumi, Francisco *et al.* (Comp.), *Drogas ilícitas en Colombia*, Ariel, Naciones Unidas-PNUD, Ministerio de Justicia, Dirección Nacional de Estupefacientes, Bogotá, 1997.

[19]   Véase Banco Mundial, "Colombia: The Role of Land in Involuntary Displacement", en *Social Development Notes,* Conflict Prevention & Reconstruction, No. 17, marzo de 2004. Disponible en: http://siteresources.worldbank.org/INTCPR/214578-1111751313696/20480297/CPRNote17MARCH19.pdf

cerca de 250 mil familias desplazadas que hoy se suman a miles de familias campesinas sin tierra en Colombia"[20]. El informe concluye: "La continuidad del desplazamiento en muchas regiones y la desprotección a la que se ven sometidas las comunidades y sus líderes muestra que la política de seguridad no ha sido efectiva en materia de derechos humanos y derecho internacional humanitario"[21].

Estas descripciones regionales ponen de relieve un elemento central de la evolución política de Colombia: el Estado se ha desenvuelto con escaso control sobre extensas áreas de su territorio nacional. En ausencia de dicho control, los poderes locales, generalmente en conexión con la actividad económica dominante de la respectiva región, sustituyen esa autoridad y aplican sus propias formas de justicia privada. Estas áreas se caracterizan por la gran concentración de la riqueza y de la tierra en medio de una población empobrecida y carente de derechos. La presencia de los movimientos guerrilleros encauzó esas condiciones hacia la rebelión armada. La presencia de los militares y de los grandes terratenientes —luego reforzados o reemplazados con las narco-inversiones en el campo— estimuló la creación de ejércitos paramilitares para llenar el vacío dejado por la ausencia del Estado y favorecer la concentración de la riqueza privada, los privilegios y la autoridad. La limitada presencia del Estado aunada al ejercicio de la justicia privada a manos de élites armadas o guerrillas armadas, probó ser una receta eficaz para perpetuar la violencia en Colombia.

Guerra sucia, paramilitarismo e impunidad

En los años ochenta, la guerra en Colombia fue ante todo una guerra sucia. El abrumador número de víctimas estuvo constituido, en mayor parte, por integrantes de una población civil inerme acusada de colaborar con una agrupación enemiga o de pertenecer a ella. Durante los regímenes militares del cono sur en la década de 1970, los procedimientos de la guerra sucia se

---

[20]   Véase Consultoría para los Derechos Humanos y el Desplazamiento, "602 personas se desplazaron por día en el año 2006", p. 2. Disponible en: http://www.codhes.org/Publicaciones/infocartagena.pdf. Página consultada el 8 de agosto de 2007.

[21]   *Ibíd*, p. 2.

equipararon al terrorismo de Estado dirigido contra los opositores y sus supuestos simpatizantes o colaboradores. En Colombia, la violencia política de finales de los años noventa provino principalmente de los grupos paramilitares. Algunos de estos grupos mantenían nexos directos con sectores clave del fracturado aparato estatal colombiano, mientras que otros tenían, más bien, sus raíces en la conflictiva sociedad civil de la nación[22].

Había tres subgrupos de paramilitares, aunque en su clasificación no son excluyentes entre sí: los fundados directamente por las fuerzas armadas; los organizados por funcionarios locales, intereses comerciales y económicos, gamonales y grandes terratenientes de la respectiva localidad; y los creados por narcotraficantes que invirtieron las ganancias obtenidas de la droga en la adquisición de tierras. En 1997, siete organizaciones regionales paramilitares, en las que se hallaban incluidos dichos subgrupos, se unificaron bajo la sigla AUC. Las AUC continuaron actuando de forma directa con las fuerzas armadas en muchas regiones; en otras, se les permitió operar en zonas patrulladas por los militares.

En su informe del año 2000 sobre derechos humanos, el Departamento de Estado de Estados Unidos describe con precisión el sistema de justicia privada de los paramilitares:

> A lo largo y ancho del país, los grupos paramilitares asesinaron, torturaron y amenazaron a civiles sospechosos de simpatizar con la guerrilla, en una campaña orquestada para aterrorizarlos y hacerlos huir de sus hogares, con el fin de privar de apoyo civil a la guerrilla y permitir que las fuerzas paramilitares disputaran a las FARC y al ELN el control de los cultivos de coca y de los territorios estratégicamente importantes. Las fuerzas paramilitares fueron responsables de un creciente número de masacres y asesinatos políticos [...]. Las AUC —sigla que encubre a los paramilitares—, cuya militancia es de aproximadamente 8.150 combatientes armados, ejerció una creciente influencia durante el año y se esforzó por extender su presencia, mediante la violencia y la intimidación, en zonas anteriormente controladas por la guerrilla, al mismo tiempo que perpetró asesinatos selectivos de civiles que supuestamente colaboraban con la guerrilla [...]. Aunque algunos grupos paramilitares reflejan el deseo de algunos sectores rurales de organizarse exclusivamente para la autodefensa, la mayoría son organi-

---

[22]   Véase Chernick, Marc, "The Paramilitarization of the War in Colombia", en *Nacla Report on the Americas*, Vol. XXXI, N° 5, marzo-abril de 1998.

zaciones parapoliciales, y otros son en realidad ejércitos privados pagados por narcotraficantes o grandes terratenientes[23].

Los paramilitares no desempeñaron siempre un papel dominante en el conflicto. En 1992, en los casos de ejecuciones extrajudiciales y masacres, en los que la autoría pudo ser establecida, el 56% fueron cometidos por el ejército y agentes de seguridad del Estado, 12% por paramilitares y 25% por la guerrilla[24].

En 1999, el 75% de las ejecuciones extrajudiciales fueron cometidas por grupos paramilitares. La guerrilla fue responsable del 21% de estos crímenes. La participación de las fuerzas armadas y de seguridad del Estado en violaciones graves de los derechos humanos había descendido notablemente al 3% de los casos[25]. La participación directa del Estado en ejecuciones extrajudiciales había disminuido constantemente sólo para ser sustituida por la participación indirecta por medio de la colaboración de los paramilitares. Los militares pudieron mejorar su expediente en materia de derechos humanos por medio del apoyo, la permisibilidad y la delegación de autoridad criminal —de manera ilegal todas ellas— a los paramilitares. Un investigador de derechos humanos concluyó que: "La tendencia del ejército es a volver la guerra crecientemente clandestina y asignar el trabajo sucio a los paramilitares"[26]. Cabe anotar que desde que empezó el proceso de desmovilización de los paramilitares, el rol de los agentes estatales en las violaciones volvió a aumentar progresivamente, llegando a un 14,17% de las violaciones ocurridas entre julio de 2002 y junio de 2006[27].

El paramilitarismo no es nuevo en Colombia. En las décadas de 1940 y 1950, paramilitares conservadores llamados "pájaros" y "chulavitas" sembra-

---

[23] Véase Departamento de Estado de Estados Unidos, *Country Report on Human Rights Practices 2000*, Departamento de Estado, Washington, dado a conocer en febrero de 2001.

[24] Véase Comisión Andina de Juristas (seccional colombiana), "Autores de atentados contra la vida por razones políticas", enero-septiembre de 1993.

[25] Véase Comisión Colombiana de Juristas, *Banco de datos sobre violencia política*, Bogotá, 2000.

[26] Citado en Human Rights Watch, *War without Quarter: Colombia and International Humanitarian Law*, Nueva York, 1998, p. 17.

[27] Véase Comisión Colombiana de Juristas, *Colombia 2002-2006: Situación de derechos humanos y derecho humanitario*, Bogotá, 2007.

ban el terror contra quienes asumían que eran liberales, sobre todo en ciertas regiones del país como el departamento del Valle del Cauca donde dominaba el poder político. Entre 1965 y 1989, el gobierno concedió a los militares colombianos el derecho de armar a los civiles. En 1989, la práctica fue declarada ilegal por la Corte Suprema de Justicia, pero los esfuerzos por desmantelar a los grupos paramilitares resultaron insuficientes e infructuosos: en la década siguiente el número de sus integrantes se había cuadruplicado[28]. Tras una minuciosa investigación, Human Rights Watch[29] encontró que la mitad de las dieciocho unidades del ejército colombiano con nivel de brigada continuaban manteniendo evidentes y documentados nexos con la actividad paramilitar. La Oficina del Alto Comisionado de las Naciones Unidas para los derechos humanos en Colombia responsabilizó directamente al Estado colombiano:

> El Estado colombiano tiene una innegable responsabilidad histórica en el origen y desarrollo del paramilitarismo, que estuvo aprobado legalmente entre 1965 y 1989. Desde entonces, aunque los llamados "grupos de autodefensa" fueron declarados inconstitucionales, han pasado diez años y aún no han sido efectivamente desmantelados. Desde la misma perspectiva histórica, sobre las fuerzas armadas recae una particular responsabilidad, porque durante el largo período en que los "grupos de autodefensa" fueron legales, ellas se encargaron de promover, seleccionar, organizar el entrenamiento, armar y proporcionar apoyo logístico a esos grupos dentro del marco general de apoyo a las fuerzas armadas en su lucha contra la insurgencia[30].

Los paramilitares prosperaron por una sencilla razón: ellos fueron capaces de aplicar una cruel, pero exitosa estrategia de contrainsurgencia en zonas que habían sido dominadas por la guerrilla durante mucho tiempo. Tuvieron éxito donde las fuerzas armadas por sí solas habían fracasado. Además, por medio

---

[28] Véase República de Colombia, Ministerio Nacional de Defensa, *Annual Human Rights and International Humanitarian Law Report,* Bogotá, 2001.

[29] Véase Human Rights Watch, *Colombia, the Ties that Bind: Colombia and Military-Paramilitary Links,* Vol. 12, N° 1 (B), febrero de 2000.

[30] Véase Informe de la Alta Comisionada de las Naciones Unidas para los Derechos Humanos sobre la situación de los derechos humanos en Colombia 2001, Bogotá, abril de 2002, p. 27.

de sus vínculos con los dueños del poder local, dieron nueva vida a las rancias élites rurales que habían sido derrotadas por la historia en prácticamente el resto de naciones latinoamericanas en el transcurso del siglo XX. Al mismo tiempo, integraron la más nueva narco-élite en esas anticuadas y concentradas estructuras del poder local. Y, a medida que el conflicto interno colombiano empezó a atraer la atención mundial, en la década de 1990, pudieron actuar con menos restricciones que los actores oficiales del Estado, especialmente en tiempos de negociaciones de paz y de atención internacional a las violaciones de los derechos humanos.

La paramilitarización del conflicto colombiano no sólo aseguró la prolongación de la guerra. Los altos niveles de violencia política también estimularon, de modo extraordinario, las altas tasas de crímenes violentos no políticos en toda la sociedad[31]. Haciendo una comparación con base en anteriores y posteriores niveles de violencia, el año más violento del siglo XX fue 1950. Sin embargo, los años noventa, en su conjunto, fue la década más violenta[32] (véase cuadro 4-1).

Existe una diferencia entre violencia política, por un lado, y violencia criminal y social, por el otro. Los asesinatos y masacres por razones políticas representaron entre el 15% y el 20% del total de homicidios durante los años noventa. En 1999, por ejemplo, de los 23.209 asesinatos registrados, más del 82% fueron adjudicados al crimen y la delincuencia, al igual que a causas sociales como la violencia intrafamiliar; y tan solo el 17% a actores políticos armados —guerrillas, paramilitares o fuerzas públicas de seguridad—[33]. El promedio de los ciudadanos se vio más afectado por el ascenso de la violencia criminal y social que por la intensificación de la violencia política. Los datos indican una correlación causal entre violencia política y crimen y

---

[31] Véase Moser, Caroline, "Violence in Colombia: Building Sustainable Peace and Social Capital", en Solimano, Andrés (Ed.), *Essays on Conflict, Peace and Development*, Banco Mundial, Washington, 2000; y Echandía Castilla, Camilo, *El conflicto armado y las manifestaciones de violencia en las regiones de Colombia*, Presidencia de la República, Oficina del Alto Comisionado para la Paz, Bogotá, 1999.

[32] Tales cifras situaban a Colombia entre los países más violentos del mundo, con una tasa *per cápita* tan solo sobrepasada, en el año 2000, según la Organización Mundial de la Salud, por El Salvador y Sudáfrica.

[33] Véase Comisión Colombiana de Juristas, *Banco de datos sobre violencia política*, Bogotá, 2000.

otras formas de violencia. La incesante violencia política parece haber conducido al incremento de la violencia criminal y social llevada a cabo por actores políticos, no políticos y criminales. En la violencia social se incluyen la violencia intrafamiliar y las manifestaciones de odios interfamiliares heredados, así como también la violencia, mal llamada "limpieza social", ejercida contra sectores sociales considerados indeseables como ladrones, prostitutas y homosexuales[34]. Los datos revelan que las zonas con máximos niveles de violencia política (ejecuciones extrajudiciales y masacres) fueron también las zonas con los máximos niveles de violencia no relacionada con el conflicto armado[35]. De modo concomitante, las áreas que experimentaron niveles bajos de violencia política fueron también las áreas con tasas más bajas de homicidios en general[36]. La relación entre altas tasas de violencia política y altas tasas de violencia criminal y social es más evidente en las zonas tradicionalmente agrícolas (café) y en las zonas de colonización (coca, banano, ganadería, petróleo).

El drástico aumento de la violencia no política en zonas donde la violencia política ha sido más intensa, representó un costo adicional al tolerar la justicia privada y la violencia ilegal del Estado. La justicia privada alcanzó algunos éxitos contra sus enemigos políticos. En el Magdalena Medio y a lo largo de gran parte de la costa caribe, la justicia privada paramilitar y la guerra sucia lograron reducir y eliminar en gran medida la base social de la guerrilla. Pero el recrudecimiento de la guerra sucia también abrió las compuertas a una ola de violencia social y criminal, avivando en muchos casos conflictos sociales que habían sido alimentados desde la primera etapa de la violencia en los años cincuenta.

La guerra sucia también fue facilitada por el alto grado de impunidad. La eficiencia de la justicia es el indicador fundamental de la cohesión, extensión y eficacia del Estado legal. En 1997, el Departamento Nacional de Planeación publicó un estudio en el que se daba a conocer que la impunidad para los crímenes

---

[34]   La relación causal entre violencia política y criminalidad puede observarse también en otros países. En Sudáfrica y El Salvador, la violencia creció después de los acuerdos de paz logrados en los años noventa. La violencia política había debilitado al Estado legal. En ambos países, las tasas de criminalidad y la violencia social se elevaron en el período de posconflicto.

[35]   Véase Echandía Castilla, Camilo, *op. cit.*

[36]   *Ibíd.*

violentos era del 97,5%[37]. Otro estudio mostró que la probabilidad de que un asesino pudiera ser juzgado y sentenciado descendió del 11% en los años setenta al 4% en los años noventa[38]. Para crímenes políticos de destacada importancia, como el asesinato de dirigentes o activistas políticos o las masacres en zonas de conflicto, las tasas de impunidad fueron incluso más altas. De los primeros dos mil asesinatos de miembros de la UP, sólo diez fueron plenamente investigados, llevados a juicio y sentenciados. Seis de ellos terminaron en absolución[39].

Un elemento que casi alcanzaba los niveles de la más absoluta impunidad para los crímenes políticos, era el sistema legal que separaba la justicia penal militar de la justicia ordinaria. Las fuerzas armadas se negaban reiteradamente a procesar a sus propios miembros implicados en violaciones de los derechos humanos o en el apoyo ilegal de la actividad paramilitar. A principios de los años ochenta, cuando algunos funcionarios civiles intentaron enfrentar la ola creciente de violencia e impunidad, surgieron enormes tensiones entre las dos esferas de la justicia. La independiente Procuraduría General de la Nación, encargada de controlar cualquier conducta delictiva de los funcionarios del Estado, empezó a hacer frente al problema de la violación de los derechos humanos por parte de autores estatales, pero su labor fue frustrada de manera reiterada, y a menudo las fuerzas armadas la hicieron objeto de intimidaciones. En 1983, en un acto sin precedentes, el procurador general acusó a más de cincuenta oficiales de las fuerzas armadas de participar en las actividades del famoso grupo paramilitar MAS (Muerte a Secuestradores), asociado con el cartel de Medellín. Públicamente, el ministro de Defensa lo atacó por hacer esta acusación. Un procurador general, Carlos Mauro Hoyos, propuso declarar ilegales e inconstitucionales a todos los grupos paramilitares, invalidando

---

[37]   De acuerdo con una entrevista con el ex fiscal general Alfonso Gómez Méndez, parece que esta cifra mejoró un poco en el año 2000. Sin embargo, empleando su metodología, que se refiere a un creciente registro de crímenes, la tasa de impunidad en general podría rondar aún el 91%. Para más información véase Gómez Méndez, Alfonso, "Estamos doblegando la impunidad", en revista *Cambio*, N° 373, Bogotá, 14-21 de agosto de 2000.

[38]   Véase Rubio, Mauricio, *Crimen sin sumario*, Cede, Universidad de los Andes, Bogotá, 1996.

[39]   Véase Giraldo, Javier, *Colombia: The Genocidal Democracy*, Common Courage Press, 1996, Monroe, p. 69.

la ley que otorgaba a los militares autoridad legal para armar a los civiles. Hoyos fue asesinado, cuando aún ejercía su cargo, en 1988[40]. Un año después, La Corte Suprema de Justicia, en desarrollo de la propuesta de Carlos Mauro Hoyos, declaró inconstitucionales a los paramilitares. La acción condujo a un incremento de la actividad ilegal de los actores estatales.

El problema de una esfera de justicia separada para los militares fue ampliamente debatido a lo largo de los años noventa. Colombia suscribió y ratificó varios tratados internacionales relativos al derecho internacional humanitario, entre ellos los referentes a la conducción de la guerra interna, la desaparición forzada y el genocidio[41]. El contenido de estos acuerdos internacionales fue incorporado al código penal colombiano con el propósito de que todos sus violadores fueran sometidos a procesos penales en tribunales civiles. Además, se creó la figura del bloque de constitucionalidad en la carta de 1991 que estipula que los tratados y convenios internacionales concernientes a la defensa de los derechos humanos, firmados por el gobierno y ratificados por el Congreso, entran a formar parte integral de la Constitución Nacional y por ende se constituyen en norma constitucional.

Además, dentro de la Constitución de 1991, se crearon varias instituciones judiciales que tienen la posibilidad de transformar el panorama legal, limitar las violaciones de los derechos y extender el imperio de la ley y la legítima presencia del Estado. Entre ellas se encuentran la Fiscalía General, instancia independien-

---

[40] Véase Comisión Andina de Juristas (seccional colombiana), *Sistema judicial y derechos humanos en Colombia*, Bogotá, 1990.

[41] Entre los tratados internacionales que fueron ratificados y subsiguientemente ajustados al sistema judicial colombiano, están:

Convenciones de Ginebra de 1949 y Protocolo Adicional II de 1977

Ley 424, que ratifica la autoridad de todos los tratados internacionales suscritos por Colombia

Reforma del Código Penal Militar colombiano, por medio del cual se delimitan las áreas de jurisdicción entre la justicia militar y la justicia ordinaria

Fallo del Consejo Superior de la Judicatura, sala jurisdiccional disciplinaria, del 21 de julio de 2000, que establece la jurisdicción civil para las violaciones de los derechos humanos y los delitos cometidos por militares y policías por fuera del cumplimiento de sus deberes legalmente aprobados

Reforma del Código Penal colombiano, la cual incorpora los delitos de "desaparición forzada", "desplazamiento forzado", "genocidio" y "tortura".

te con capacidad investigativa y poderes judiciales; la Defensoría del Pueblo, concebida para salvaguardar los derechos humanos y proporcionar adecuada asesoría para su defensa a los acusados de delitos; la Corte Constitucional, encargada de defender los derechos constitucionales fundamentales, incluso en tiempos de conmoción interna, guerra o crisis económica.

De igual manera, la nueva carta constitucional reformó la autoridad del estado de sitio, norma fundamental de la anterior Constitución de Colombia de la cual habían abusado los presidentes de la república durante el Frente Nacional, al ser aplicada durante el 75% del tiempo transcurrido entre 1958 y 1991. Se establecieron límites a la suspensión de los derechos fundamentales, así como a su duración, restringiéndola a períodos de tres meses que sólo pueden ser renovados por dos períodos iguales. Los poderes de excepción, además de ser limitados, estaban sujetos a revisión de la recién establecida Corte Constitucional, que tenía la autoridad de revocar esos poderes, total o parcialmente.

A pesar de estas reformas, el reestructurado sistema de justicia fue implantado de manera irregular e incompleta. Durante los diez años siguientes, estas reformas y las nuevas instituciones judiciales fueron incapaces de superar el débil y fragmentado Estado legal o de detener la continuada intensificación del conflicto armado. La impunidad para los crímenes políticos no disminuyó y apenas un ínfimo número de los actores estatales que violaron los derechos humanos fueron procesados o hallados culpables. Muchos de los problemas anteriores a 1991 que condujeron a las reformas, permanecieron sin resolver, entre ellos el limitado acceso a la justicia, la alta tasa de impunidad para todos los delitos, las extremas demoras y congestión dentro del sistema judicial, la excesiva detención preprocesal, la ineficiencia y la corrupción.

Asimismo, en la siguiente década fueron constituidas unidades especiales de investigación sobre derechos humanos, tanto en la recién creada Fiscalía Nacional como en la Procuraduría General de la Nación. Esta última fue encargada de investigar los abusos del Estado, entre ellos las violaciones de los derechos humanos cometidas por militares, directamente o por omisión. No obstante, a estas unidades no se les asignaron suficientes fondos y no contaron con los recursos necesarios para enviar personal a investigar en el campo, y tampoco se les brindó, por parte de otras ramas del Estado, toda la cooperación y el apoyo que requerían.

En 1998, ante la fuerte presión por parte de Estados Unidos y ante la posibilidad de un incremento de la ayuda militar, el gobierno de Pastrana tomó la medida, sin precedentes, de destituir a dos importantes generales, a causa de sus vínculos con los paramilitares, al mismo tiempo que el gobierno estadounidense cancelaba sus visas, porque "de acuerdo con fuentes dignas de crédito había pruebas de que estaban implicados en 'terrorismo internacional' y narcotráfico"[42]. Más de dos años después, uno de estos generales, Rito Alejo del Río, fue arrestado cuando la unidad especial de derechos humanos de la Fiscalía General concluyó la investigación preliminar y dictaminó que había pruebas suficientes para iniciar contra él un procedimiento judicial por colaboración con los paramilitares en Urabá cuando era comandante de la XVIII brigada.

En 1999, otro general fue igualmente investigado por la Fiscalía por no haber impedido una masacre paramilitar en Mapiripán (Meta), perpetrada en 1997. El sistema judicial civil remitió el caso a la justicia militar, lo que de por sí constituía una posible violación de las normas internacionales y de los compromisos asumidos en los tratados. En 2001, el general fue hallado culpable y sentenciado a cuarenta años de prisión. Esta acción constituyó la primera condena a un general por violación de los derechos humanos[43].

Sin embargo, después de una década de mínimos pero importantes avances para sentar las bases sobre las cuales construir un Estado legal más fuerte, durante el último año de gobierno de Pastrana el péndulo empezó a devolverse. Con el nombramiento de un nuevo fiscal, Luis Camilo Osorio, en julio de 2001, la Fiscalía eludió la interposición de una acción judicial en contra del general Rito Alejo del Río. Además, el nuevo fiscal inició una purga en la unidad investigativa sobre derechos humanos, a pesar de la inversión estadounidense de veinticinco millones de dólares para aumentar su eficiencia. Un querellante concluyó que el nuevo fiscal estaba enviando un claro mensaje: "No prestar mucha atención a los casos de actividad paramilitar [...]. No meterse con los militares"[44].

En agosto de 2001, frente a una disminución del apoyo al proceso de paz y a un constante incremento de las acciones militares y de las violaciones al derecho internacional humanitario por parte de todos los actores armados, el presidente Pastrana presentó un proyecto de ley de "defensa y seguridad nacional". Esta medida "antiterrorista" fue aprobada en parte porque las fuerzas armadas y sus aliados se quejaban mucho de que las nuevas leyes e institucio-

---

[42]   Véase Human Rights Watch, "A Wrong Turn". Disponible en: http://hrw.org/reports/2002/colombia1102.htlm

[43]   Véase *El Espectador*, Bogotá, 24 de julio de 2001.

[44]   Véase Human Rights Watch, "A Wrong Turn", *op. cit*; y Human Rights Watch, "Colombia Prosecution Problems Persist. Failure to File Charges Against General". Disponible en: http://hrw.org/english/docs/2004/03/11/colomb8106.htm

nes humanitarias estaban entrabando su capacidad para hacer cumplir la ley. De nuevo, el proyecto consolidaba la justicia militar y su autonomía judicial y subordinaba los funcionarios civiles a los militares en aquellos lugares que serían declarados zonas especiales para enfrentar el terrorismo. Los funcionarios de Naciones Unidas encargados de la defensa de los derechos humanos manifestaron que varias de las disposiciones legislativas violaban directamente los compromisos de Colombia adquiridos en los tratados internacionales. Después, la Corte Constitucional colombiana declaró inconstitucional el proyecto, lo cual significó una victoria inicial para el estado de derecho.

La tendencia hacia una menor responsabilidad y más limitada vigilancia judicial se aceleró con la elección de Álvaro Uribe. Poco después de posesionarse, el presidente Uribe declaró el "estado de conmoción interior", uno de los poderes de excepción de que dispone el presidente de la república de conformidad con la Constitución de 1991. Con estas atribuciones especiales, Uribe también intentó otorgar poderes extraordinarios a las fuerzas armadas, entre ellos la facultad de efectuar arrestos, detenciones y allanamientos sin autorización ni supervisión judicial en las "zonas de rehabilitación y consolidación" especialmente designadas. En estas zonas especiales, los funcionarios civiles elegidos por vía popular debían subordinarse también al comandante militar local. De nuevo la Corte Constitucional, institución que se había erigido desde su creación, dentro de la Constitución de 1991, como baluarte protector de los derechos humanos, echó abajo las más flagrantes de sus violaciones. Sin embargo, incluyendo esta atribución dentro del constitucionalmente aprobado "estado de conmoción interior", y dando una explicación de la necesidad de aplicar normas de excepción en estas zonas de violencia especialmente señaladas, Uribe fue capaz de sortear las objeciones de orden constitucional que la Corte había planteado para echar abajo el proyecto de "seguridad y defensa nacional" de Pastrana. Las primeras "zonas de rehabilitación" fueron establecidas en el departamento de Arauca, uno de los principales productores de petróleo y una de las zonas más conflictivas, alrededor del oleoducto que conecta los yacimientos con los puertos de la costa caribe[45].

La serie de sucesos que se iniciaron con el desventurado proyecto "para la seguridad y la defensa nacional" de Pastrana y que culminaron con las "zonas

---

[45]   Véase Resolución 129 sobre zonas de rehabilitación y consolidación. Disponible en: http://www/presidencia.gov.co/documentos/septiem/resolucionzonas.htm

de rehabilitación y consolidación" de Uribe, siguen un modelo, establecido hace largo tiempo en la conflictiva historia de Colombia, para hacer la guerra, regular la supervisión civil y establecer el imperio de la ley: a medida que la violencia aumenta y la autoridad del Estado es desafiada, el debilitado sistema político delega poderes extraordinarios a los militares y merma la autoridad judicial del Estado. A pesar de una década de estar incorporando constantemente a la legislación colombiana normas de protección de los derechos humanos y del derecho internacional humanitario, dicho modelo persiste en la Colombia de comienzos del siglo XXI.

Una vez que volvió la normalidad jurídica y fue suspendido el estado de conmoción interna después de los nueve meses permitidos por la Constitución, el presidente Uribe intentó otra vez aprobar un estatuto antiterrorista, esta vez por medio de una reforma a la constitución. En diciembre de 2003, el Congreso aprobó una reforma constitucional que intentó dar bases legales a varias medidas antiterroristas que habían sido declaradas inconstitucionales por la Corte Constitucional en años anteriores. Conforme a esa reforma, las Fuerzas Militares podrían, en determinados casos, ejercer funciones de policía judicial, lo cual implica una cierta militarización de la investigación judicial. Además, la ley en adelante autoriza a las autoridades no judiciales a allanar, detener e interceptar comunicaciones en casos de investigaciones contra el terrorismo, lo cual significa que autoridades administrativas, como la policía y las fuerzas militares, pueden restringir esos derechos. Esas medidas fueron defendidas por el gobierno como instrumentos necesarios y proporcionados en la lucha contra el terrorismo, pero fueron duramente criticados por los grupos de derechos humanos y la Oficina del Ato Comisionado de Derechos Humanos de las Naciones Unidas por desconocer la independencia de la justicia y vulnerar los derechos a la intimidad, a la libertad y a la inviolabilidad del domicilio y de las comunicaciones. Se llegó incluso a plantear que esa reforma constitucional sería materialmente inconstitucional, en la medida en que modifica principios tan importantes de la Constitución de 1991, e implica no sólo una reforma sino una verdadera sustitución de la Constitución de 1991, con lo cual el poder de reforma se habría excedido, ya que, conforme a la jurisprudencia de la Corte Constitucional (sentencia C-551 de 2003), el poder de reforma tiene límites materiales, pues no puede implicar un cambio de Constitución. Finalmente, la enmienda fue anulada por la Corte por vicios de forma durante el debate legislativo. Así la Corte evitó dirigirse de forma directa al conflicto constitucional.

Amnistía e injusticia

Mientras sectores obstinados del Estado y la sociedad colombianos hacían la guerra, otros intentaban buscar una salida negociada al conflicto. Desde 1953, el principal instrumento legal para promover la reconciliación había sido la concesión de la amnistía a los combatientes y el indulto a los prisioneros políticos.

La práctica de conceder amnistías con cierta regularidad fue influida por el concepto, bastante católico, de "perdón y olvido", firmemente arraigado en Colombia. Las amnistías, en efecto, suspendían y bloqueaban la mayoría de las investigaciones o de los procesos por violaciones de los derechos humanos y crímenes de guerra cometidos por las autoridades del Estado, los rebeldes o los paramilitares.

A pesar de su reiterada utilización, las amnistías en Colombia no condujeron a la paz. Probaron, en cambio, ser una forma de impunidad otorgada a los criminales de guerra y a los violadores de los derechos humanos. Pese a los diálogos sobre reformas en las coyunturas históricas decisivas, todos los esfuerzos por lograr la reconciliación fallaron en afrontar las causas institucionales, sociales y regionales de la violencia. El resultado fue que las sendas amnistías, lejos de lograr una reconciliación social nacional, generaron una serie de heridas, de odios y venganzas, y cada una de ellas dejó una sensación palpable de injusticia que terminó alimentando las siguientes etapas de violencia.

Las primeras medidas para reducir la violencia, tomadas al culminar el período inicial de la Violencia, en 1953, representaron el comienzo de un ciclo que ha durado hasta el siglo XXI: insurgencia, amnistía, inversión social nominal en las zonas de violencia, asesinato o marginación política de los ex insurgentes, resurgimiento de la insurgencia[46]. Este modelo se reprodujo después de las amnistías de 1954, 1958, 1982, 1990 y 1994. En todos los casos, los insurgentes fueron amnistiados, los dirigentes fueron subsiguientemente asesinados, la rehabilitación de las zonas probó ser insuficiente e inapropiada y los grupos insurgentes reaparecieron.

---

[46]   Véase Molano, Alfredo, *Selva adentro: una historia oral de la colonización del Guaviare*, El Áncora, Bogotá, 1987.

Cuadro 4-2: **Amnistías e indultos**

Año	Instrumento	Presidente	Grupos receptores
1953	Amnistía e indulto	Gral. Gustavo Rojas Pinilla	Fuerzas armadas
1954	Amnistía e indulto	Gral. Gustavo Rojas Pinilla	Guerrillas liberales (principalmente las de los Llanos Orientales)
1958	Suspensión de acciones judiciales	Alberto Lleras Camargo (liberal, primer presidente del Frente Nacional)	Guerrilleros liberales, paramilitares conservadores ("pájaros"), limitada a los departamentos de Caldas, Cauca, Huila, Tolima y Valle del Cauca
1980	Amnistía	Julio César Turbay Ayala (liberal)	Guerrilleros revolucionarios, previamente rendidos ante las autoridades. Muy pocos guerrilleros aceptaron esta condición.
1982	Amnistía e indulto	Belisario Betancur (conservador)	Guerrillas revolucionarias: M-19, ADO, EPL, ELN, FARC
1990	Amnistía e indulto	Virgilio Barco (liberal)	M-19, EPL, Quintín Lame, PRT
1994	Amnistía e indulto	César Gaviria (liberal)	Corriente de Renovación Socialista del ELN, milicias urbanas de Medellín

Fuente: investigación del autor.

Numerosos ex guerrilleros y actores políticos fueron eliminados a balazos de forma sistemática después de cada una de las amnistías, creando una serie de mártires laicos, inmortalizados en piezas teatrales, poemas, canciones y en la mente de sus partidarios[47]. A renglón seguido de la amnistía y del indulto de 1982, dirigentes políticos del M-19 y el EPL fueron asesinados. Las amnistías fueron concedidas al comienzo de los respectivos procesos de paz con esas agrupaciones y se concibieron con el fin de preparar el terreno para un cese al fuego y para los diálogos políticos. Los asesinatos políticos torpedearon los diálogos y ambos grupos no tardaron en reanudar la lucha armada. Más grave fue el caso de la UP. Cuando las FARC fundaron la UP en 1985, un año después de firmar con el gobierno un acuerdo de cese al fuego, más de dos mil dirigentes de la UP fueron sucesiva y sistemáticamente asesinados. Entre ellos, dos candidatos presidenciales, tres senadores, tres representantes a la cámara, seis diputados departamentales, ochenta y nueve concejales, nueve alcaldes y centenares de candidatos locales. Después de más de tres años de un cese al fuego formal, las FARC reanudaron la lucha armada.

En 1990, cuando el M-19 firmó un acuerdo de paz definitivo con el gobierno y depuso las armas, su amnistiado líder, Carlos Pizarro, fue asesinado mientras hacía campaña como candidato a la presidencia de la república. Durante la misma campaña presidencial, el candidato de la UP, Bernardo Jaramillo Ossa fue asesinado al igual que el candidato liberal, Luis Carlos Galán, quien recientemente se había reintegrado al sector oficial de su partido, después de haber liderado una facción disidente a lo largo de los años ochenta.

El EPL corrió una suerte similar después de que sus dirigentes firmaron un acuerdo de paz definitivo con el gobierno en 1990. Al desmovilizarse,

---

[47] Por ejemplo, uno de los más importantes grupos teatrales de Bogotá, el Teatro de La Candelaria, representa regularmente la obra *Guadalupe: años sin cuenta,* creación colectiva de dicho grupo bajo la dirección de Santiago García que obtuvo en 1976 el premio de teatro de la prestigiosa institución cubana Casa de las Américas. El argumento se basa en el asesinato de Guadalupe Salcedo, jefe guerrillero liberal de los Llanos Orientales, en 1954, después de ser amnistiado. El asesinato de Salcedo se produjo después de una reunión con dirigentes oficiales en Bogotá en donde el ex guerrillero declarara su apoyo a las guerrillas liberales que no habían entregado las armas. Las olas de asesinatos de guerrilleros amnistiados en los años ochenta y noventa siguen guiones similares.

los guerrilleros fundaron un nuevo partido con la misma sigla de EPL, que ahora significaba Esperanza, Paz y Libertad. Sin embargo, tan pronto como entregaron las armas, tuvieron que enfrentar una campaña de exterminio, sobre todo en la región bananera de la costa norte de Urabá. Ellos aceptaron deponer las armas y participar en la lucha política democrática; sus enemigos, sin embargo, no lo hicieron. Entre estos últimos se contaban los paramilitares, fuertemente ligados a los terratenientes de la región y a los militares, pero también una pequeña facción del propio EPL, ahora aliada con las FARC, que se rehusó a entregar las armas y empezó a dirigirlas contra sus antiguos camaradas[48].

Años más tarde, durante el gobierno de Pastrana, una cuestión central fue dejada de lado durante los tres años del proceso de paz: ¿Cómo serían reincorporados en el sistema político los actores en conflicto, si los acuerdos fuesen alcanzados? ¿Serían considerados criminales de guerra los oficiales o combatientes responsables o participantes en crímenes atroces o de lesa humanidad y llevados ante la justicia? Al parecer, ambas partes daban por sentado que el viejo modelo de indulto y amnistía se aplicaría en el momento apropiado.

Los procesos de paz en otros países han hecho hincapié en la necesidad de constituir una comisión de la verdad o, como se la llamó en Guatemala, una comisión de clarificación histórica. Priscilla Hayner, quien estudió las comisiones de la verdad desde un punto de vista comparativo y transregional, escribió:

> Existen ciertos supuestos básicos ampliamente compartidos: que para terminar con la impunidad se requiere que haya justicia en los tribunales; que establecer la verdad acerca de abusos pasados ayuda a la sociedad a superar el pasado; que la reconciliación —tanto individual como social— está subordinada a un total conocimiento de las atrocidades cometidas en ambos lados[49].

---

48 Véase Comisión de Superación de la Violencia, *Pacificar la paz*, Cinep, Iepri, Comisión Andina de Juristas (seccional colombiana), Bogotá, 1992.

49 Véase Hayner, Priscilla B., "In Pursuit of Justice and Reconciliation: Contributions of Truth Telling", en Arnson, Cynthia J. (Ed.), *Comparative Peace Processes in Latin America*, Woodrow Wilson y Stanford University Press, Washington y Stanford, 1999, p. 363.

En Colombia, la larga historia de conceder amnistías como instrumento de paz demostró que el modelo de olvido histórico —perdón y olvido— ya no era viable en los umbrales del siglo XXI. Los antagonistas armados no olvidaban, ni aceptaban su responsabilidad y la violencia persistía. En Colombia, la reconciliación nacional tendrá que implicar un escrutinio pormenorizado de las atrocidades cometidas por los militares, los paramilitares, los guerrilleros y otros durante los largos años de guerra. Entonces, y sólo entonces, podrá Colombia —al igual que cualquier sociedad que emerja de una guerra interna— ser capaz de decidir cuál es la mejor manera de aplicar justicia y exigir responsabilidades, de modo que los peores abusos no vuelvan a reaparecer, como ha sucedido en Colombia en cada uno de los períodos de violencia.

La aplicación de los modelos tradicionales colombianos de amnistía es ahora aún más complicada, debido a la evolución que ha experimentado el tratamiento internacional de los derechos humanos y el derecho internacional humanitario. A raíz del precedente sentado con el caso Pinochet en 1998, cuando un juez español solicitó la extradición del ex dictador chileno a fin de juzgarlo en España, los tribunales internacionales comenzaron a dictaminar que ciertas violaciones de los derechos humanos eran de jurisdicción internacional y podían ser demandadas ante los tribunales de cualquier país[50] . Tales normas se aplican a las violaciones elevadas a la categoría de crímenes de lesa humanidad o a las que estén contempladas en los tratados internacionales como son la tortura, el genocidio y los crímenes de guerra. Igualmente, en 1998, ciento sesenta naciones suscribieron un tratado mediante el cual se creaba una Corte Penal Internacional. El tribunal empezó a funcionar en julio de 2002. Colombia firmó y ratificó el tratado, aunque, mediante una controvertida decisión, Pastrana prefirió aplazar su aplicación, en casos de crímenes de guerra, durante un período de siete años, es decir, hasta el año 2009. Su intención era facilitar los diálogos de paz. Sin embargo, incluso con ese aplazamiento formal, la corte estaba facultada para oír casos de delitos que no estuvieran relacionados directamente con el conflicto armado. A medida que el conflicto colombiano desdibuja de manera creciente la diferencia entre guerra y crimen, puede ser cada vez más difícil establecer la distinción.

A lo largo de Latinoamérica, las anteriores medidas de amnistía venían siendo puestas en tela de juicio. En 2002, tribunales argentinos sentenciaron que

---

[50]   Véase Human Rights Watch, "The Pinochet Precedent: How Victims Can Pursue Human Rights Criminals Abroad", Nueva York, 1998b.

amnistías anteriores que incluían ciertas violaciones de los derechos humanos perpetradas por militares de alto rango durante el brutal gobierno autoritario que había imperado entre 1976 y 1983 no eran válidas en conformidad con el derecho internacional humanitario. De manera semejante, la Corte Interamericana de Derechos Humanos invalidó una amnistía similar concedida en Perú. En este nuevo contexto, una amnistía en Colombia será mucho más problemática ahora que en el pasado. Los antagonistas políticos armados colombianos necesitarán tratar la cuestión de la amnistía dentro de un contexto mucho más amplio de responsabilidad y justicia. Esta nueva exigencia, más que hacer de la paz una realidad más distante, puede constituir el ingrediente esencial para terminar con los ciclos de amnistía, rehabilitación y guerra que han caracterizado la política colombiana durante más de sesenta años.

El proceso tan singular iniciado durante el gobierno de Uribe de desmovilizar a un grupo armado ilegal pero proestatal, y las tensiones entre el gobierno, por un lado, y la Corte Constitucional, los partidos políticos de oposición y los defensores nacionales e internacionales de derechos humanos, por otro lado, han puesto de manifiesto la gran dificultad que conlleva un proceso de paz en cuanto a los temas de justicia. La regla adoptada ha sido la confesión de las atrocidades cometidas por parte de los paramilitares a cambio de una sentencia menor.

Inicialmente, reglas parecidas en Sur África despertaron un gran entusiasmo dentro de la comunidad internacional. Allí, la Comisión de Verdad, bajo la dirección del obispo Desmond Tutu, fue facultada con poderes judiciales para otorgar una amnistía a actores individuales del conflicto. La condición era que sus confesiones tenían que ser completas y verificables. La Comisión también tenía suficientes recursos disponibles para investigar y verificar los testimonios. De un total de 7.094 personas que aplicaron, la Comisión otorgó amnistía a solamente 1.160[51]. La gran mayoría de los agentes de terror del *apartheid* y de los grupos armados de oposición involucrados en crímenes de guerra o de lesa humanidad, no confesaron o no lo hicieron por completo. En los años subsiguientes, el sistema judicial ordinario no fue capaz de llevar los peores violadores a la justicia. Los crímenes quedaron en la impunidad.

---

[51] Véase Amnesty International y Human Rights Watch, "Truth and Justice: Unfinished Business in South Africa". Disponible en: http://web.amnesty.org/library/Index/ENGAFR530012003?open&of=ENG-ZAF. Página consultada el 11 de agosto de 2007.

En Colombia, el proceso de desmovilización de los grupos paramilitares advierte un escenario de incumplimientos y continuidad de las vulneraciones a los derechos humanos que pone en cuestión el logro efectivo de la justicia. De un lado, "desde el inicio del proceso, el 1 de diciembre de 2002 hasta el 30 de abril de 2007, por lo menos 3.040 personas fueron asesinadas o desaparecidas fuera de combate por parte de los paramilitares"[52], sin que ello hubiese afectado el proceso.

Además, el surgimiento de la llamada Ley de Justicia y Paz, como aval de un verdadero equilibrio entre la desmovilización y la satisfacción de los derechos de las víctimas, se produjo bajo difíciles circunstancias de ilegitimidad política. De esta manera, a dos años de su expedición cerca de 37 legisladores han sido vinculados a investigaciones por sus nexos con grupos paramilitares, 14 de los cuales han sido capturados bajo las mismas imputaciones[53].

Entre otros, los más fuertes cuestionamientos al proceso de desmovilización del paramilitarismo se refieren a que su modelo, es decir, su similitud con las reglas aplicadas en el caso surafricano, no provino de una intención gubernamental, sino de la presión de los partidos de oposición, las organizaciones de derechos humanos y las modificaciones realizadas por la Corte Constitucional en la sentencia C-370 de 2006[54]. A ese contexto se suman problemáticas no superadas por el marco jurídico de la desmovilización a las ya demostradas falencias en materia de reconciliación y justicia a partir del modelo de cambio de beneficios jurídicos por confesiones voluntarias de actos criminales[55]. Esto se produjo a partir de la proyección de decretos gubernamentales que pretenden la aplicación de la Ley de Justicia y Paz en

52   Véase Comisión Colombiana de Juristas, *Listado de víctimas de violencia sociopolítica en Colombia*, informe diciembre 1 de 2002 a abril 30 de 2007. Disponible en: www.coljuristas.org

53   Véase "Cuatro jefes uribistas han renunciado a su fuero para evadir a la corte", diario *El Tiempo*, Bogotá, 12 de octubre de 2007. Disponible en: www.eltiempo.com

54   Véase Uprimny, Rodrigo y Saffon, María P., "¿Al fin, Ley de Justicia y Paz? La ley 975 de 2006 tras el fallo de la corte Constitucional", en *¿Justicia Transicional sin transición? Verdad, justicia y reparación para Colombia*, Centro de Derecho, Justicia y Sociedad, Ministerio de Justicia, Ántropos, Bogotá, 2006.

55   Véase Boraine, Alex, "¿Reconciliación, a qué costo? Los logros de la comisión de la verdad y reconciliación", en *Country Unmasked*, Oxford University Press, Oxford, 2000.

su versión original, sin las modificaciones realizadas por la Corte Constitucional. Como consecuencia de ello aparecen, entre otras, la imposición a las víctimas del "deber de denunciar" o la amnistía de hecho para los testaferros de los desmovilizados[56].

Ese tema inevitablemente se va a volver un gran reto. Los jefes paramilitares han estado renuentes a aceptar las penas estipuladas por la Ley de Justicia y Paz. Los jefes guerrilleros, por su parte, insisten en que un proceso de paz es para negociar reformas políticas y poder, no sus condiciones judiciales por conductas en tiempos de guerra. Mientras tanto el plazo de excepción que puso el presidente Pastrana dentro del tratado de Roma está a punto de vencer. Los actores tendrán que escoger entre guerra y justicia, entre el olvido y la paz.

---

[56] Véase Comisión Colombiana de Juristas, "Gobierno quiere evadir sentencia de la Corte Constitucional sobre Ley de Justicia y Paz", comunicado de prensa, Bogotá, 30 de agosto de 2006.

Capítulo 5.

La industria y el desarrollo de la droga en la Región Andina y el conflicto armado en Colombia

Introducción

El mundo globalizado, donde el comercio y las finanzas internacionales se han expandido de manera tan extraordinaria, ha facilitado la consolidación de las industrias de narcóticos ilícitos en Latinoamérica. Un "mundo subterráneo" de productores y exportadores ilegales ha podido vender sus productos y lavar sus ganancias dentro de la economía global, ayudado por las mismas instituciones comerciales y financieras y valiéndose de los instrumentos utilizados por las empresas multinacionales, los Estados-nación, los bancos y las organizaciones internacionales. Si bien la economía mundial y los escenarios geopolíticos se han transformado en las últimas décadas —y aunque tanto la una como los otros sean más manejables por el comercio ilegal a gran escala y las empresas de lavado de dinero—, muchos de los patrones de cambio, desplazamiento social, violencia, surgimiento de actores sociales y élites rivales estimulados por las bonanzas de las exportaciones ilegales son sorprendentemente similares, en cuanto a sus efectos, a las bonanzas de las exportaciones de productos primarios que determinaron la política latinoamericana desde finales del siglo XIX.

Una de las hipótesis centrales del presente capítulo es que las sucesivas bonanzas de la exportación de narcóticos, que han transformado de forma tan abrumadora la política en la región andina desde finales de los años setenta, pueden ser comprendidas de una mejor forma si se analiza la relación entre productos primarios, política y economía global. En Latinoamérica, las exportaciones de productos han sido el vehículo para el desarrollo nacional y la integración de la región en la economía global. Las bonanzas de exportación han constituido a menudo el eje alrededor del cual han tomado forma las oligarquías locales, los movimientos de obreros y campesinos, las diferencias de clases y las disparidades regionales. Los estudios del azúcar en Cuba, del nitrato y del cobre en Chile, del café en Colombia, por ejemplo, son esenciales para analizar la formación de la política nacional de cada uno de estos países. Al mismo tiempo, una variedad de exportaciones secundarias, como las de quina, tabaco y algodón en Colombia, o la de caucho en toda la región andina y Brasil, han transformado de manera profunda la política local y regional, y el orden social, mientras han influido sólo periféricamente en el escenario de la política en el ámbito nacional. Sin tomar en consideración su centralidad en la política nacional, las fluctuaciones en la demanda mundial de los principales productos de exportación han constituido reiteradamente una fuente de inestabilidad y conflicto. La colonización de nuevas regiones con el propósito de producir para la exportación ha estado también acompañada de situaciones conflictivas y violentas, bien sea si se trata de productos legales como el caucho y el café, o de productos ilegales como la coca.

Este capítulo, entonces, considera en primer lugar las bonanzas de la exportación de coca y cocaína desde la perspectiva de anteriores ciclos de exportación que han determinado directamente la política tanto en lo nacional como en lo local. Muchos estudios sobre el tráfico de drogas, sobre todo los realizados por analistas estadounidenses, se preguntan desde un principio cómo podría el gobierno de Estados Unidos frenar una empresa criminal internacional que ha tenido tan destructivas consecuencias para la sociedad estadounidense. La política exterior de Estados Unidos se ha centrado en frenar la oferta, dirigiéndose a la materia prima de la cadena de producción de drogas. Críticos de esta política se centran en la ineficiencia de Estados Unidos para aplicarla, y a menudo preconizan una estrategia que se concentre más en la demanda de consumo. Grupos defensores de los derechos humanos han denunciado la militarización de la lucha contra las drogas y su violación de los derechos y libertades. Otros enfocan su atención en la despenalización y la legalización. Sin embargo, al abordar el problema en términos de una política tan singular, estos enfoques, aunque comprensibles, dejan de tratar con mayor amplitud cuestiones políticas y sociales que son esenciales para comprender de manera total el impacto del tráfico de drogas. Reduciendo un fenómeno social y económico de dimensiones complejas y globales a una simple cuestión de represión policial y militar, moralidad, legalización, sustitución de cultivos o tratamiento de adicciones, tales análisis pasan por alto —o, en el mejor de los casos, sólo lo mencionan tangencialmente— la manera como esta bonanza particular de la exportación de un producto ilegal ha dado nueva forma al escenario de la lucha política, alterando el equilibrio del poder local y nacional y, al mismo tiempo, estimulando el surgimiento de nuevos actores sociales, políticos y armados.

En segundo lugar, este capítulo sostiene que hay una relación entre el auge del tráfico de drogas en la región andina y el fracaso de las políticas de desarrollo nacional. La propagación de los cultivos ilegales no surgió en un vacío político o económico ni la rápida expansión fue impulsada sólo por la demanda internacional. En algunos países como Perú y Bolivia en los años ochenta, los cultivos ilícitos surgieron como una imprevista y desordenada red de protección en un momento en que los anteriores modelos de desarrollo quedaron agotados —particularmente el modelo dominante de mediados del siglo xx de la industrialización por la sustitución de importaciones— y ambos países iniciaban penosos programas de ajuste para eliminar los subsidios del Estado y poner en ejecución reformas neoliberales[1].

En Colombia, la relación entre el narcotráfico y el legado de las anteriores políticas de desarrollo es más contradictoria. De modo semejante a Perú y Bolivia, el tráfico de drogas echa raíces después del fracaso de las políticas de desarrollo, especialmente con el declive, a largo plazo, de la economía rural y las crisis del sector manufacturero en las décadas de 1970 y 1980. El desarrollo de la producción de marihuana en las zonas algodoneras de la costa caribe y la Sierra Nevada de Santa Marta respondió de manera directa a la recesión en la industria textil en los años setenta. En los años ochenta y noventa, la expansión del cultivo de la coca en las zonas recientemente colonizadas de Guaviare, Putumayo y Caquetá desempeñó un papel decisivo en la absorción de la mano de obra excedente tanto en las zonas urbanas como en las

---

[1]   Véase Conaghan, Catherine y Malloy, James, *Unsettling Statecraft: Democracy and Neoliberalism in the Central Andes*, University of Pittsburg Press, Pittsburgh, 1994.

rurales, al igual que en la absorción de un porcentaje de los desplazados por la creciente violencia en el país. Además, los sectores más desarrollados de la industria de la cocaína incorporaron trabajadores calificados y profesionales a su fuerza laboral en un momento en que la economía legal proporcionaba escasas oportunidades a una mano de obra calificada generada a raíz de una gran ampliación del acceso a la educación superior entre los años cincuenta y ochenta.

La industria de la droga también se aprovechó de los logros en materia de desarrollo alcanzados por Colombia. En los años cuarenta, Colombia y Perú tuvieron un producto interno bruto (PIB) similar. En los años ochenta, después de un crecimiento económico sostenido y sin recesión, el PIB de Colombia fue 60% más amplio que el de Perú. Además, y lo que era más importante para la transformación del país en la plataforma esencial de la producción y la exportación, el país desarrolló sucesivamente una infraestructura física, comercial y financiera, más o menos avanzada, capaz de mantener negocios multinacionales a gran escala.

En tercer lugar, el narcotráfico también transformó de forma radical un conflicto armado de vieja data y muy arraigado como el de Colombia. A un lado de la guerra, el florecimiento del narcotráfico creó una nueva clase de élites económicas y terratenientes rurales, en la medida en que los traficantes lavaban dinero mediante inversiones en la compra de extensas propiedades en el campo, inicialmente concentradas en las tierras ganaderas del norte del país. Este reordenamiento de las relaciones sociales y de la tenencia de la tierra proporcionó la base para la expansión de los grupos paramilitares en Colombia, como se analizó en capítulos anteriores. Al otro lado, la propagación de los cultivos ilícitos, inicialmente en zonas de la región sur del país, dominadas en gran parte por las FARC, proveyó también a la guerrilla de una nueva y permanente fuente de recursos que condujo al incremento del reclutamiento, las acciones armadas, la movilidad geográfica, la capacidad militar y la preparación tecnológica. Sin embargo, la relación entre recursos y conflicto armado no ha sido bien comprendida. Un prominente economista británico, Paul Collier, ha afirmado que el motivo de las guerras civiles puede reducirse al deseo de controlar la riqueza productiva, especialmente la exportación ilegal de productos como los diamantes de África y la coca y la cocaína de Colombia. O expresado de otra manera y utilizando el lenguaje empleado por Collier, hace que la codicia se considere como el principal factor causal —por encima de las diferencias políticas, sociales y económicas— en la explicación de este, al parecer, insoluble conflicto armado[2]. Aunque muchos analistas encuentran atractivo este argumento, pierden de vista la dinámica central del conflicto colombiano. El narcotráfico no causó la guerra de Colombia, sino que exacerbó las condiciones que habían alimentado la guerra durante décadas. Además, pasa por alto o en el mejor de los casos es excesivamente desdeñoso con un amplio conjunto de investigaciones en el campo de las ciencias sociales sobre las causas y factores que contribuyen a la rebelión[3].

Finalmente, este capítulo examina la evolución y fases de la guerra contra las drogas por parte de Estados Unidos. Esta guerra evolucionó de la represión de cultivos de coca en Bolivia con ayuda de las fuerzas de combate estadounidenses en los años ochenta, a una sucesión de estrategias que incluyó la guerra contra los grandes carteles colombianos (1989-1995); la neutralización del así denominado "puente aéreo" que conectaba los cultivos cocaleros en Perú y Bolivia —principales productores de coca en los años ochenta— con las zonas de producción de cocaína en Colombia (1993-2001); y por último el Plan Colombia, que ha sido un intento para eliminar la producción y el procesamiento de coca en el país que se convirtió a mediados de los años noventa en el mayor productor tanto de coca como de cocaína en el mundo.

La inserción de Colombia en la economía mundial como uno de los principales exportadores de narcóticos ilícitos involucró a la mayor potencia continental (y mundial), Estados Unidos, en el conflicto interno armado colombiano. La guerra de Estados Unidos contra las drogas ha determinado la evolución de las instituciones políticas de la nación colombiana y la trayectoria de su guerra interna tan profundamente como el propio narcotráfico. La guerra contra las drogas no sólo ha internacionalizado el conflicto interno; también ha complicado los intentos de la nación por alcanzar un acuerdo negociado de un conflicto armado cuyos orígenes son muy anteriores al auge del narcotráfico.

---

[2]   Véase Collier, Paul, "Economic Causes of Civil Conflict and their Implications for Policy", en *World Bank Research Paper*, Washington, 15 de junio de 2000.

[3]   Para una discusión más amplia sobre la tesis de Collier y el conflicto colombiano, véase, Chernick, Marc, "Resource Mobilization and Internal Armed Conflicts: Lessons from the Colombian Case", en Arnson, Cynthia J. y Zartman, William (Eds.), *Rethinking the Economics of War: The Intersection of Need, Creed, and Greed*, Woodrow Wilson Center Press y The Johns Hopkins University Press, 2005.

Bonanzas de exportaciones legales e ilegales

Una vez que la coca y la cocaína (o la marihuana o la heroína) son aceptadas para propósitos analíticos, como análogas a otros productos de exportación, es necesario preguntarse cuál es el significado de la ilegalidad de un producto. En primer lugar, los exportadores ilegales a menudo se aprovechan de los canales ilícitos preexistentes del contrabando, al mismo tiempo que establecen nuevas redes clandestinas que evaden y socavan las regulaciones y el control estatales. Sin embargo, la principal diferencia puede encontrarse en la relación política entre los productores y el Estado. Aunque el tráfico de drogas funciona, por lo general, aprovechándose de la infraestructura de la economía global legal, así se trate de una actividad ilegal, este opera en el contexto de un laberinto de medidas nacionales e internacionales que, de manera simultánea, facilitan y obstaculizan su libre movimiento. Para evadir las políticas nacionales e internacionales de prohibición, los traficantes ilegales necesariamente sobornan, amenazan, atacan y a veces aterrorizan, precio que se ha de pagar por hacer este tipo de negocios. Estas actividades incrementan los costos de producción, las tarifas, los conflictos y la corrupción. De ese modo, la ilegalidad altera la relación entre la industria y el gobierno. Los miembros de la naciente narco-oligarquía a veces establecen alianzas de conveniencia con ciertos agentes políticos o estatales, en tanto que otras veces sobornan o enfrentan de forma violenta al Estado y a las autoridades locales. Por cuanto la ilegalidad infla artificialmente los precios y las ganancias, también atrae más participantes y debilita aún más el control estatal.

Sin embargo, pese a estas diferencias, las bonanzas exportadoras de productos legales e ilegales pueden analizarse de la misma manera. Aunque el tráfico de cocaína (o de marihuana o de heroína) sea una empresa criminal fuera del control del Estado, muchas de las consecuencias de una bonanza de la exportación ilegal obedecen al mismo patrón que rige las consecuencias de las bonanzas de la exportación legal. En ambos casos, la bonanza económica sigue a un aumento de la demanda o de los precios en los mercados extranjeros, lo que a su vez tiene un efecto significativo sobre la acumulación del capital local y nacional y la distribución o redistribución del poder político y social. Esta hipótesis no supone consecuencias similares. Los empresarios de la exportación legal pueden ser más fácilmente asimilados dentro de las estructuras económicas, sociales y políticas existentes. Además, el Estado puede ser un aliado clave del empresario legal en la construcción de la infraestructura necesaria, desde vías y escuelas hasta crédito, financiación y mercadeo.

Sin embargo, si se configura el análisis a la luz de esto, cabe la posibilidad de plantearse preguntas similares y comparar relaciones y variables políticas análogas.

En los escritos sobre el desarrollo, un conflicto central en el camino histórico hacia la modernización se describe a menudo como surgido entre las viejas élites exportadoras de productos primarios y la nueva burguesía industrial, especialmente a partir de la depresión de los años treinta que se aceleró en vísperas de la Segunda Guerra Mundial. Las élites industriales y manufactureras fueron a menudo caracterizadas como portadoras de valores progresistas que transforman la sociedad y la economía de acuerdo con el modelo de la burguesía industrial europea clásica. Sin embargo, muchos señalan que tales comparaciones interregionales y transhistóricas olvidan el hecho de que gran parte de las burguesías modernas latinoamericanas se formaron al calor de barreras arancelarias artificiales estimuladas por el marco de desarrollo, dominante entre los años treinta y los años sesenta, y de la industrialización mediante la sustitución de importaciones. Las élites industriales nacionales se mostraron generalmente débiles y dependientes del capital extranjero y del poder del Estado[4]. Sin embargo, Colombia es citada con frecuencia como un caso excepcional de continuidad entre una primera fase de desarrollo y la siguiente, con superávit de ingresos, por las exportaciones de café, invertidos en la naciente industria, especialmente en Medellín.

Los autores que han tratado el tema afirman, asimismo, que la organización en torno a la explotación de un producto determinado fomenta diferentes clases de conflicto político, tanto en la relación entre patronos y trabajadores como en la determinación de una formación más amplia de movimientos laborales nacionales y el desarrollo de los partidos políticos. Por ejemplo, la minería en Bolivia y Chile, que constituye una actividad laboral intensiva y que aglutina a numerosos trabajadores en regiones aisladas, ha tenido consecuencias nacionales diferentes de las que tuvo la producción de café en Colombia, el cual era cosechado principalmente en fincas pequeñas o medianas, atomizando a los trabajadores en el proceso. Tanto Bolivia como Chile desarrollaron sindicatos mineros combativos y fuertes partidos de trabajadores, mientras en Colombia los movimientos obreros permanecieron relativamente

---

[4]   Véase Cardoso, Fernando Enrique y Faletto, Enzo, *Dependencia y desarrollo en América Latina: ensayo de interpretación sociológica*, Siglo XXI, México y Buenos Aires, 1973.

débiles, en términos comparativos, y en el terreno político siguieron dominados por los partidos tradicionales oligárquicos[5].

Vale la pena revivir estos viejos debates porque son parte medular de las concepciones sobre el desarrollo de Latinoamérica y de los estudios latinoamericanos. Las bonanzas de las exportaciones generan riqueza, derriban las relaciones sociales semifeudales, transforman la política, crean la infraestructura ferroviaria, de carreteras y portuaria necesaria y captan las divisas requeridas para promover el desarrollo de las masas populares. El surgimiento de nuevos grupos, diferentes de la tradicional oligarquía terrateniente o exportadora, constituye la piedra angular de un Estado más autónomo y poderoso que, de esa manera, crea las bases para convertirse en un Estado moderno.

La bonanza exportadora de cocaína colombiana, que se inicia a finales de los años setenta, a pesar de su ilegalidad, siguió muchos de los patrones asociados con anteriores expansiones de la exportación. En algunos aspectos, el modelo se aproxima más al del café colombiano que al del cobre chileno. No dependió de aportes extranjeros multinacionales; sus productores se hallaban diseminados en pequeñas fincas en las más recientes zonas de colonización y no originaron un fuerte movimiento sindical, como ocurrió en las zonas productoras de coca de Bolivia.

La cocaína, como el café, provocó el surgimiento de una nueva élite económica con crecientes recursos económicos y políticos, al igual que con capital acumulado, que el Estado no podía pasar por alto. En realidad, las sucesivas guerras antidrogas colombianas contra los carteles de Medellín y Cali no fueron más que una tentativa, por parte del Estado, de limitar la integración social y política de estas élites de reciente cuño.

Hay también paralelos estructurales en la organización de las industrias del café y de la coca, aunque existen ciertas distinciones fundamentales, especialmente las concernientes a la relación entre cultivadores, empresarios, capital financiero y Estado. Los principales empresarios de la exportación de droga, al igual que sus homólogos cafeteros de principios de siglo, no eran productores agrarios. En la época de actividad de los carteles de Medellín y Cali (desde comienzos de los años ochenta hasta mediados de los años noventa), las narco-élites eran compradoras monopsónicas u oligopsónicas de un producto primario: coca y pasta de coca (sulfato de cocaína). La produc-

---

ción se restringía a fincas pequeñas y medianas principalmente. En los años ochenta y comienzos de los noventa, esta estructura fue transandina y la pasta de coca era vendida en su mayor parte por pequeños cultivadores de Perú y Bolivia. Un estudio reveló que en el Chapare boliviano, en 1991, el 59,9% de las fincas cocaleras tenían entre una y tres hectáreas y sólo un 15% tenían más de tres[6].

De manera semejante, los miembros de las élites cafeteras colombianas no eran grandes cultivadores del grano, como sí lo eran las élites de otros países como El Salvador y Brasil. En Colombia, el núcleo de la industria cafetera radicaba en el control del mercado, la financiación y la comercialización, que ejercía la Federación Nacional de Cafeteros, entidad fundada en 1927 que, merced a los máximos poderes que disfrutaba, llegó a ser casi un "estado" dentro del Estado. Legalmente, la federación era una asociación de productores que no sólo reunía a los pequeños cultivadores sino también a un conjunto de grupos, tanto públicos como privados, que controlaban la principal fuente de divisas de la nación. Con el establecimiento del Fondo Nacional del Café, en 1940, financiado mediante un impuesto a la producción cafetera, la federación pudo ejercer el control directo sobre el mercado del café por medio de la asignación de cuotas, la regulación de los precios internos, la promoción del control de calidad y la compra y almacenamiento de la producción excedente. Asimismo, llegó a intervenir de lleno en la financiación, el transporte, el mercadeo y, cuando el café se convirtió en el principal producto de exportación del país, en la diplomacia internacional. La federación actuaba, en realidad, como un monopsonio, como la única entidad encargada de regular la compra y exportación del café que se cultivaba en el país[7].

Vista desde una perspectiva internacional, la federación actuaba como la intermediaria indispensable entre los caficultores colombianos y un pequeño número de grandes conglomerados multinacionales alimentarios que tostaban y comercializaban el producto[8]. En la cima de su poder, desde los años

---

[6]   Véaes Laserna, Roberto, *Veinte juicios y prejuicios sobre coca-cocaína*, Clave Consultores, La Paz, 1996.

[7]   Véase Palacios, Marco, *El café en Colombia (1850-1970). Una historia económica, social y política,* Presencia, Bogotá, 1979.

[8]   Actualmente estas multinacionales son los conglomerados estadounidenses Kraft, Procter & Gamble y Sara Lee y las compañías europeas Nestlé (Suiza) y Tchipo (Alemania).

cuarenta hasta finalizar la década de 1980, la Federación Nacional de Cafeteros llegó a dominar las relaciones comerciales, políticas y exteriores de la nación y, por medio del Fondo Nacional del Café, pudo reinvertir las ganancias en infraestructura estatal y en la ejecución de proyectos industriales.

Además, al igual que la coca, el café se cultiva predominantemente en fincas de pequeño y mediano tamaño. En 1955, había 212.970 fincas cafeteras, el 57,9% de las cuales tenían entre una y diez hectáreas[9]. Tal proporción no cambió de forma significativa durante los últimos sesenta años, aunque el sector se expandió de manera constante hasta la década de 1990, cuando empezó a contraerse, debido a la caída de los precios y al derrumbe del Acuerdo Internacional Cafetero. En 1997 había 566.230 fincas cafeteras, el 40% de las cuales tenían entre una y cinco hectáreas, mientras un 17% tenían entre cinco y diez hectáreas. En 2000, había alrededor de 515.000 puestos de trabajo de jornada completa en el sector cafetero, contrastando con los primeros años de los años noventa, donde llegaron a 750.000[10]. La Federación Nacional de Cafeteros y el Fondo Nacional del Café también continuaron desempeñando un papel decisivo en la inversión, en la modernización y en garantizar un precio mínimo a los cultivadores.

El comercio de coca, de igual manera, experimentó profundos cambios durante los años noventa. A mediados de la década, Colombia se había transformado en el principal país productor de coca, debido en gran parte a las presiones propiciadas por la guerra estadounidense contra las drogas en Bolivia y Perú, lo cual será analizado más adelante. La coca continuó produciéndose sobre todo en fincas pequeñas, pero ahora predominantemente en Colombia. De manera análoga al Chapare boliviano, en Putumayo, en 2001, el 52% de la coca era cultivada en parcelas de tres hectáreas o menos[11] (plantaciones de coca mayores aparecieron al iniciarse el nuevo siglo en la medida en que los paramilitares se fueron implicando en el negocio. Sin embargo, estas fincas

---

[9]   Véase Datos de la Comisión Económica para América Latina (Cepal) y la Organización para la Agricultura y la Alimentación (Fao) de las Naciones Unidas, reproducidos en Berquist, Charles, *Los trabajadores en la historia latinoamericana*, Siglo XXI, México, 1988.

[10]   Véase Giugale, Marcelo M.; Lafourcade, Olivier y Luff, Connie (Comps.), *Colombia: The Economic Foundation of Peace,* Banco Mundial, Washington, 2003.

[11]   Véase Vargas Meza, Ricardo, *Drogas, conflicto armado y desarrollo alternativo*, Transnacional Institute: Programa Drogas y Democracia, Bogotá, 2003.

más grandes estaban más expuestas a las fumigaciones aéreas masivas, por lo que, en general, no perduraron). Después de la destrucción de los principales carteles, a comienzos y mediados de los años noventa, el monopsonio, o dominio de un único comprador, cedió el paso a múltiples compradores organizados en cientos de carteles más pequeños. En 1990, se calculaba que la industria de la coca generaba 250.000 puestos de trabajo de jornada completa, o 3% de la mano de obra, incluidos los jornaleros empleados en el cultivo de unas 25.000 hectáreas, los encargados de la refinación, el procesamiento, la distribución y el comercio asociado a esta, y los servicios entre los cuales están la seguridad y las operaciones paramilitares[12]. En 2001, el número de hectáreas dedicadas a la producción de coca había aumentado a 160.000[13], cifra más de seis veces superior a la de diez años atrás. En el supuesto de que el empleo aumentara en forma correspondiente, habrían existido a comienzos de 2000 más de un millón de puestos de trabajo en este sector. La empresa de la droga, aunque corrompía a amplios sectores de la economía y desplazaba las inversiones en otros, proporcionaba algunas de las pocas oportunidades de impulsar la movilidad social en la hondamente estratificada economía colombiana.

La bonanza exportadora de la coca/cocaína también siguió los patrones de anteriores bonanzas de la exportación de otros productos en lo que tiene que ver con la expansión de la frontera agrícola. El país tiene prácticamente una historia de quinientos años en proceso de creación de nuevas zonas agrícolas. El café fue el gran acicate para la colonización de los Andes: Tolima, Caldas, Antioquia. Hoy en día, la cocaína ha extendido las zonas de colonización bien adentro de Caquetá, Meta y Guaviare y las selvas orientales de la cuenca amazónica. En los años noventa, el tráfico de heroína y la producción de amapola estimularon a que se extendiera la colonización a las más aisladas tierras y más altas montañas de los Andes centrales.

A finales del siglo XIX, la efímera bonanza del caucho estimuló la primera migración masiva hacia las selvas orientales de la región andina. La bonanza del caucho (un producto de exportación legal) anticipó algunos de los des-

---

[12] Véase Salomón Kalmanovitz, "La economía del narcotráfico en Colombia", en *Economía Colombiana*, N° 226 y 227, febrero-marzo de 1990.

[13] Véase International Narcotics Control Strategy Report (INCRS), U. S. State Department, marzo de 2003. Como consecuencia de la arremetida de fumigación masiva, estas cifras cayeron a 144.450 en 2002 y a 113.850 en 2003. Véanse gráficas 5-1, 5-2 y cuadro 5-1.

plazamientos sociales y económicos y los violentos enfrentamientos al margen del Estado que vinieron a caracterizar la masiva afluencia de emigrantes a las regiones productoras de coca en los años ochenta y noventa[14]. El historiador colombiano Hermes Tovar describe la bonanza del caucho en los siguientes términos:

> En estas sociedades con sus nuevas economías de caucho, quina o añil, los niveles de violencia adquieren matices de brutalidad. Se dice que la economía del caucho en Colombia dejó más de 100 mil indígenas muertos y asolados muchos valles y riberas de las selvas de Putumayo, Vaupés y Caquetá[15].

Después de que la bonanza exportadora se vino abajo, anota Tovar, "no quedaron obras de infraestructura social, sino abandono, soledad y aislamiento"[16].

Sin embargo, la distinción fundamental entre las bonanzas exportadoras de café y coca es la relación con la evolución del Estado. En el caso del café, la colonización trajo a la postre el despertar del Estado, como lo atestigua la colonización antioqueña[17]. Por otra parte, la colonización de la frontera agrícola por medio de la expansión de la producción de coca comprometió al Estado en su capacidad de coerción y represión, pero no estimuló un proceso más amplio de la evolución de este. En efecto, si la coca prueba ser un producto de ciclo relativamente corto, como lo fue el caucho a comienzos del siglo XX, quiere decir, entonces, que al final puede dejar sólo abandono y pobreza en las zonas donde alguna vez tuvo auge. Si las experiencias del Alto Huallaga,

---

[14] Véase Domínguez, Camilo y Gómez, Augusto, *La economía extractiva en la Amazonia colombiana, 1850-1930*, Tropenbis-Corporación Araracuara, Bogotá, 1990; Ocampo, José Antonio, *Colombia y la economía mundial, 1830-1910*, Siglo XXI, Bogotá, 1984; Taussig, Michael, *Shamanism, Colonialism, and the Wild Man: A Study in Terror and Healing*, University of Chicago Press, Chicago, 1987.

[15] Véase Tovar Pinzón, Hermes, *Colombia: droga, economía, guerra y paz*, Planeta Colombiana, Bogotá, 1999, p. 61.

[16] *Ibíd.*, p. 63.

[17] Véase la obra clásica de James J. Parson, *Antioqueño Colonization in Western Colombia*, University of California Press, Berkeley y Los Ángeles, 1968. [Hay ediciones en español].

en Perú, el Chapare, en Bolivia, y Putumayo, en Colombia —tres zonas escogidas para la erradicación de la coca, dentro de la guerra contra las drogas—, se toman como indicadores, es poco probable que incluso los programas de ayuda internacional de "ciclo corto" en materia de "desarrollo alternativo" destinados a mejorar las consecuencias de la erradicación de la coca tengan un efecto significativo en el desarrollo de estas regiones una vez que la bonanza haya colapsado.

Las bonanzas de exportación de narcóticos ilegales, por consiguiente, dieron origen a nuevas élites empresariales que se integraron, a finales del siglo XX, a la economía internacional, pero que claramente no se integraron a las estructuras sociales, políticas e incluso económicas que determinaban el poder en Colombia y en otros países de la región. Mientras que los miembros de la oligarquía cafetera tenían un pie en el Estado y el otro en el comercio internacional y se convirtieron en la principal fuerza económica del desarrollo estatal, los empresarios de la droga se mantuvieron fuera del alcance directo del Estado al mismo tiempo que se aprovechaban de la debilidad de este. En este aspecto —extendiendo un concepto comúnmente asociado con los empobrecidos vendedores ambulantes, para abarcar a las empresas extralegales multinacionales— el narcotráfico comparte ciertas características con las crecientes economías informales que también se desenvuelven al margen de las regulaciones del Estado.

Sin embargo, el narcotráfico y los grupos económicos implicados en él no son, de ninguna manera, marginales. Los recursos financieros generados por él agobian a muchas economías nacionales o, como mínimo, impiden que crezcan las ganancias de la mayoría de los productos de exportación tradicionales. El gran volumen de ganancias de las exportaciones ilegales afecta las políticas del banco central, las estrategias de inversión nacional, la balanza de pagos y la estructura de los mercados de trabajo. Este, por consiguiente, es un tipo diferente de economía informal, pues no sólo provee de un soporte clave a la economía formal sino también al sector informal en general. Su ilegalidad, asimismo, sitúa a los participantes económicos en una relación formal de oposición al Estado, creando tensiones estructurales de represión y resistencia, negocios turbios y corrupción, amén de la intensificación de la violencia. El narcotráfico, por lo tanto, genera altos y prohibitivos costos sociales y políticos, como lo demuestra la reciente historia de Colombia. El impacto sobre el Estado puede ser devastador, sobre todo si el conflicto se prolonga. En Colombia, por ejemplo, las funciones fundamentales del Estado como la administración de justicia y el control del orden público, prácticamente colapsaron a finales de los años ochenta y comienzos de los noventa y no han sido suficientemente recuperados, a pesar de las grandes inversiones nacionales e internacionales en cada sector.

El fracaso del desarrollo

Las bonanzas exportadoras y sus consecuencias están íntimamente ligadas a las estrategias del desarrollo nacional. Hay dos, o quizá tres, amplias corrientes de desarrollo que han sido análogas al auge del narcotráfico en los Andes: 1) la bien formulada noción del agotamiento de la industrialización basada en la sustitución de importaciones en el continente durante los años setenta y ochenta[18]; 2) el reemplazo de la industrialización basada en la sustitución de importaciones por políticas de comercialización acelerada de nuevas exportaciones agrarias en algunos países, y 3) las políticas neoliberales que combinan la reducción de las funciones del Estado, la privatización de la industria estatal, la disminución de las barreras arancelarias para crear una industria nacional más competitiva, y la promoción de una exportación acelerada y diversificada.

El fracaso o los límites de cada uno de estos modelos de desarrollo han sido expuestos en general en diversas publicaciones. Lo que no ha sido claramente expuesto es que cada una de estas corrientes ha promovido condiciones favorables al auge del narcotráfico. Los ciclos recientes de comercialización y promoción de exportaciones agrícolas no tradicionales y de liberalización del comercio han reducido el nivel de los salarios en el campo, proletarizado a considerables porcentajes de campesinos y ha continuado estimulando la emigración rural-urbana y rural-rural (la expresión *rural-rural* se refiere a los constantes movimientos y a la colonización a lo largo de la frontera agrícola, particularmente en la cuenca amazónica y en las regiones no colonizadas de los Andes, es decir, los principales territorios productores de marihuana, coca y amapola). El cultivo de drogas ilícitas ha venido a ser una de las pocas opciones económicas viables, especialmente en las zonas de colonización agraria reciente, donde es poca o nula la presencia del Estado.

Hay, por supuesto, gran variabilidad en la implementación de modelos de desarrollo similares en los Andes y en toda América Latina. Perú, verbi-

---

[18] Véase O'Donnell, Guillermo, *Modernization and Bureaucratic Authoritarianism*, Institute of International Studies, University of California, Berkeley, 1979.

gracia, es un ejemplo típico de industrialización urbana con tendencia a la sustitución de importaciones que convirtió a este país, en los años sesenta, en importador neto de alimentos a medida que la producción rural declinaba. Colombia, al seguir sus estrategias de industrialización con base en la sustitución de importaciones, evitó las bruscas oscilaciones que afectaban la producción agrícola, y de manera más fácil integró su naciente estructura industrial a su economía agraria y agroexportadora[19]. Además, a principios de los años noventa, el fracaso o por lo menos las convulsionadas consecuencias sociales de las políticas neoliberales fueron más notorias en Perú y en Bolivia que en Colombia. En ambos países, las declinantes economías, incapaces de competir en los mercados mundiales, llevaron a cientos de miles de trabajadores a emigrar a las zonas de colonización productoras de coca, como la única manera de sobrevivir.

En Bolivia, la relación entre la crisis económica de los años ochenta y la propagación de los cultivos ilícitos se halla más directamente documentada. En 1984, la inflación alcanzó una tasa anual de 2,177%; en 1985 la hiperinflación llegó a 8,170%, mientras el principal producto de exportación del país, el estaño, continuaba desangrando los ingresos del Estado. En respuesta, el gobierno de Víctor Paz Estenssoro y su Ministro de Finanzas, Gonzalo Sánchez de Losada, pusieron en ejecución las radicales medidas de estabilización y de reestructuración económica conocidas como Nuevas Políticas Económicas. Uno de sus primeros actos fue cerrar las minas de estaño controladas por el Estado. La mano de obra en las minas se redujo de 30.000 a 7.000 trabajadores, al mismo tiempo desaparecieron, además, entre 40.000 y 60.000 empleos en la economía formal[20].

Las medidas económicas tuvieron consecuencias políticas. Las minas de estaño eran el centro del desarrollo del país, basado principalmente en la exportación, y los mineros constituían una cohesionada y radical organización laboral que había desempeñado el rol decisivo en la revolución de 1952. Asimismo, se opusieron de forma vehemente a las reformas económicas neoliberales de los años ochenta. El cierre de las minas de estaño no constituía tan

---

[19]   Para un buen análisis de las diferencias en las estrategias de crecimiento económico y sus efectos en Colombia y Perú, véase Thorp, Rosemary, *Economic Management and Economic Development in Perú and Colombia*, University of Pittsburg Press, Pittsburg, 1991.

[20]   Véase Conaghan, Catherine y Malloy, James, *op. cit.*

solo una decisión económica, sino que también eliminaba de un golpe la más importante oposición política a la reestructuración económica.

¿A dónde fueron los mineros despedidos? Un gran porcentaje de esos mineros encontraron refugio y un nuevo medio de subsistencia en las zonas de producción ilegal de coca del Chapare[21]. Y, lo que es más importante, a medida que la coca surge como la principal actividad exportadora del país, a pesar de su ilegalidad, los cultivadores de la hoja reproducen la estructura sindical de las minas y crean una fuerte federación de agricultores cocaleros que resisten la represión estatal del comercio de coca[22]. Este poder económico y sindical se trasladó rápidamente a la esfera política. Cuando fue establecida la elección directa de alcaldes, en 1994, la federación cocalera y su partido afiliado al Movimiento Al Socialismo (MAS) logró las mayorías en el Chapare y mandaron como su representante a la Asamblea Nacional, al dirigente máximo de la federación, Evo Morales. En 2002, Morales compitió para presidente de la república y perdió ante Gonzalo Sánchez de Losada por apenas un 1%. Sánchez de Losada fue obligado a renunciar en 2003 por un movimiento popular codirigido por Evo Morales. En 2005, Morales ganó la presidencia en la primera vuelta. Aunque internacionalmente, Evo Morales es más conocido como un dirigente indígena, no se puede entender su surgimiento como dirigente nacional sin examinar el impacto político y social del auge de la coca[23].

---

[21] La coca, por supuesto, es un producto boliviano tradicional ampliamente consumido en forma de tisana, jarabe, dentífrico, vino, chicle y otros. Se cree que tiene valores nutricionales y medicinales. Las regiones donde se cultiva tradicionalmente la coca se concentran en los Yungas, zona de valles subtropicales cerca de La Paz. Sin embargo, la gran expansión de la coca producida para la exportación ilegal se produjo en el Chapare, en las tierras bajas orientales. Con el auge del tráfico ilegal hacia el exterior, el gobierno declaró legales algunas zonas cocaleras, sobre todo en los Yungas, e ilegales algunas otras, sobre todo en el Chapare, mientras que otras zonas fueron clasificadas como "tradicionales". Véase Laserna, Roberto *op. cit.*

[22] Véase Painter, James, *Bolivia and Coca: A Study in Dependency*, Lynne Reinner Publishers, Boulder, 1994; Healy, Kevin, "The Boom within the Crisis", en Spradley, James y McCurdy, David (Comps.), *Conformity & Conflict: Readings in Cultural Anthropology*, HarperCollins, Nueva York, 1990.

[23] Véase Stafanoni, Pablo y Do Alto, Hervé, *Evo Morales: de la coca al palacio*, Malatesta, La Paz, 2006.

El narcotráfico floreció después de las fallidas iniciativas de reforma social en la región andina. Incluso en Perú, que inició el más extenso programa de distribución de tierras en Sudamérica, durante el gobierno militar izquierdista del general Velasco Alvarado, entre 1968 y 1975, la política social no evitó la decadencia rural que estimuló la colonización de las zonas productoras de droga. Una de las razones de ello es que la reforma agraria de Velasco no se dirigió a los campesinos sin tierra o a cambiar los patrones de tenencia de la tierra. Las haciendas más grandes fueron simplemente transformadas en cooperativas y entregadas a sus antiguos trabajadores. El problema de los campesinos sin tierra se estaba resolviendo, como en Colombia, por medio de la emigración rural-urbana o de la colonización de la frontera agrícola. La historia del Alto Huallaga, similar a la de Guaviare, Caquetá y Putumayo, en Colombia, es una historia de colonización sin apoyo gubernamental. En los años ochenta, el valle del curso alto del río Huallaga era la máxima región productora de coca en el mundo; a mediados de los años noventa, Guaviare, Caquetá y Putumayo ostentaban esta misma distinción. Y en Colombia, aunque el Frente Nacional pudo ejecutar una política macroeconómica más exitosa que sus vecinos andinos, el país fracasó en implementar las reformas sociales necesarias como una reforma agraria que pudo haber mitigado las enormes disparidades en la distribución del ingreso. Colombia, asimismo, vivió la expulsión de poblaciones rurales causada por el desplazamiento económico y, de manera creciente a partir de mediados de los años ochenta, por la intensificación de la violencia rural. A finales de la década de 1990, Colombia también mostró signos de un fallido desarrollo. El colapso económico de 1999 dio marcha atrás a casi dos décadas de logros sociales. En 2003, la pobreza urbana afectaba de nuevo a más del 62% de la población, mientras la pobreza rural alcanzaba el 82%[24].

Sin embargo, el narcotráfico no es sólo la consecuencia de los fracasados modelos de desarrollo y el limitado alcance del Estado en la cuenca amazónica, las zonas montañosas andinas y la periferia urbana. En cada uno de los países andinos productores de drogas, el narcotráfico parece ser claramente

---

[24] Véase Programa Nacional de Desarrollo Humano, DNP, PNUD, *Diez años de desarrollo humano en Colombia* Bogotá, 2001; Cid-Universidad Nacional de Colombia *Bienestar y macroeconomía,* Centro de Investigación para el Desarrollo, Facultad de Economía, Bogota, 2001.

facilitado —no sustituido— por lo que puede llamarse iniciativas de desarrollo a gran escala pero equivocadas. Por ejemplo, los grandes proyectos de desarrollo de la infraestructura en las zonas de frontera agrícola del Chapare boliviano y del Alto Huallaga peruano proporcionaron únicamente limitados beneficios a muchos de los colonos de la región. La carretera que abrió el Chapare en los años sesenta fue financiada por la Alianza para el Progreso estadounidense, como lo atestiguan las desteñidas señales al borde de la vía. En términos geográficos, los proyectos de desarrollo extendieron las fronteras de las zonas de colonización para muchos colonos, pero también los situaron lejos de los mercados comerciales y de la ayuda técnica. En estas áreas de colonización, la riqueza llegó a concentrarse en los núcleos municipales que más se desarrollaron y las relaciones jerárquicas tradicionales del interior del país fueron pronto reconstituidas.

Además, en el Chapare y en Huallaga fueron establecidos bancos e instituciones financieras, que eran absolutamente necesarios para absorber los dólares y facilitar el comercio ilegal. De modo análogo, las redes de transporte se mostraron esenciales para el funcionamiento de una economía paralela, de la cual los estados boliviano y peruano se volvieron crecientemente dependientes con relación a las divisas en los años ochenta. Y, dado que la bonanza de la coca/cocaína fue trasandina en su primera etapa, durante los años ochenta, ello tuvo el efecto de crear nuevas formas de integración económica entre las naciones andinas. Sin embargo, a diferencia de la visión del Pacto Andino, esta integración económica permaneció fuera del control de los estados de la región. Los adelantos tecnológicos en materia de comunicaciones y transporte vincularon muchas de las zonas de colonización a las economías nacional e internacional. La paradójica consecuencia fue que muchas áreas marginales, a lo largo de la frontera agrícola, desarrollaron una estructura de telecomunicaciones y una red aérea sofisticadas, mientras aún se carecía de las bases rudimentarias de vías y servicios necesarios para sostener la mayor parte de la actividad económica legal. En Perú y Colombia, los colonos agrarios tenían pocas opciones o incentivos económicos, excepto participar en la actividad ilegal y forjar alianzas con cualquier grupo que decidiera imponer su autoridad, fuese de narcotraficantes, guerrilleros, militares del gobierno, paramilitares o alguna combinación de estos[25].

---

[25] Véanse González, José E., "Guerrillas and coca in the Upper Huallaga Valley", en David Scott Palmer, ed., *Shining Path of Peru*. St. Martin's Press, New York, 1992;

En Colombia, la yuxtaposición de éxitos y fracasos en el desarrollo fue quizá más pronunciada en el nivel macro. Ahí, el Estado encaró un terrible dilema: ¿cómo enfrentar el narcoterrorismo y la corrupción de los grandes y pequeños carteles, mientras implementaba medidas para captar algunos de los beneficios económicos del tráfico? Los enormes flujos de divisas creaban fuertes incentivos para que el Estado pusiera en práctica medidas para captar los ingresos ilegales. El gobierno colombiano, mientras se comprometía en una sangrienta guerra contra los narcotraficantes, a finales de los años ochenta y comienzos de los noventa, continuaba llevando a cabo programas de cambio especializados, como la "ventana siniestra" (actualmente cerrada) del Banco de la República, destinada a facilitar la repatriación de capitales, sin tener en cuenta su origen[26], así como amnistías tributarias periódicas que servían, entre otros beneficios, para legalizar y/o repatriar ganancias ilícitas.

Además, la amplia disponibilidad de dólares junto con la "dolarización" de la economía significaron para Colombia la posibilidad de evitar el tipo de crisis cambiaria, devaluación drástica e hiperinflación que estallaron en otras partes de Latinoamérica, aunque, por supuesto, esto se atribuyó a la muy prudente política macroeconómica que acompañó al Frente Nacional. La tasa de cambio oficial y la del mercado negro han sido más o menos iguales durante los últimos veinte años, e incluso a menudo la tasa oficial ha estado por encima de la del mercado negro, lo cual ilustra cuántas divisas circulan en la economía de Colombia.

¿Cuán grande fue la economía ilegal en cada uno de esos países y cuál fue su impacto? La mayoría de los analistas creen que tanto en Perú como en Bolivia, donde la producción estuvo concentrada principalmente en los escalones inferiores del tráfico de coca y pasta de coca, las ganancias de la exportación nunca ascendieron por encima de mil millones de dólares anuales en cada país. Un estudio señala que Bolivia alcanzó un máximo de 776 millones de dólares en 1981; entre 1988 y 1995, las ganancias fluctuaron de 300 a 400 millones de dólares anuales antes de que declinaran, a finales de los años noventa. Perú alcanzó un máximo de 989 millones de dólares en 1985; entre

Molano, Alfredo, *Selva adentro: una historia oral de la colonización del Guaviare*, El Áncora, Bogotá, 1988; Jaramillo, Jaime *et al.*, *Colonización, coca y guerrilla*, Universidad Nacional de Colombia, Bogotá, 1986.

[26] Véase Steiner, Roberto, *Los dólares del narcotráfico*, Cuadernos Fedesarrollo y Tercer Mundo, Bogotá, 1997.

1988 y 1995, los ingresos oscilaron de 350 a 550 millones de dólares, antes de que decayeran a finales de los años noventa[27]. Sin embargo, en relación con el tamaño de sus economías y la declinación del volumen y de los ingresos de las exportaciones tradicionales en este período (especialmente en el caso de Bolivia, donde el gobierno casi que cerró las minas de estaño), el efecto de aquellos otros ingresos fue sustancial para mantener a flote las respectivas economías en un momento de graves trastornos económicos y sociales.

En cuanto a Colombia, pocos niegan los desgarradores costos sociales y políticos que el narcotráfico ha impuesto a este país. Económicamente, la situación es aún más contradictoria. Es difícil obtener cifras confiables al respecto; las que existen son discutibles. No obstante, hay algunas tendencias bien definidas. Los ingresos por exportaciones ilegales han sido considerables durante un período de más de veinte años, aproximadamente, igualando o superando los obtenidos de los principales productos de exportación del país: petróleo (3,3 mil millones de dólares en 2006) y café (1,7 mil millones de dólares en 2006).

Algunos observadores internacionales dan por sentado que la bonanza de la exportación de droga ayudó al crecimiento económico colombiano durante gran parte de los años ochenta, en un momento en que la mayoría de las naciones latinoamericanas, entre ellas Bolivia y Perú, estaban experimentando una aguda contracción económica (lo que muchos denominan "la década perdida"). Sin embargo, la mayoría de los economistas colombianos hacen hincapié en los grandes costos económicos que la bonanza de la exportación de droga impuso desde el principio a la economía. Señalan que el crecimiento económico fue, en promedio, más alto en las décadas anteriores a la bonanza. También resaltan la fuga de capitales, los altos costos de la seguridad y la "enfermedad holandesa", es decir, cuando la bonanza en la exportación de un producto desplaza el comercio de otras exportaciones y disminuye las inversiones extranjeras[28].

Un autorizado economista, Salomón Kalmanovitz, calculaba que los narcotraficantes colombianos estaban generando entre cuatro y seis millardos de dólares de ingresos anuales por exportaciones a finales de los años ochenta.

---

[27]   Véae Steiner, Roberto, *op. cit.*

[28]   Véanse Gómez, Hernando José, "La economía ilegal en Colombia: tamaño, evolución, características e impacto económico", en *Coyuntura Económica*, Bogotá, septiembre de 1988; "Cost-Benefit Análisis of the Drug Trade for Colombia", mimeógrafo, 1990.

De estos, más de 3,5 mil millones de dólares regresaban al país, cantidad que equivalió al 8% del producto interno bruto de Colombia en esta época y entre el 50% y el 60% de sus exportaciones[29].

Otro economista, Francisco Thoumi, escribió:

> Incluso de acuerdo con los cálculos más moderados, el monto del narco-capital acumulado dentro y fuera de Colombia es extremadamente grande en relación con el tamaño de la economía colombiana. El impacto de esta riqueza aún no se ha sentido totalmente. Podría ser realmente espectacular, y los narco-capitalistas podrían convertirse finalmente en el grupo económico dominante dentro de Colombia[30].

Sin embargo, Thoumi pone de relieve que la economía colombiana no es suficientemente grande para absorber más de dos millares de dólares anuales

---

[29] Las cifras de Kalmanovitz provienen del examen del volumen de consumo en Estados Unidos, Canadá y Europa (estimado en 250 toneladas) y las estimaciones de las ganancias no registradas calculadas sobre la base de las importaciones de contrabando, las importaciones a muy bajos precios, la compra de oro y los fondos depositados legalmente por medio de la "ventana siniestra" del Banco de la República, que proporcionaba un mecanismo legal para canalizar los dólares estadounidenses, obtenidos de forma ilícita, hacia la economía. Véanse Kalmanovitz, Salomón "Violencia y narcotráfico en Colombia", en *Columbia University Working Paper on Latin America,* Columbia University Institute of Latin American and Iberian Studies, Nueva York, 1989, y Kalmanovitz, Salomón, *op. cit.*
Otros perspicaces trabajos que en general apoyan la interpretación de Kalmanovitz pero que presentan cifras globales más bajas son: Thoumi, Francisco, "Some Implications of th Growth of the Underground Economy in Colombia", en *Journal of Inter-American Studies and World Affairs*, Vol. 27, N° 2, 1987; "Colombian Laws and Institutions, Money Dirtying, Money Laundering and Narco-Businessmen Behavior", California State University, Chico, inédito, febrero de 1990; "Estimates of the Economic Impact of the Narcotics Industry on Colombia: An Evaluation", California State University, Chico, inédito, junio de 1990; Thoumi, Francisco, *Economía política y narcotráfico,* Tercer Mundo, Bogotá, 1994.

[30] Véase Thoumi, Francisco, "The Economic Impact of Narcotics in Colombia", en Smith, Peter (Comp.), *Drug Policy in the Americas*, Westview Press, Boulder, 1992, pp. 129-150.

de ingresos ilícitos. "La lavandería es demasiado pequeña", como de manera sugestiva describió la situación. En efecto, un estudio comparativo que sigue el rastro de los aflujos de dólares ilegales provenientes del narcotráfico, concuerda con la afirmación de Thoumi, demostrando que entre 1988 y 1995 las ganancias repatriadas fluctuaron entre 1,5 y 2,6 mil millones de dólares[31].

Una década después, y a pesar, por un lado de la enorme cantidad de tiempo, energía y gastos dedicados a la guerra contra las drogas, y por otro lado de la derrota de los grandes carteles de la droga y la reestructuración de los mercados internos y externos, las estadísticas macro del tráfico de drogas ilícitas, se ha mantenido igual. Según el Reporte Mundial de Drogas de las Naciones Unidas en 2006:

> La producción potencial de cocaína llegó a 910 toneladas métricas en 2005, casi lo mismo que el año anterior. La producción potencial en toneladas métricas fue de 640 en Colombia, 180 en Perú y 90 en Bolivia. El nivel general de la producción es prácticamente idéntico a los niveles presentados 10 años antes[32].

Los estudios más recientes en Colombia le asignan a la industria ilícita de las drogas un valor general correspondiente a más o menos el 0,8% del PIB del país, lo cual equivaldría a más de 7 mil millones de dólares, con un aproximado de 2500 millones de dólares de ganancias de las exportaciones repatriadas cada año[33].

Estas cifras resultan plausibles si se comparan con el tamaño del mercado mundial. Las Naciones Unidas estiman que el valor del mercado ilícito en todo el mundo asciende a aproximadamente 322.000 millones de dólares, mientras que el valor del mercado mundial de cocaína está alrededor de los 71 mil millones de dólares. La estimación que hiciera Thoumi, sobre el tamaño de la así denominada "lavadora", resulta tan válida hoy en día como cuando la

---

[31]   Véase Steiner, Roberto, *op. cit*, pp. 9-17.

[32]   Véase Oficina de las Naciones Unidas contra las drogas y el delito, *Reporte Mundial de drogas, 2006*, p.82. Disponible en: http://www.unodc.org/pdf/WDR_2006/wdr2006_volume1.pdf. Página consultada en noviembre de 2006.

[33]   Véase Rangel, Alfredo (Comp.), *Narcotráfico en Colombia: Economía y Violencia*, Fundación Seguridad y Democracia, Bogotá, 2005.

elaboró. Sin embargo, a pesar de la centralidad de Colombia como principal productor de cocaína, la mayor parte del dinero ilegal proveniente de la droga es generado fuera del país.

No obstante, los patrones de lavado de dinero y de inversión, han afectado de manera dramática los conflictos sociales y la violencia política en Colombia, sobre todo en las áreas rurales. La mayoría de las inversiones iniciales de los capos de la droga se concentraron en áreas vulnerables como los bienes raíces urbanos, el comercio, y de manera más significativa la compra de tierras rurales. Esto debido al hecho de que grandes áreas de la economía legal, sobre todo aquellas dominadas por los grandes grupos económicos, permanecieron relativamente impenetrables para la nueva narco-oligarquía.

Las FARC y la coca

Como hemos visto anteriormente, la guerra contra la droga, dirigida por Estados Unidos, tuvo éxito al reducir la producción de coca en Perú y Bolivia; según la DEA, el cultivo de coca descendió en Bolivia aproximadamente el 75%, y en Perú alrededor del 70%, entre 1995 y 2000. También alcanzó el éxito al desmantelar los grandes carteles colombianos mediante el asesinato, el encarcelamiento o la extradición de sus capos a Estados Unidos.

Sin embargo, el efecto final de la guerra contra la droga fue concentrar la producción de *ambos* elementos, la coca y la cocaína, en Colombia, convirtiendo a la parte meridional del país en el principal productor de coca. Es más, en vez de uno o dos grandes carteles, cientos de pequeñas, medianas y hasta grandes organizaciones colombianas (como el cartel del Norte del Valle) inundaron el mercado de la droga.

La bonanza de la coca tuvo repercusiones directas para las FARC. La producción de coca subió de forma continua en las áreas controladas por las FARC, sobre todo en el sur del país, en los departamentos de Guaviare, Caquetá y Putumayo, a lo largo de la década de 1980 y más aceleradamente en los años noventa. Esta prosperó de forma creciente a medida que el cultivo de coca emigraba de Bolivia y Perú hacia Colombia, como consecuencia de la guerra estadounidense contra las drogas.

Las FARC, aunque fundadas mucho antes de la bonanza de la exportación de coca y cocaína, ahora tenían acceso a recursos de financiación en cantidades sin precedentes, así como también a nuevas bases de apoyo centradas en los campesinos cultivadores de coca y en la gran masa de jornaleros itinerantes, que, por definición, estaban fuera de la jurisdicción del Estado. La bonanza de la coca/cocaína fue pronto complementada con la de la adormidera o amapola, cultivada en microfincas situadas a más de 2.700 metros de altura, en territorios controlados por la guerrilla. La inmensa mayoría de estas actividades estaba concentrada en zonas donde la presencia del Estado era mínima o inexistente y donde las FARC ejercían una gran autoridad ante el vacío dejado por el Estado.

Inicialmente, la guerrilla obtenía ingresos cobrando impuestos revolucionarios a los cultivadores de coca y a los traficantes que ingresaban a la zona a comprar pasta de coca para su posterior refinación y transformación en cocaína. Las FARC cobraban "impuestos revolucionarios" a todas las actividades productivas y comerciales en las zonas en que mantenían alguna influencia. En las zonas cocaleras, cobraban entre el 10% y el 15% por las ventas de pasta de coca, al igual que cuotas por la utilización de pistas aéreas clandestinas a los narcotraficantes. Con el tiempo, como se describe más adelante, la guerrilla se vio cada vez más envuelta en el tráfico de drogas.

El tráfico ilícito de coca se convirtió en una de las máximas fuentes de financiación de las FARC, alrededor del 50% o 60% de los ingresos de la guerrilla[34]. Estudios sobre los primeros períodos de la bonanza de la coca/cocaína revelan que el incremento de la producción de coca las cogió desprevenidas cuando el fenómeno se presentó en sus áreas de influencia en las distantes zonas de colonización del norte de la cuenca amazónica. No estuvieron seguras de cómo debían responder a esta ganancia económica inesperada, tanto para ellas mismas como para los campesinos, que hasta ahora habían vivido apenas por encima del nivel de subsistencia. Anteriormente los colonos de estas zonas sólo cultivaban unos cuantos productos agrícolas, tenían limitado acceso a los mercados y ningún apoyo estatal. La mayoría eran refugiados de la violencia provenientes del interior del país[35].

---

[34] Véase Chernick, Marc, "FARC-EP: From Liberal Guerrillas to Marxist Rebels to Post-Cold War Insurgents" en Heiberg, Marianne; O'Leary, Brendan y Tirman, John (Eds.), *Terror, Insurgency and the State: Ending Protracted Conflicts*, University of Pennsylvania Press, Philadelphia, 2007; y Richani, Nazih, "The Political Economy of Violence: The War System in Colombia", en *Journal of Interamerican Studies and World Affairs*, 39.2, verano de 1997.

[35] Véase Jaramillo, Jaime *et al.*, *Colonización, coca y guerrilla*, Universidad Nacional de Colombia, Bogotá, 1986; Ramírez Tobón, William, "La guerrilla rural en

Entrevistas con residentes de Caquetá revelan que las FARC, como autoridad dominante en la zona, intentaron prohibir la producción de coca entre los campesinos, pero los campesinos se resistieron. Las FARC tuvieron que escoger entre perder el apoyo de la población o cambiar su política respecto a la coca[36]. Las FARC comprendieron los potenciales beneficios económicos de la naciente bonanza que estaba haciendo que la "frontera agrícola" floreciera con las plantas de coca. Empero, desde el punto de vista político, la decisión de aceptar el comercio de la droga representaba tanto beneficios como costos. Por un lado, las FARC vieron una oportunidad de consolidar sus bases sociales entre la población y ganar legitimidad en una parte estratégica del país. Sin embargo, a medida que las FARC se comprometían más a fondo con el cultivo de productos ilícitos, sus relaciones con otros actores nacionales se deterioraban. Intelectuales, obreros, estudiantes y partidos de tendencia izquierdista condenaban crecientemente el compromiso de las FARC con el narcotráfico[37]. El apoyo en las zonas urbanas y en todo el país disminuyó.

Las relaciones de las FARC con el narcotráfico, así como con la población cuyo sustento depende de la industria de la coca y la cocaína, ha cambiado con el tiempo y ha variado de región a región. En una región que ha sido estudiada atentamente, el Caguán, en el departamento del Caquetá, las guerrillas comenzaron por cobrar un "gramaje", o 10% del precio por gramo de la pasta de coca.

Temiendo la afluencia de narcotraficantes y elementos criminales forasteros, las FARC formaron grupos de "autodefensa" entre la población para mantener el orden. Tal como ocurría con los grupos de autodefensa en otras

---

Colombia: una vía hacia la colonización armada", en Ramírez Tobón, William, *Estado, violencia y democracia*, Tercer Mundo, Bogotá, 1990.

[36] Véase Ferro, Juan Guillermo, "Las FARC y su relación con la economía de la coca en el sur de Colombia: testimonios de colonos y guerrilleros", en *L'ordinaire Latino-americain*, Ipealt, Université de Toulouse-Le Mirail, Toulouse, enero-marzo de 2000.

[37] *Ibíd.*; véase también "Colombian Intellectuals and the Guerrillas", que incluye una carta firmada por el premio Nobel colombiano Gabriel García Márquez y muchos intelectuales importantes del país que denuncian el compromiso de las FARC con el narcotráfico, en Bergquist, Charles; Peñaranda, Ricardo y Sánchez G., Gonzalo (Comps.), *Violencia in Colombia 1990-2000: Waging War and Ngotiating Peace*, Scholarly Resources, Wilmington, 2000.

zonas, pronto empezaron a cometer abusos contra la población y provocaron gran resistencia. Y de todas maneras el próspero comercio de la droga condujo a una migración interna masiva de buscadores de fortuna, refugiados, criminales y narcotraficantes que desencadenaron un acrecentamiento de la delincuencia, la drogadicción, los asaltos, los homicidios, la prostitución y otros males sociales. Los grupos de "autodefensa" mostraron poco interés en mantener el orden y se concentraron en el comercio de droga. De acuerdo con un habitante entrevistado en el Caguán, a finales de los años ochenta, la comunidad solicitó a las FARC mantener mayor control en la zona[38].

Entre 1984 y 1987, las FARC concertaron un acuerdo de cese al fuego con el gobierno, y en el Caguán se produjo una interesante coexistencia entre guerrillas, narcotraficantes y unos cuantos organismos representantes del Estado que llegaron a la zona con el acuerdo de cese al fuego. Este se interrumpió en junio de 1987 con la reanudación de los combates entre el ejército oficial y las FARC en Caquetá. Con el retorno a la guerra, las FARC ejercieron mayor control de la zona. Asumieron el mantenimiento del orden directamente y la administración de justicia. Tomaron medidas para organizar el mercado de coca, imponer el control de precios y fijar cuotas en cuanto a la extensión de tierra que podía ser cultivada. Centralizaron las compras y establecieron relaciones directas con los traficantes que compraban la pasta de coca. Impusieron controles sobre todos los que ingresaran a la zona para restringir la entrada de grupos paramilitares[39]. En resumen, las FARC proporcionaron cierto grado de orden económico y social en una zona en la que el Estado había penetrado sólo en forma mínima. Las guerrillas fueron capaces de ejercer el control sobre una importante fuente de ingresos. Además afirmaban que estaban defendiendo los intereses de los campesinos y negociando

---

[38] Véase Ferro, Juan Guillermo, *op. cit.* Yo mismo realicé una amplia investigación en el Caguán entre 1986 y 1987. En ese tiempo, las FARC estaban cooperando con el gobierno en la promoción de medidas alternativas de desarrollo, sustituyendo la coca por el caucho. Esto se daba en el contexto del acuerdo de cese al fuego firmado en 1984. Mi investigación y mis observaciones revelaron un fenómeno similar al descrito por Ferro: una fuerte presencia política pero escaso control social sobre los efectos negativos del floreciente comercio de drogas. Véase Chernick, Marc, *op. cit.*, 1991.

[39] Véaes Ferro, Juan Guillermo y Uribe, Graciela, *El orden de la guerra. Las FARC-EP: entre la organización* y la política, Centro Editorial Javeriano, Bogotá, 2002.

el mejor precio posible para sus cosechas en momentos en que una rigurosa crisis económica castigaba al campo colombiano[40].

¿Qué han hecho las FARC con los cientos de millones de dólares que han obtenido para ampliar su fuerza militar y su presencia territorial? Entre 1984 y 2002, las FARC crecieron de una fuerza de alrededor de 4.000 hombres y mujeres en armas a un ejército de más de 18.000 combatientes. A finales de los años noventa las FARC contaban con más de noventa frentes —su típica unidad militar compuesta entre 100 y 500 combatientes guerrilleros—, al igual que con una red de militantes y simpatizantes desarmados en cada uno de los departamentos del país. En el año 2002, organizaron una importante fuerza de milicias urbanas en las principales ciudades: Bogotá, Medellín, Cali y otras ciudades. Algunos estiman que en esa misma fecha las milicias urbanas de las FARC obtuvieron una fuerza adicional de 12.000 hombres y mujeres con acceso a explosivos y armas[41].

Las FARC han comprado armas sofisticadas y han instalado fábricas de municiones caseras. Han construido de forma sistemática un ejército cuyo objetivo es la toma del poder. Muchos de sus movimientos territoriales y la elección de su actividad militar regional obedecen a planes estratégicos relacionados con el establecimiento de corredores para el tráfico y el contrabando de armas, el acceso a lucrativas fuentes de financiación, la explotación de las debilidades del régimen y del Estado, y la consolidación de emplazamientos militarmente ventajosos. Después de cuatro décadas de actividad militar, un movimiento guerrillero nacional ya no puede verse exclusivamente a través del prisma de las injusticias regionales ni de los focos de rebelión locales; debe verse también a través del lente de las decisiones estratégicas, militares y políticas.

---

[40] Véase Cano, Alfonso, "La cuestión agraria y la paz: erradicar el latifundio, única alternativa", en *Resistencia*, revista de las FARC, N° 116, agosto-septiembre de 1999. Véase también *Mama Coca: conversaciones de paz: cultivos ilícitos, narcotráfico y agenda de paz*, Indepaz-Mandato Ciudadano por la Paz, Bogotá, junio de 2000; FARC-EP. Taller: Narcotráfico en América Latina y el Caribe. Disponible en: http://www.six.swix.ch/FARCep/Documentos/tallerNarcotráfico.html

[41] Véase Reyes, Alejandro, "La violencia política", en Chernick, Marc *et al.*, *Una metodología de prevención de conflictos y alerta temprana: el caso de Colombia*, Georgetown University, United Nations Development Programme Colombia. [De próxima publicación].

La guerra estadounidense contra las drogas

La "guerra contra las drogas" de Estados Unidos ha influido en la política de Colombia y de toda la región andina tan profundamente como lo ha hecho el surgimiento del narcotráfico. Desde comienzos de los años noventa hasta el ascenso de la "guerra contra el terrorismo", después del 11 de septiembre de 2001, la ayuda estadounidense para seguridad a la región estaba autorizada como parte de la lucha contra el cultivo y tráfico de narcóticos. La guerra contra las drogas se inició aun antes del fin de la Guerra Fría. En 1986, Estados Unidos envió fuerzas de combate a Bolivia para destruir sembrados de coca y laboratorios primitivos. La guerra contra las drogas prosiguió a lo largo de los años noventa y se amplió con la asignación especial de 1,3 millardos de dólares, en el año 2000, para el Plan Colombia, pues para Estados Unidos este programa era originalmente una estrategia contra los narcóticos.

La guerra contra las drogas continuó, por supuesto, después del 11 de septiembre. La infraestructura de la lucha contra las drogas se había afianzado y burocratizado, y no sería fácil desmontarla. Sin embargo, después del 11 de septiembre, la guerra contra los narcóticos pasó a segundo plano, priorizándose la guerra contra el terrorismo. En cuanto a Colombia, esto quiere decir que Estados Unidos estaba dispuesto a intervenir de forma directa en la guerra contrainsurgente colombiana. Anteriormente, Estados Unidos, desde el punto de vista de la autorización del congreso de ese país, había justificado la instrucción y la ayuda militares en función de la lucha contra los narcóticos. Esto condujo a una gran dosis de ambigüedad, y con frecuencia fue traspasada la línea divisoria entre lucha antinarcóticos y lucha contraguerrillera. Sin embargo, a partir de julio de 2002 el gobierno estadounidense decidió abandonar esta política ambigua y se comprometió abiertamente tanto en la lucha contra la insurgencia como en la guerra contra las drogas.

¿Qué tan exitosa ha sido la guerra contra las drogas? Si se mide por la afluencia de narcóticos ilícitos a territorio estadounidense, la guerra contra las drogas ha fracasado.

Según la gráfica 5-1, entre 1990 y 2003, la tasa de resiembra superó la tasa de fumigación y la producción de coca en Colombia subió de manera sostenida. A partir de 2003, ante la masiva fumigación, esta relación ha sido levemente inversa, al sobrepasar el total de terrenos fumigados al total de terrenos resembrados. Sin embargo, las continuas altas tasas de producción en Colombia indican que existe un proceso desestabilizador, tanto social como ecológico, de resiembra generalizada en parcelas más pequeñas (lo que dificulta detectarlas) y descentralizadas en diferentes zonas de todo el territorio nacional. Y según la gráfica 5-2, en 2006 a pesar de la fumigación de 176,000 hectáreas, sumadas a decenas de miles de hectáreas erradicadas manualmente, la producción de coca en Colombia, y a lo largo de la región andina, puede haber llegado a su mayor apogeo en la historia. Estados Unidos no ha tenido éxito en parar la producción en su fuente, a pesar de un presupuesto anti-narcóticos que ha invertido decenas de millardos de dólares en erradicación, acciones militares contra las FARC, destrucción de laboratorios y operaciones policiales contra los grandes carteles.

GRÁFICA 5-1
Erradicación y cultivos de coca en Colombia 1999-2005

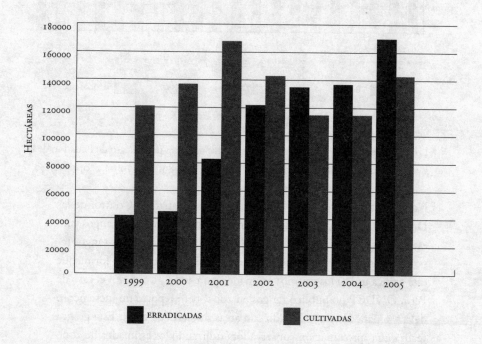

Fuente: Oficina de Washington para América Latina (WOLA) basado en información proveniente de la oficina de política nacional contra las drogas de la Casa Blanca.

Gráfica 5-2

Suma estimada de cultivos de coca en los Andes 1987-2006,
discriminada por aportes por país

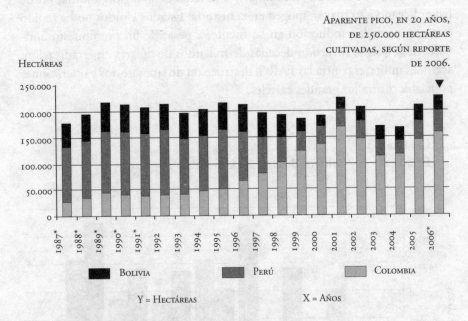

Aparente pico, en 20 años,
de 250.000 hectáreas
cultivadas, según reporte
de 2006.

Y = Hectáreas   X = Años

*   Los totales para 1987-1991 incluyen estimados menores para el caso de Ecuador, de la
    siguiente manera: 1987: 300 hectáreas, 1988: 240, 1989: 150, 1990: 120, 1991: 40.

Nota: En 2005, la Oficina Nacional de Gestión para el Control de las
Drogas (ONDCP por sus siglas en inglés) empezó a reportar rangos y no
estimados para Colombia y Bolivia. Para el caso de Bolivia los rangos reportados en 2005 y 2006 fueron básicamente idénticos, de tal forma que
esta gráfica utiliza los mismos estimados para 2005 y 2006. En el caso de
Perú, ONDCP no publicó rangos en 2005, pero reportó un incremento
del 17% para 2006 comparado con áreas similares de 2005. Esta gráfica
realiza una aproximación conservadora utilizando los estimados de 2006
que sólo representan un incremento del 12,6% con respecto a 2005.

Fuente: Departamento de Estado y ONDCP.

CUADRO 5-1
Hectáreas de cultivos de coca en los Andes. Total y país. 1997-2006

País \ Año	1997	1998	1999	2000	2001	2002	2003	2004	2005	2006*
COLOMBIA	79.500	101.800	122.500	136.200	169.800	144.450	113.850	114.100	160.800 144.000 127.800	179.500 157.200 125.800
PERÚ	68.800	51.000	38.700	34.200	34.000	36.600	31.150	27.500	38.000	42.800 -------- 31.000
BOLIVIA	45.800	38.000	21.800	19.600	19.900	24.400	23.200	24.600	32.500 26.500 21.400	32.500 -------- 21.000
TOTAL	194.100	190.800	183.000	190.000	223.700	205.450	168.200	166.200	231.300 208.500 187.200	254.800 225.700 177.800

Nota: En 2005, ONDCP empezó a reportar rangos y no estimados para Colombia y Bolivia. Para el caso de Bolivia los rangos reportados en 2005 y 2006 fueron básicamente idénticos, de tal forma que este cuadro utiliza los mismos estimados para 2005 y 2006. En el caso de Perú, ONDCP no publicó rangos en 2005 pero reportó un incremento del 17% para 2006 comparado con áreas similares de 2005. En la gráfica 5-2 se realiza una aproximación conservadora utilizando los estimados de 2006 que tan sólo representan un incremento del 12.6% con respecto a 2005.

Fuente: Departamento de Estado y ONDCP.

En cambio, si el éxito se mide por la capacidad para debilitar los carteles transnacionales de la droga o por la reducción de los cultivos ilícitos en un país específico, entonces la guerra ha mostrado algunos logros. Perú y Bolivia que una vez ocuparon, respectivamente, el primer y segundo lugar entre los mayores cultivadores de coca, vieron reducida su producción nacional de la hoja en alrededor del 70% a mediados de los años noventa. Es más: los en otro tiempo temibles miembros de los carteles de Medellín y Cali cayeron todos o prisioneros o muertos, en un esfuerzo concertado de los gobiernos estadounidense y colombiano para erradicar sus actividades. Estos éxitos tuvieron reales repercusiones en la vida política de ambas naciones, lo cual debería ser tenido en cuenta. Sin embargo, como ocurre en la mayoría de los escenarios políticos, los éxitos en unos campos conducen a menudo a inesperadas consecuencias en otros. En este caso, la reducción de la producción de coca en Perú y Bolivia llevó a un extraordinario aumento del cultivo de la coca en Colombia, cuyas cosechas no habían sido abundantes anteriormente. Algunos han comparado esto con el efecto de apretar un globo. Si se presiona en un lado, se levanta en el otro. En este caso, Estados Unidos y las autoridades locales presionaron en Perú y Bolivia, y se levantó totalmente en Colombia. Aún con la puesta en práctica del Plan Colombia y la enérgica política de fumigación en Colombia, la producción global en la región no ha decaído; la oferta ha corrido pareja con la demanda en Estados Unidos, Europa y otras partes del mundo.

Por otra parte, al aumentar el volumen del negocio en Colombia durante los años noventa, la guerra contra las drogas tuvo la no buscada consecuencia de proporcionar oportunidades tanto a las guerrillas como a los paramilitares de obtener una mayor tajada del tráfico, alimentando de esa manera aún más la endémica violencia política de la nación. La destrucción de los mayores carteles colombianos también creó la oportunidad para que los carteles mexicanos intervinieran y se hicieran cargo del trasbordo y la comercialización final de la mercancía. Con la apertura de las fronteras comerciales entre Estados Unidos y México en 1994, a partir de la iniciación del Tratado de Libre Comercio de América del Norte (TLCAN), los sindicatos mexicanos de la droga estuvieron en muy buena posición para llenar el vacío dejado por los otrora todopoderosos traficantes colombianos. Las consecuencias de la guerra contra las drogas, en consecuencia, han sido devastadoras tanto para Colombia como para México, en momentos en que Bolivia y Perú experimentaban algún alivio de los corrosivos efectos a gran escala del narcotráfico. Incluso en estos países, al dejar de funcionar como principales mercados exportadores de coca hacia Colombia, grupos de negociantes corruptos, políticos pícaros y oficiales de las fuerzas armadas comenzaron a asociarse para producir cocaína boliviana y peruana directamente, disminuyendo los suministros de coca a otros países. Esta cocaína se exportó a mercados más nuevos, entre los cuales se encuentran Brasil (que se convirtió en el segundo de los mayores consumidores en el mundo, después de Estados Unidos), México y algunos lugares de Asia.

La imagen central que se ofrece de la guerra contra las drogas es que se libra contra un ejército de narcotraficantes situado fuera de Estados Unidos y que introduce narcóticos de contrabando a este país, con los cuales envenena a la juventud y en general a la ciudadanía estadounidense. El concepto central empleado proviene de la disciplina económica: el de oferta y demanda. Por el lado de la oferta, la guerra se remite a eliminar la producción de droga en su fuente, por lo general en lugares fuera de Estados Unidos, o en decomisarla antes de que llegue a las legiones de compradores y consumidores estadounidenses. Por el lado de la demanda, se remite a los esfuerzos para reducir o eliminar el consumo dentro del país. La política oficial de Estados Unidos exige atacar ambos lados del problema. En la práctica, no obstante, la guerra antinarcóticos se ha librado esencialmente contra la oferta, con devastadoras consecuencias para las sociedades en conflicto en toda la región andina y México, y para las libertades civiles, la igualdad racial y las tasas de encarcelamiento dentro de Estados Unidos. A partir de 1989, pese a los cambios meramente retóricos, entre el 66% y el 67% de los recursos han sido dedicados a enfrentar las acciones de la red internacional de la oferta, la prohibición y la imposición de las leyes internas, mientras que sólo entre el 33% y el 34% ha sido destinado a educación, rehabilitación y tratamiento. Hoy en día, en el marco de esta distribución, la mayor parte de la ayuda antinarcóticos internacional se invierte en dos países: Colombia y Afganistán. De manera comparativa, lo que se gasta en África, Europa, el Cercano Oriente y el resto de Asia y Latinoamérica es insignificante.

Si el concepto de oferta y demanda proviene de la economía, las razones fundamentales de la guerra contra las drogas no provienen de ella. De acuerdo con la economía, los trastornos de la producción debieran incrementar los precios, lo cual tendría el efecto de estimular el ingreso de nuevos participantes al mercado. En la práctica, sin embargo, los precios, tanto de la cocaína como de la heroína, han decaído constantemente, mientras que el flujo total de narcóticos hacia Estados Unidos no ha disminuido (ver gráfica 5-3).

Gráfica 5-3

Precios de la cocaína en Estados Unidos (por mayor y al detal)

Por mayor: compra de más de 50 gramos

Al detal: 2 gramos o menos

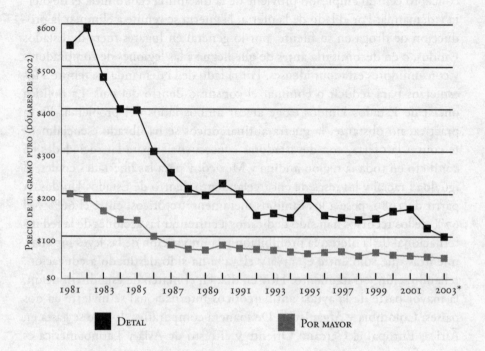

* Las cifras están basadas en datos de enero a junio únicamente.

Fuente: Información de ONDCP obtenida por WOLA.

Simplemente, el cultivo de coca se ha trasladado a nuevos lugares —incluso a nuevos países— cuando ha tenido que encarar medidas de represión (militar) o de absorción (sustitución de cultivos). Incluso con precios relativamente más bajos, las utilidades siguen siendo bastante altas para continuar atrayendo a nuevos participantes hacia el mercado. Mientras haya un amplio mercado consumidor, nuevos productores entrarán a satisfacer la demanda. Tras cerca de dos décadas, la estrategia de reprimir la oferta no ha producido ningún éxito.

Durante los años ochenta, la producción de coca y cocaína estuvo dominada por traficantes colombianos, aunque la producción de la hoja se concentraba principalmente en dos zonas: el valle del río Huallaga (Perú) y la región del Chapare (Bolivia). Antes de la bonanza de la coca de principios de los años ochenta, estas zonas eran inhóspitos lugares selváticos con escasa presencia del Estado e insignificantes posibilidades agrícolas. En el suelo de estas áreas de selva tropical húmeda taladas faltan los nutrientes necesarios para sustentar la mayoría de los cultivos. Además, la infraestructura, la tecnología y el crédito necesarios para adquirir bienes en el mercado simplemente no existían. Todo esto cambió con la bonanza de la coca. La coca es uno de los pocos productos agrícolas que pueden darse en el suelo empobrecido que queda después de talar una porción del exuberante ecosistema de la cuenca amazónica. Algunos han dicho que la Amazonía es una selva tropical húmeda encima de un desierto. La coca, a diferencia de prácticamente cualquier otro cultivo, puede producir cuatro o cinco cosechas anuales en estas condiciones durante más de veinte años.

Además, este nuevo tipo de comercio no requería la tradicional infraestructura de carreteras y mercados. La mayor parte de la coca y de la pasta de coca se transportaba en avionetas que aterrizaban en pistas construidas de manera sencilla en plena selva. Los campesinos cultivadores no tenían que llevar sus cosechas al mercado; el mercado venía a ellos. Los compradores eran principalmente colombianos que llegaban en aeronaves livianas.

Por último, los pequeños cultivadores estaban percibiendo ingresos tres o cuatro veces superiores a los que recibirían por un producto agrícola legal como naranjas, piña o cacao. Los compradores regresaban a Colombia, y allí la pasta de coca era refinada y transformada en clorhidrato de cocaína. Después la cocaína era transbordada a través de Centroamérica, el Caribe, México y otros países hasta los mercados finales de Estados Unidos y, de manera secundaria, de Europa occidental.

La guerra estadounidense contra las drogas intentó interrumpir este lucrativo comercio. A partir de 1986, se concibieron cuatro estrategias distintas en forma consecutiva para ser aplicadas en la región. Cada una de ellas obtuvo éxitos inmediatos al lograr objetivos concretos pero limitados, y a la vez, cada una de ellas fracasó en el propósito de eliminar la dinámica de las drogas de la región.

Primera estrategia (1986-1989): reprimir a los cultivadores y los cultivos de coca

En 1986, el gobierno estadounidense mandó tropas a Bolivia, en una operación denominada Operación Alto Horno (*Operation Blast Furnace*), que fue una campaña para destruir los cultivos y los laboratorios de coca. La medida tuvo éxito en desorganizar la producción en Bolivia y condujo a un incremento de los precios en las calles de las ciudades estadounidenses. Pero la operación militar no tuvo efectos definitivos. Pronto los campesinos roturaron nuevas tierras en valles más remotos; rápidamente, la oferta satisfizo la demanda y los precios volvieron a bajar en Estados Unidos. Sin embargo, la naturaleza militarista de esta primera estrategia condujo a una protesta de los pobladores, las ONG y los defensores de derechos humanos, que denunciaron los abusos cometidos contra los pequeños cultivadores, que sólo participaban en la parte menos lucrativa del negocio. Similares medidas antinarcóticos ejecutadas en esta época en Perú causaron preocupación entre las fuerzas armadas de ese país, pues opinaban que el ataque a los pequeños cultivadores de coca sólo serviría para empujarlos a unirse a las guerrillas de Sendero Luminoso, por entonces muy activas en el valle del alto Huallaga.

Segunda estrategia: la estrategia del "cuello de botella" o de la "lucha contra los barones de la droga" (1989-1995)

En 1989, año generalmente asociado con la caída del Muro de Berlín y no con la iniciación de la guerra contra las drogas, el Congreso de Estados Unidos aprobó la ley de autorización de defensa nacional que designaba al Departamento de Defensa como el "principal organismo encargado de conducir" la guerra contra las drogas. En septiembre de 1989, el presidente George H. W. Bush dio a conocer la Iniciativa Andina, plan de cinco años, con un costo de 2,2 millardos de dólares, para frenar la producción y el tráfico en su fuente, mediante la ayuda a los productores fundamentales de Colombia, Perú y Bolivia.

La teoría del "cuello de botella" compara el negocio internacional del narcotráfico con un reloj de arena. En el extremo inferior del negocio, hay cientos de miles de cultivadores de coca en Bolivia, Perú y Colombia. En el otro extremo, hay millones de distribuidores y consumidores en Estados Unidos, Europa y otras partes del mundo. Entre estos dos extremos, en el cuello del reloj de arena, hay un pequeño número de carteles que controlan todos los aspectos del negocio, desde la compra de las cosechas de coca hasta la distribución de la cocaína en las calles de Estados Unidos. La estrategia, entonces, era atacar este cuello de botella y, de ese modo, trastornar todos los aspectos del negocio multinacional.

La estrategia llevó a un ataque por todos los medios contra el cartel de Medellín, tanto de los colombianos como de los estadounidenses, especialmente después del asesinato del candidato presidencial Luis Carlos Galán, en agosto de 1989. Para sorpresa de muchos, el Estado colombiano se impuso y el cartel de Medellín fue, en efecto, desarticulado. Sin embargo, tras una mínima interrupción, el cartel de Cali, rápida y fácilmente, reemplazó al de Medellín como la principal organización multinacional de la droga. Pues, aunque también el cartel de Cali sucumbió a la guerra contra las drogas y fue desmembrado de manera eficaz, la destrucción de un cartel importante lo único que generaba era oportunidades para nuevos traficantes.

Tercera estrategia: "la estrategia de neutralizar el puente aéreo"
(airbridge denial strategy) (1994-2000)

La estrategia del "cuello de botella" dio pronto origen a la de "neutralizar el puente aéreo". La teoría era simple: bloquear el puente aéreo que interconectaba los cultivos de coca de Bolivia y Perú con los laboratorios procesadores de Colombia. Fueron emplazados radares en Perú y Colombia, y el gobierno peruano autorizó el derribo de pequeñas aeronaves sospechosas de estar transportando pasta de coca. Colombia, por su parte, no tardó en ajustarse a la autorización del derribo y destrucción de pequeñas aeronaves. El resultado fue una drástica reducción de los vuelos. En efecto, el puente aéreo que interconectaba los cultivos de coca de Perú y Bolivia con los laboratorios de cocaína de Colombia fue básicamente bloqueado. En respuesta, los traficantes empezaron a volar alrededor o por encima de los radares y a abrir rutas a lo largo de la interminable red de ríos y afluentes. Dentro de esta mentalidad de movimientos y contramovimientos de la guerra antidrogas, Estados Unidos respondió creando fuerzas fluviales antinarcóticos en ambos países.

Los resultados de la estrategia del bloqueo al puente aéreo no fueron de ninguna manera desdeñables, pues la producción declinó a gran escala tanto en Perú como en Bolivia. Se calcula que la tierra dedicada a la producción de coca en Perú bajó de 115.300 hectáreas en 1995 a 34.000 en 2001. Los encargados de formular directrices políticas en Estados Unidos proclamaron ruidosamente la victoria (ver gráfica 5-2 y cuadro 5-1).

Empero, las celebraciones se enfocaron en un solo detalle del cuadro. A la aplicación de la estrategia del puente aéreo siguió bien pronto la lógica del efecto globo: mientras Estados Unidos presionaba en Perú y Bolivia, la producción de coca se inflaba en Colombia. La estrategia de neutralizar el puente aéreo prosiguió hasta 2001, cuando se suspendió indefinidamente, ya que pilotos de la fuerza aérea peruana —respaldados por individuos contratados por la CIA que quizás no hablaban español— derribaron una avioneta que transportaba a una familia de misioneros evangélicos estadounidenses, matando a la madre y a un niño. En 2003, Estados Unidos reinstauró el programa en Colombia, y la administración Uribe autorizó el ataque a aviones sospechosos en materia de drogas.

Cuarta estrategia: Plan Colombia, Fase 1 (2000--2005)

En 1999, los encargados de elaborar las directrices políticas de Estados Unidos llegaron a creer que una década de medidas antinarcóticos en la región andina finalmente habían acorralado a los señores de la droga y a los campesinos cultivadores en una limitada área geográfica: el sur de Colombia. Los cultivos de coca y los laboratorios procesadores se refugiaron en un extenso territorio en gran parte controlado por las guerrillas de las FARC. Si Colombia y Estados Unidos tan solo lograban emprender un asalto final al narcotráfico mediante una campaña de erradicación forzosa empleando la fumigación aérea, el tráfico sería finalmente paralizado.

En 1999, la ayuda estadounidense antinarcóticos a Colombia ascendió a 287 millones de dólares, haciendo de este país el tercero entre los máximos receptores de la ayuda de Estados Unidos para seguridad en el mundo, después de Israel y Egipto. En 2000, el gobierno de Clinton aprobó una ayuda adicional de 1,3 mil millones de dólares para apoyar una estrategia colombiana denominada Plan Colombia. El 80% de la ayuda estadounidense estaba destinada a programas militares, entre los cuales se encontraba la adquisición de helicópteros Blackhawk y Huey y el entrenamiento de dos nuevos batallones antinarcóticos de élite.

Esta última estrategia era potencialmente la más deficiente. En 2001, Estados Unidos y las autoridades colombianas fumigaron 84.250 hectáreas sembradas de coca. Sin embargo, los cultivadores resembraban nuevos terrenos más rápido de lo que las autoridades podían esparcir el herbicida sobre los sembrados existentes. La actual serie de fumigaciones se inició en 1994. No obstante, desde 1995 el cultivo de coca se ha incrementado en Colombia en más del 300%. De acuerdo con el Informe sobre Control de Narcóticos del Departamento de Estado, del año 2000, la fumigación masiva, inició justamente antes de la aprobación del Plan Colombia. De hecho, el Plan Colombia repetía la lógica errada de las anteriores estrategias. La presión sobre el sur de Colombia, condujo a la dispersión de los cultivos ilícitos y los laboratorios hacia otras regiones, entre ellas las del norte del país y las situadas en las profundidades de la selva virgen colombiana, así como el creciente retorno a Bolivia y Perú (ver gráficas 5-1 y 5-2 y cuadro 5-1).

La guerra contra las drogas cede el paso a la guerra contra el terrorismo

El Plan Colombia, asimismo, involucró directamente a Estados Unidos en la guerra contrainsurgente en que se halla envuelta desde hace décadas la nación colombiana. Durante el gobierno de Clinton, los funcionarios estadounidenses fueron categóricos en afirmar que ellos estaban librando una guerra contra los narcóticos y no una guerra contra la insurgencia. Después del 11 de septiembre, el gobierno de Bush propuso borrar la distinción entre antinarcóticos y contrainsurgencia y permitir que los helicópteros, los armamentos, los asesores y la inteligencia suministrados por Estados Unidos fueran utilizados contra las fuerzas rebeldes. Cuando, en febrero de 2002, el proceso de paz se vino abajo, el gobierno colombiano solicitó oficialmente a Estados Unidos reexaminar las condiciones de su conjunto de ayudas, a fin de que prestaran un apoyo más directo a las acciones contra las fuerzas guerrilleras.

Sin embargo, el desvío hacia la contrainsurgencia no ocultará los fracasos de la guerra antidrogas. La guerra de Estados Unidos contra las drogas fracasó porque trató un proceso económico de envergadura, gobernado por la ley de oferta y de demanda, con tácticas militares y de policía. En una industria cuyo valor se calcula entre 100 mil millones y 500 mil millones de dólares —cuyo propio carácter de ilegal genera ganancias—, hay siempre incentivos para entrar en el negocio, bien sea en el valle de al lado o en el país vecino, o incluso al otro lado del mundo.

En marzo de 2006, Estados Unidos sindicó a 50 altos miembros de las FARC, incluidos los 7 del secretariado y 25 miembros del Estado mayor, en la importación de 25 mil millones de dólares en cocaína a Estados Unidos[42]. Aunque Estados Unidos no ha aportado ninguna evidencia de que esta guerrilla haya traficado en territorio estadounidense, la acusación parece estar basada en cálculos del valor monetario de la coca cultivada en territorios controlados por las FARC después de su procesamiento a cocaína y de haber sido exportada a Estados Unidos. La legislación estadounidense, así como el derecho internacional, no hace distinción alguna entre coca y cocaína. La acusación desconoce toda la cadena de producción, desde los múltiples grupos que procesan la cocaína hasta las redes y carteles que controlan el transporte

---

[42] Véase Departamento de Justicia de los Estados Unidos, "The U.S. Department Of Justice Announces Indictments of Members of Farc Drug Cartel", 22 de marzo de 2006. Disponible en: http://www.usdoj.gov/ag/speeches/2006/ag_speech_0603221.html

internacional —especialmente los carteles mexicanos— y los distribuidores
dentro de los mercados de consumo.

El ex presidente Pastrana en su intervención ante una rueda de prensa, manifestó que la acusación fue una decisión tomada estrictamente por las autoridades estadounidenses. Sin embargo, la estrategia tanto de Estados Unidos como de Colombia parece ser o bien derrotar a las FARC mediante la extradición de sus más altos comandantes para que enfrenten cargos criminales en Estados Unidos o, de fallar este camino, presionar a los líderes de las FARC para que negocien un fin del conflicto. Sin embargo, al finalizar 2007, ningún alto miembro de las FARC había sido capturado.

En 2004 y 2005 dos rangos medios de las FARC fueron capturados y extraditados por cargos de tráfico de drogas. Estos casos son los de Ricardo Palmera (Simón Trinidad), muy conocido en Colombia por haber sido unos de los negociadores de esta guerrilla durante el proceso del Caguán entre 1998 y 2002, y Anayibe Rojas Valderrama (comandante Sonia), una líder del frente 14. En julio de 2007 Sonia fue declarada culpable y sentenciada a 200 meses de prisión, lo equivalente a un poco más de ocho años. En octubre de 2007 el juicio por narcotráfico contra Trinidad terminó siendo anulado. El jurado no se pudo poner de acuerdo en un veredicto de culpabilidad[43]. La acusación

---

43   Trinidad fue también acusado, en casos separados, de secuestro y conspiración para secuestro. El caso estuvo relacionado con el secuestro de tres contratistas norteamericanos del Departamento de Defensa en 2003. Los tres extranjeros han sido incluidos en las propuestas de acuerdo humanitario entre las FARC y el gobierno colombiano, para intercambiar prisioneros de las FARC presos en las cárceles colombianas, por más de 50 militares y políticos colombianos que se encuentran secuestrados por las FARC. Las FARC habían hecho público el nombre de Trinidad como uno de sus negociadores para el acuerdo. Trinidad fue capturado en Ecuador en 2004, cuando estaba buscando contactos con el Asesor Especial de las Naciones Unidas para Colombia para facilitar una intervención de la ONU en las negociaciones. El gobierno ecuatoriano lo extraditó a Colombia y posteriormente el gobierno de Uribe lo extraditó a Estados Unidos. Un primer juicio en su contra por secuestro terminó en noviembre de 2006 con la anulación del juicio. Un segundo proceso en junio y julio de 2007 finalizó con condena por los cargos de conspiración, pero nuevamente el jurado no se puso de acuerdo sobre la relación directa de Trinidad en el secuestro de los tres estadounidenses, estos últimos cargos fueron finalmente desestimados.

no tuvo evidencia directa que involucrara a Trinidad con el tráfico de drogas. Durante el juicio, el propio Trinidad asumió su defensa para explicar las razones por las cuales se unió a la UP y posteriormente, luego de haber recibido amenazas de muerte, haber terminado como militante de las FARC. Describió su papel como negociador de paz y sus deseos por una salida política al prolongado conflicto armado. De este modo la utilización de la extradición y las acusaciones criminales no representan ningún avance o ventaja para los gobiernos de Colombia y Estados Unidos.

De lo que se trata ahora es de saber si la guerra estadounidense contra el terrorismo, tal como se aplica en Colombia, fortalecerá o debilitará al Estado colombiano, y si aumentará o eliminará las posibilidades de un acuerdo pacífico. Ya la guerra contra las drogas había internacionalizado el conflicto colombiano e introducido en la guerra asesores militares, servicios de inteligencia y sofisticados sistemas armamentistas estadounidenses. Con todo, a partir de julio de 2002, el rol militar de Estados Unidos se ha vuelto más evidente. El cambio de estrategia debería verse como un momento crucial de la guerra. La herencia de sucesivas guerras contra las drogas, que culminan en la nueva política antiterrorista, está una vez más transformando este conflicto. En realidad, el enfoque estratégico de la guerra contra las drogas, basado en combatir la oferta, alimentó la violencia sin frenar el flujo de narcóticos a través de las fronteras.

CONCLUSIONES

Poco es lo que resta de reconocible, en el terreno político, de la región andina después de la inserción de las naciones que la integran en la economía global como exportadoras de narcóticos ilícitos. El narcotráfico, tal como lo hicieron las anteriores bonanzas, reordenó economías, creó nuevas alianzas, estimuló la violencia y reconfiguró el Estado.

En ausencia de un Estado fuerte o coherente y en el contexto de creciente pobreza, desesperación y desempleo masivo profundamente agravados por el modelo neoliberal, el narcotráfico constituyó una ilusoria esperanza tanto para los campesinos como para una narco-oligarquía naciente.

A los primeros les proporcionó una forma de subsistir, e incluso una oportunidad de volverse relativamente ricos o mejorar su nivel de ingresos. Pero también colocó a los campesinos en una situación más vulnerable, sujetos a la represión del Estado y a la explotación privada. Físicamente, los situó en medio de las zonas de violencia guerrillera, atrapados entre dos y a veces tres fuegos. Las historias del Alto Huallaga, en Perú, o del Guaviare, Putumayo, Caquetá en Colombia, ponen de relieve esta vulnerabilidad para los campesinos cultivadores de coca. En cuanto a los nuevos ricos empresarios de la droga, las inversiones en ejércitos privados o en militares corruptos también fallaron en brindarles seguridad. Los grupos paramilitares patrocinados por los narcotraficantes transformaron vastas extensiones rurales en campos de exterminio. La violencia tiende a volverse finalmente en contra de su propio progenitor.

La coca/cocaína, pues, ha impactado la historia reciente de la región andina. Esta historia ha puesto de relieve los límites históricos del Estado en la región, al mismo tiempo que su extensión geográfica y su capacidad para mediar en política. Las ganancias obtenidas mediante la exportación de coca y cocaína han llenado las arcas de guerrillas, grupos paramilitares y fuerzas militares. El Estado se ha esforzado en captar para sí algunas de las ganancias.

Cuando la marea se retire y la violencia finalmente termine, muchas naciones latinoamericanas heredarán el ambiguo legado de una desenfrenada destrucción y de inversiones a gran escala en toda su economía. Las distintas naciones experimentarán las dos en diferentes proporciones. Es probable que algunos de los supervivientes de los criminales empresarios de la droga de hoy sean las élites "modernizadoras" de mañana.

Capítulo 6.   Conclusiones: más allá de la guerra, el retorno a la mesa de negociaciones

El rompimiento del proceso de paz en el año 2002 radicalizó las posturas en el país contra una solución negociada del conflicto armado. Una vez posesionado, el presidente Álvaro Uribe decidió continuar con la estrategia militar que había iniciado su antecesor Andrés Pastrana y al mismo tiempo implementó algunos cambios importantes en la visión del conflicto. En cuanto a lo militar, la estrategia se basó en el incremento de la presión contra las FARC con el propósito de o bien derrotar la insurgencia, o debilitarla lo suficiente como para imponer una salida negociada. De forma paralela, el gobierno optó por utilizar toda su capacidad política para deslegitimar a las FARC en términos políticos, tanto nacional como internacionalmente. En el campo internacional el momento era el más adecuado para fortalecer las relaciones bilaterales con Estados Unidos y matricular el conflicto colombiano dentro de la emergente guerra contra el terrorismo que se ha convertido en el eje central de la política exterior estadounidense desde los ataques del 11 de septiembre de 2001. Los sucesos del 11 de septiembre, que coinciden en el tiempo con el comienzo de la campaña electoral en Colombia, también pueden ser entendidos como un elemento desestabilizador del discurso de paz al interior del país. Los colombianos estaban saturados con el conflicto armado interminable y las fracasadas negociaciones con las FARC y el ELN, y el discurso del entonces candidato Uribe se sintonizó perfectamente con la guerra contra el terrorismo planteada por el gobierno de George W. Bush.

Sin embargo, la estrategia multifacética de Uribe superaba en mucho la simple retórica de un discurso basado en las acciones militares de mano dura.

Con el tiempo, el gobierno desarrolló formas de comportamiento diferenciadas para cada uno de los actores armados no estatales dentro del conflicto colombiano: el ELN, las AUC y las FARC. Estas estrategias no estuvieron coordinadas y fueron implementadas con distintas lógicas retóricas y de contenido.

El proceso de paz con el ELN

En el año 2005, después de tres años, el gobierno respondió al llamado que había hecho el ELN, una fuerza militarmente debilitada, para buscar una paz negociada. El ELN tomó la decisión de vincular el asunto de la paz en la agenda de las elecciones de 2006 y de cierto modo fue exitoso[1]. Un Uribe más conciliatorio, con sus ojos puestos sobre todo en su campaña de reelección, permitió la salida de prisión de los líderes del ELN y los autorizó para que constituyeran Casas de Paz en Medellín y en algunas otras regiones, donde podrían reunirse legalmente con representantes de la sociedad civil. En diciembre del mismo año las partes comenzaron una nueva ronda de diálogos exploratorios en Cuba, proceso que fue facilitado por los gobiernos de España, Noruega y Suiza.

La estrategia no produjo resultados rápidos. El ELN continúo insistiendo en una agenda de negociación amplia que incluyera acuerdos de corte humanitario y reformas sustantivas. Sus líderes habían planteado la humanización de la guerra por medio de la aplicación del derecho internacional humanitario desde los años ochenta y condicionaron el cese al fuego y la desmovilización a la adopción por parte del gobierno de una agenda más amplia. Citaron el caso de El Salvador que bajo esta fórmula logró un proceso de paz exitoso.

Empero el gobierno de Uribe ha sido reacio en aceptar el modelo de negociación con una agenda más amplia, que a la vez se relaciona con las experiencias de negociación en los gobiernos de Betancur y Pastrana. Para algunos esto revive memorias amargas. En efecto, la posición de Uribe ante el ELN se parece más a la establecida por Virgilio Barco al comienzo de su gobierno en 1986, al insistir en una agenda reducida de desarme, desmovilización y rein-

---

[1] Véase Valencia, León, "The ELN's Halting Moves Towards Peace" en Bouvier, Virginia (Ed.), *Colombia: Building Peace in a Time of War*, United States Institute of Peace. [En proceso de publicación].

corporación. Bajo este modelo las reformas sustanciales quedarían en manos de las instituciones representativas que ya existen en Colombia. Barco denominó esto como una política de "mano tendida, pulso firme". Sin embargo, Barco y luego Gaviria modificaron esta posición y abrieron el espacio político y jurídico para una Asamblea Constituyente con la participación de actores nuevos y la inclusión de antiguos dirigentes guerrilleros, incluso con la posibilidad de participación de sectores no desmovilizados en el momento.

En el caso actual de Uribe y el ELN, dos años después de iniciados los diálogos exploratorios, las partes continúan distanciadas de una manera significativa. Las diferencias no son irreconciliables pero necesitarían una expansión de la agenda a asuntos más sustantivos por parte de la administración de Uribe, o una decisión por parte del ELN de desmovilizarse y aceptar los ofrecimientos de garantías de seguridad y participar dentro del marco legal como movimiento social y político. Para el ELN, esta última opción va en contra de su propuesta de un gran diálogo nacional con la sociedad civil que condujera a unas reformas políticas y estructurales, posición que han mantenido por más de una década. Además, se relaciona con el espacio político real y de base que podría tener el ELN como actor legal, puesto que en la práctica política la constitución del Polo Democrático Alternativo, como actor político legal, ha copado espacios importantes de la izquierda colombiana.

Aunque las conversaciones con el ELN son una gran oportunidad, también tienen un alto potencial de fracaso. En lugar de tratar de desmovilizar al ELN y eliminarlo como un actor armado solamente, estas conversaciones deberían servir de ejemplo efectivo para desarrollar un modelo distinto de negociación al que se desarrolló con las AUC.

Durante dos años de conversaciones en Cuba, el proceso formal se parecía más a dos monólogos paralelos que a una verdadera negociación, a pesar de la facilitación internacional, un balanceo estratégico de poder a favor del gobierno, e indicaciones claras que el ELN está comprometido con la idea de negociar el fin de la guerra y participar directamente en la arena política legal.

El gobierno ha sido corto en audacia y su visión está focalizada en la desmovilización sin un cambio político. Incluso si la posición del gobierno prevalece, no habría ningún cambio importante en la dinámica existente de violencia política en el país, y representaría entonces una oportunidad perdida. Tendría muy poca o ninguna influencia en un eventual proceso de paz con las FARC, que necesitaría una agenda y estrategia más amplias. Una estrategia más eficaz sería entender el proceso con el ELN como el primer paso de un largo proceso que condujera directamente a un eventual diálogo con las FARC y a un acuerdo integral.

Sin embargo para Uribe la negociación con el ELN se ha constituido en la menos consecuente y más improvisada de las múltiples estrategias frente al conflicto. El centro de la estrategia está compuesto por dos políticas: primero, el lanzamiento de operaciones contrainsurgentes amplias y extensas contra las FARC mediante el Plan Patriota, el Plan Consolidación y los demás componentes complementarios del programa de seguridad democrática. Y segundo, la iniciativa de negociación con las AUC y posterior desmovilización en 2006.

La desmovilización de las AUC

Con la iniciación de los diálogos con las AUC, el presidente Uribe pudo variar el lenguaje de paz al que estaba acostumbrado el país, y en esta medida opacó significativamente los parámetros del conflicto en Colombia. Hasta el gobierno de Uribe, las negociaciones de paz eran entendidas como negociaciones entre el gobierno y la oposición armada. Es más, esta es la mayor aproximación mundial en negociaciones de paz internas; los diálogos de paz son entre estados y movimientos de oposición armada. El paramilitarismo no representa una fuerza de oposición armada en el caso colombiano[2]. En sus orígenes, estas fuerzas fueron constituidas legalmente como aliados estratégicos de las fuerzas armadas. Incluso en la interpretación más favorable de

---

[2] Cabe anotar que no existe una definición común en las ciencias sociales del término paramilitares. Las definiciones varían en distintas partes del mundo. En muchas situaciones de conflicto armado interno, las fuerzas paramilitares representan cualquier actor armado que opera por fuera de las estructuras de las fuerzas armadas nacionales. En Irlanda y Sudáfrica el término paramilitares cobija tanto a las milicias que apoyan al Estado como a grupos guerrilleros de oposición. En otros casos, son referenciados como fuerzas de seguridad del Estado que operan independientemente de las fuerzas armadas nacionales. Sin embargo, en Colombia y en Latinoamérica, el término hace referencia a aquellos grupos armados organizados independientemente con vínculos a actores estatales oficiales, o que aparentan operaciones a favor del Estado ante el vacío de autoridad causado por la ausencia o el debilitamiento del mismo.

su rol, fueron formadas para proveer seguridad contra la subversión armada frente a la incapacidad del Estado de contrarrestar el incremento militar de las fuerzas guerrilleras.

En el inicio de las negociaciones del Caguán, las FARC condicionaron el proceso a dos elementos: primero, el así denominado despeje que garantizara la seguridad durante las negociaciones, y segundo, insistieron en la necesidad de erradicar todos los vínculos del Estado con el paramilitarismo y el desmantelamiento real de estas fuerzas.

Como se analizó en el capítulo 1, las negociaciones con aliados estratégicos, incluso aliados ilegales, como fue el caso del desmonte de los escuadrones de la muerte en El Salvador, se puede convertir en un punto crucial de inflexión en el proceso de ganar una guerra interna e incluso de negociar la paz.

No obstante, este tipo de negociaciones no se deben confundir con un proceso de paz. Lo que ha hecho Uribe es reconceptualizar los parámetros de la paz al sostener que tanto las guerrillas (oposición) como los paramilitares (aliados estratégicos que no son controlados por el Estado en su totalidad) deben ser tratados de la misma forma puesto que son básicamente iguales, es decir, actores armados ilegales de izquierda y de derecha que merecen un tratamiento igual en el proceso de desmovilización. Esta nueva aproximación confunde la naturaleza del conflicto. Confunde a quienes han sido aliados del Estado —apoyados legal e ilegalmente por oficiales y líderes de distintos sectores— con quienes se han alzado en armas contra el Estado.

Sin embargo, de manera implícita, en el lenguaje de los distintos procesos se ha reconocido la diferencia entre estos dos tipos de actores armados y esta se ha visto reflejada en el diseño de los diálogos. A diferencia de todas las negociaciones previas, que datan de más de veinticinco años, la agenda con la AUC no contuvo reformas estructurales de carácter político, económico y social, como fue el caso de los procesos con grupos guerrilleros en los gobiernos de Betancur y Pastrana. Tampoco se trató de unos diálogos dirigidos a la desmovilización y a la conversión de movimientos guerrilleros armados en partidos políticos o movimientos sociales como fue el caso del enfoque durante los gobiernos de Barco y Gaviria e incluso durante los diálogos del gobierno de Uribe con el ELN en Cuba. El caso de las AUC se concentró en la desmovilización y, por primera vez en la historia del conflicto colombiano, en la posibilidad de abrir procesos judiciales contra líderes paramilitares por crímenes de guerra y otras violaciones masivas a los derechos humanos, con incentivos de reducción de penas a cambio de confesiones completas.

Aunque el lenguaje ha confundido los límites de los procesos, la estrategia de negociación con los paramilitares tenía un importante potencial para eliminar del campo de batalla a un actor armado significativo y restaurar el monopolio del Estado sobre el despliegue contraguerrillero. Visto de esta forma, el modelo tuvo algunos éxitos. Las AUC se han desmovilizado como fuerza política armada y organizada y la mayoría de sus líderes están presos o muertos. Sin embargo, el proceso tuvo un gran defecto: las estructuras del paramilitarismo no fueron desmanteladas y muchos grupos desmovilizados se rearmaron rápidamente. Según el octavo reporte de la misión de verificación de la Misión de Apoyo al Proceso de Paz en Colombia de la OEA (MAPP/OEA):

> En cuanto a los hallazgos de la verificación, la Misión ha identificado situaciones de rearme en diez departamentos: Guajira, Cesar, Atlántico, Norte de Santander, Bolívar, Córdoba, Tolima, Casanare, Caquetá y Nariño. Además, la MAPP/OEA alerta sobre situaciones de posibles rearmes en Cesar, Magdalena, Sucre, Antioquia, Meta, Nariño y Putumayo[3].

En algunos aspectos, este proceso parece haber retrocedido en el tiempo alrededor de mediados de los años ochenta, cuando los grupos paramilitares eran de carácter local y su alcance estaba más limitado. Eran responsables de la guerra sucia contra civiles desarmados —líderes sindicales, periodistas, jueces, activistas de derechos humanos, entre otros— pero no representaban una fuerza militar significativa. La gran diferencia es que en aquel entonces el Estado tenía autoridad legal para trabajar con estos grupos, lo cual no aplica en la actualidad. Por otro lado, durante las últimas dos décadas, los líderes paramilitares y sus partidarios han penetrado lenta y soterradamente distintos niveles del poder regional y nacional. Esto ha sido revelado poco a poco en la medida en que más paramilitares desmovilizados han hablado ante la justicia sobre sus relaciones con autoridades civiles y militares. Teniendo esto en cuenta, el poder real de los paramilitares en la esfera política es muy superior al que tenían en la década de los ochenta.

De esta forma, el resultado del proceso de desmovilización puede ser visto, en el mejor de los casos, como ambiguo. La fuerza militar organizada ha

---

[3] Véase MAPP/OEA, *Octavo informe trimestral del secretario general al consejo permanente sobre la misión de apoyo al proceso de paz en Colombia*, Organización de Estados Americanos, Washington, 14 febrero de 2007, p. 7.

sido debilitada de una forma significativa, mientras que la violencia política difusa, que ha definido el conflicto en los últimos veinte años, continúa.

Ofensiva militar contra las FARC

El eje central de la estrategia de Uribe fue el incremento de la ofensiva militar contra las FARC acompañado de la decisión de diferir las negociaciones con este grupo armado hasta que las condiciones en el campo de batalla fueran más favorables. Esta estrategia, al igual que la descrita anteriormente, ha traído resultados ambiguos. A 2007, las FARC han sido desplazadas de las más importantes ciudades del país y en las principales vías terrestres se ha recuperado la seguridad. El Plan Patriota se concentró, en primera instancia, en la destrucción de la acción de las FARC en Cundinamarca y en las montañas y páramos que rodean a Bogotá, importantes zonas que se habían convertido en significativos bastiones de este grupo guerrillero. En 2003 y comienzos de 2004 este objetivo se había logrado en gran medida, pero la sostenibilidad de estos resultados militares es cuestionable[4]. En diciembre de 2003, se implementó una segunda ofensiva en Caquetá, que luego fue extendida a Guaviare, Meta y Putumayo. La ofensiva en el sur de Colombia involucró a 18.000 soldados, con más de 800 asesores militares de Estados Unidos que apoyaban logísticamente, y 600 contratistas privados de defensa de ese país que participaron en la acción conjunta contra la insurgencia y el narcotráfico[5]. La operación militar estaba dirigida a destruir la infraestructura alterna que las FARC le habían construido al Estado a lo largo de los últimos cuarenta años en el sur del país. Buscaba ocupar zonas de apoyo a las FARC, neutralizar su efectividad y establecer presencia de seguridad estatal. Los siguientes mapas resaltan el alcance regional así como el incremento del conflicto desde la iniciación del Plan Patriota, al comparar la intensidad del conflicto medido por número de acciones militares en 2001 con el número de acciones militares en 2006.

---

4   Véase Marks, Thomas, "Sustainability of Colombian Military/Strategic Support for "Democratic Security", en *Shaping the Regional Security Environment in Latin America. Special Series*, Strategic Studies Institute of the U.S. Army War College, Carlysle, julio de 2005.

5   Véase Council on Hemispheric Affairs, "Plan Patriota: What $700 million in U.S. Cash Will and Will not Buy in Colombia", Washington, abril 20 de 2006.

El Plan Patriota representó la más grande operación militar lanzada por cualquiera de las partes en más de cuarenta años de guerra. Sin embargo, en el sur de Colombia, las Fuerzas Armadas tuvieron menos éxito que al comienzo de la operación en Cundinamarca. Las FARC respondieron con su propio Plan Resistencia y fueron capaces de absorber los ataques con retiros estratégicos y ataques guerrilleros. Cuatro años después del lanzamiento de la operación, la capacidad militar general y la comandancia de las FARC parecen haberse mantenido.

Junto con el Plan Patriota, el Ministerio de Defensa inició, como una estrategia complementaria, el programa de desmovilizaciones individuales de combatientes guerrilleros y grupos paramilitares. Este programa ha tenido algún grado de éxito en la medida en que ha incentivado la deserción de combatientes del conflicto. El Ministerio de Defensa dice que ha desmovilizado a más de 7.000 combatientes de las FARC. Sin embargo, es muy difícil distinguir entre colaboradores locales y militantes de las FARC, lo que lleva a pensar que las cifras oficiales representan una exageración de la realidad. Y lo más importante: hasta 2007, ningún miembro de la alta comandancia de las FARC, conformada por los 7 miembros del secretariado general o los 25 miembros del Estado Mayor, ha sido capturado.

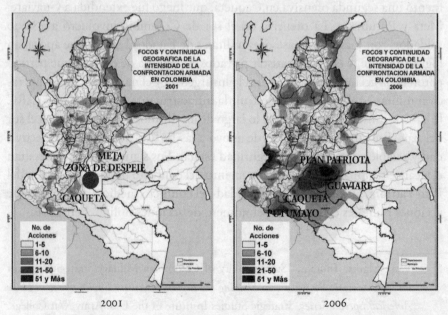

2001   2006

Fuente: Programa Presidencial de Derechos Humanos y Derecho Internacional Humanitario, Vicepresidencia de la República. Ubicación de zona de despeje y área de operaciones del Plan Patriota agregados por el autor.

Durante este mismo período las FARC comenzaron a reconstruir su capacidad política por medio de la expansión de su movimiento político clandestino: el Movimiento Bolivariano. También han sido capaces de extender sus relaciones diplomáticas a países vecinos como Ecuador, Perú, Brasil, Panamá y más importante aún, Venezuela. Cada una de estas naciones ha manifestado su expreso apoyo a la solución política del prolongado conflicto colombiano, y han rechazado los esfuerzos conjuntos de Estados Unidos y Colombia de desarrollar una fuerza militar y regional en las fronteras del país para contener el conflicto interno.

A casi seis años de gobierno, es evidente que la estrategias iniciales de Uribe frente a las AUC, el ELN y las FARC son insuficientes para lograr la paz. Las AUC se han desmovilizado, pero el paramilitarismo continúa. El ELN tiene algunos incentivos para hacer la paz y una menor capacidad para continuar la guerra, pero el gobierno no ha querido ceder en aspectos importantes para sacarlo del campo de batalla. Y desde el inicio de la administración de Uribe, las FARC han demostrado una capacidad de retirada estratégica y de avanzada en sus propios tiempos. A pesar de importantes avances en operaciones militares con el Plan Patriota y luego con el Plan Consolidación, el gobierno no ha logrado obtener una ventaja militar significativa.

El fracaso de una solución militar y las limitaciones demostradas en las negociaciones con las AUC y el ELN han hecho inevitable el regreso de la búsqueda de una solución política integral. Durante cerca de tres décadas, el péndulo ha ido y venido entre las fuerzas de la negociación y de la guerra. Como lo ha resaltado de manera tan adecuada el historiador Marco Palacios, cada presidente ha tenido un período de paz y otro de guerra. Durante los primeros cuatro años de gobierno de Uribe se hizo énfasis en el lenguaje de la seguridad, suavizado con la idea confortante de la democracia, la legitimidad política y el dominio militar. La gran duda es si en los últimos años del segundo período, esta estrategia puede ser transformada en una paz viable.

El acuerdo humanitario

A pesar de la escalada de hostilidades entre las FARC y el Estado, un elemento se quedó en la mesa de negociaciones: un intercambio de prisioneros, lo que se ha denominado el acuerdo humanitario. Durante el primer cuatrienio de Uribe y continuado en el segundo, el asunto del acuerdo humanitario sirvió como una especie de barómetro para medir las posiciones y la voluntad de negociar de las partes. Con el correr del tiempo, este asunto se convirtió en el primer paso indispensable para cualquier búsqueda de un acuerdo político amplio. La paz requerirá la concreción de un acuerdo humanitario con anterioridad.

El alto estatus y las expectativas que surgieron en torno al acuerdo humanitario también recayeron en prominentes facilitadores o mediadores nacionales e internacionales. En los comienzos de su primer período el presidente Uribe solicitó ayuda al secretario general de las Naciones Unidas y autorizó al asesor especial de este organismo para Colombia, James Lemoyne, para que realizara contactos con las FARC y facilitara un acuerdo humanitario. Sin embargo, desde el comienzo Uribe expresó dos condiciones para un eventual acuerdo: a) no al despeje y b) garantizar que los miembros de las FARC que hagan parte del acuerdo —en su mayoría mandos medios y combatientes rasos— no vuelvan a combatir después de la liberación. En su propuesta inicial hizo un llamado para que un tercer país se encargara de la liberación de los prisioneros. Durante los siguientes seis años, Uribe no cambió su posición inicial.

Por su parte, las FARC inicialmente buscaron el despeje de Caquetá y Putumayo, dos extensos departamentos, e insistieron en que no existieran precondiciones para los diálogos en torno al acuerdo humanitario. Después, los líderes de las FARC moderaron su postura e hicieron el llamado para el despeje de Florida y Pradera, dos municipios relativamente pequeños, ubicados en el departamento del Valle. En algún momento el presidente pareció aceptar esta localización, pero las partes no lograron ponerse de acuerdo sobre las medidas de seguridad y la presencia armada y combatiente de las FARC en una eventual área de despeje.

Aun cuando el país continuaba renuente a la concreción de un proceso de paz más amplio, había un extenso apoyo público al intercambio de prisioneros basado en motivaciones humanitarias. Pero en el curso de los años las partes no lograron reducir las diferencias y para abril de 2005 el presidente le solicitó al secretario general de la ONU que retirara al enviado especial y que eliminara este cargo.

Muchos otros posibles mediadores también ofrecieron sus "buenos oficios": la Iglesia católica, el gobierno francés, el ex presidente liberal Alfonso López Michelsen, un grupo de seis ex presidentes colombianos, el político conservador Álvaro Leyva, la senadora Piedad Córdoba, entre otros.

A inicios de su segundo período, en agosto de 2006, Uribe pareció moderar su postura al declarar que estaba dispuesto a negociar un acuerdo humanitario con las FARC y a convocar una Asamblea Constituyente como parte de un proceso más amplio. En su discurso de posesión el 7 de agosto de 2006 dijo:

> Reitero nuestra voluntad de lograr la paz, para lo cual únicamente pedimos hechos. Hechos también irreversibles que expresen el designio de conseguirla… Hemos insistido sin temor en nuestras acciones en procura de la seguridad. No nos frena el miedo para negociar la paz. Confieso que me preocupa algo diferente: el riesgo de no llegar a la paz y retroceder en seguridad. La paz necesita sinceridad. Por eso los hechos irreversibles de reconciliación deben ser el enlace entre seguridad y paz[6].

Esta posición, sin embargo, se radicalizó nuevamente tras la explosión de un carro bomba frente a la base militar del Cantón Norte en Bogotá el 19 de octubre de ese mismo año. Los saboteadores —bien sean del interior del Estado, las FARC o un tercero aún sin identificar—lograron una vez más alejar una posibilidad de paz. Después de este incidente, Uribe retornó a su retórica militarista propia del primer período y aseguró que derrotaría a los terroristas.

En septiembre de 2007, el presidente venezolano, Hugo Chávez, se involucró en el proceso por el llamado de la senadora Piedad Córdoba. El Presidente francés Nicolás Sarcozy, elegido en mayo de 2007, también apoyó la iniciativa desde su posesión y reiteró el compromiso del gobierno de ese país con la liberación de la ex candidata presidencial en Colombia y ciudadana francesa, Ingrid Betancourt. Sarcozy, posteriormente, comenzó a trabajar con el presidente Chávez en este asunto. Semejante apoyo internacional representa una oportunidad única para superar las dificultades. Uribe inicialmente aceptó la intervención de Francia y Venezuela, pero desde el comienzo del nuevo proceso se mantuvo firme en sus condiciones iniciales, mientras que sus ministros de Relaciones Exteriores y de Defensa manifestaron públicamente su escepticismo frente al proceso.

Existe una historia de acuerdos humanitarios entre el gobierno colombiano y las FARC. Los precedentes más destacables son: a). el 15 de junio de 1997, las FARC liberaron a 60 soldados y 10 miembros de la Armada. Esta

---

6   Véase Uribe Vélez, Álvaro, Discurso de posesión presidencial, período 2006-2010, Bogotá, agosto 7 de 2006. Disponible en: http://www.presidencia.gov.co/prensa_new/discursos/discursos2006/agosto/posesion.htm. Página consultada en noviembre de 2006.

liberación abrió la puerta para conversaciones sustanciales entre el gobierno y las FARC. Esta liberación, facilitada por el Centro Carter del ex presidente de Estados Unidos Jimmy Carter, se llevó a cabo en una zona temporalmente desmilitarizada en Cartagena del Chairá, Caquetá. El evento estuvo acompañado de una ceremonia pública con presencia de observadores internacionales, liderados por el ex presidente de Costa Rica Rodrigo Carazo. b). El 3 de junio de 2001, en el marco de los diálogos de paz, las partes llegaron al acuerdo que se llamó: "Acuerdo de intercambio humanitario de personas privadas de la libertad con ocasión del conflicto". El gobierno liberó a 15 prisioneros de las FARC, mientras que este grupo lo hizo con 42 soldados y policías que tenían en cautiverio. Posteriormente, las FARC liberaron otros 242 soldados y policías.

Una serie de gobiernos, políticos y analistas han avanzado en un importante raciocinio para justificar un acuerdo humanitario. El 28 de abril de 2003 seis ex presidentes de los dos partidos políticos tradicionales (Alfonso López Michelsen, Julio César Turbay Ayala, Carlos Lemos Simmonds, Ernesto Samper Pizano y César Gaviria) le pidieron al presidente Uribe que buscara un acuerdo humanitario con las FARC. El ex presidente Alfonso López Michelsen sostuvo que este tipo de acuerdos eran legales según la ley colombiana e internacional, y estaban expresamente autorizados por el segundo Protocolo Adicional de la Convención de Ginebra de 1977 ratificado por Colombia.

Cuando la administración de Pastrana firmó el acuerdo humanitario para intercambiar prisioneros se argumentó la siguiente explicación:

> El Estado colombiano tiene instrumentos legales para buscar la coexistencia como medio para promover la reconciliación entre los colombianos, asegurando la coexistencia pacífica y la paz.
>
> Mediante estos instrumentos el gobierno de Colombia puede realizar cualquier acto diseñado para establecer conversaciones o diálogos con la organización armada de las FARC-EP que actúa fuera de la ley, y que el gobierno ha reconocido que tiene un carácter político.
>
> El artículo 8 de la Ley 418 de 1997, renovada por la Ley 548 de 1999, le otorga poder permanente únicamente al gobierno colombiano para firmar acuerdos con representantes de organizaciones armadas por fuera de la ley con reconocido carácter político, dirigidos a obtener soluciones al conflicto armado, la efectiva aplicación del derecho internacional humanitario, respeto de los derechos humanos, el cese o reducción de hostilidades, la reincorporación de miembros de este tipo de organizaciones

a la vida civil y la creación de condiciones que propendan por un orden político, social y económico justo[7].

Durante las negociaciones de la administración de Pastrana con las FARC, un grupo de académicos europeos sostuvo que el intercambio estaba cobijado por el Artículo 44 del primer Protocolo Adicional a la Convención de Ginebra de 1977 que reza sobre el trato de prisioneros. Anotaron que el Artículo 44 manifiesta expresamente que en el caso del trato de prisioneros, el protocolo no discrimina entre combatientes legítimos e ilegítimos, y por lo tanto este intercambio estaba acorde con el derecho internacional humanitario[8].

El ex presidente López argumentó que una vez las FARC hayan accedido al intercambio como lo establece el derecho internacional humanitario, quedaban cobijadas por el segundo protocolo[9]. Además decía que el acuerdo era necesario, porque ninguna de las partes podía derrotar militarmente a la otra.

Es en este sentido que debemos contemplar el acuerdo humanitario entre el gobierno y la insurgencia en Colombia. Es necesario en situaciones donde ninguna parte se considera derrotada y tampoco está dispuesta a aceptar la derrota sin causa. El acuerdo humanitario representa el opuesto a la victoria militar. Dada la naturaleza prolongada del conflicto y la incapacidad de ambas partes de derrotar al otro, ambas partes recurren al acuerdo neutral que no representa los intereses de ganadores o perdedores, en el sentido de humanizar el conflicto mediante el intercambio de prisioneros de ambas partes[10].

Lo que demuestran, de manera contundente, estas opiniones y otras similares expresadas con anterioridad, es que los obstáculos que se presentaron con el intercambio de prisioneros son políticos y no legales. Dado el *momentum* y la atención internacional que suscitó este tema, el acuerdo humanitario representaba el mejor esfuerzo durante el segundo periodo de Uribe para lograr una solución política al conflicto.

---

[7]   Acuerdo entre el Gobierno Nacional y las FARC-EP. 2 de junio de 2001.

[8]   Véase Ramírez H., Luis Jairo, Comité Permanente de Derechos Humanos. Disponible en: http://www.derechos.org/nizkor/colombia/

[9]   Véase López Michelsen, Alfonso, "Sí al acuerdo humanitario, sin condiciones", en diario *El Colombiano*, Medellín, 3 de marzo de 2005.

[10]   Véase López Michelsen, Alfonso, "¿Por qué no es viable el acuerdo humanitario?". Disponible en: www.farcep.org

Sin embargo, el asunto se complicó cuando el presidente Uribe tomó la decisión de extraditar a Estados Unidos bajo cargos de secuestro y tráfico de drogas a dos líderes de las FARC de mediano rango: Simon Trinidad (Ricardo Palmera Piñeda) y Sonia (Anayibe Rojas Valderrama). Uribe entendió la extradición como un elemento que le daría alguna ventaja. Muchos en su gobierno consideraron que la amenaza de la extradición constituyó un papel primordial en las negociaciones con las organizaciones paramilitares. Sin embargo, con las FARC la extradición ha complicado la posibilidad de un acuerdo humanitario y se ha convertido en un enorme obstáculo para lograr un acuerdo más amplio.

Una consecuencia de esto es que ha involucrado al gobierno de Estados Unidos en el proceso de negociación, por lo menos en lo que corresponde a la suerte de los guerrilleros presos en ese país. Pero, a pesar de toda la atención internacional que ha suscitado el acuerdo humanitario, este sólo puede depender de conversaciones directas entre el gobierno colombiano y las FARC. El éxito de un acuerdo humanitario no es lo mismo que la consecución de la paz, pero su logro representaría un paso decisivo hacia la paz.

PARA TERMINAR

Después de sesenta años de guerra y casi tres décadas de negociaciones fallidas, ninguna de las partes ha logrado la suficiente ventaja militar para derrotar a la otra. Este conflicto no finalizará en el campo de batalla, será por medio de negociaciones políticas.

Idealmente, todos los actores del conflicto se deberían sentar en la mesa de negociaciones, aunque esa mesa no necesita ser física. Los combatientes pueden ser separados en el espacio, e incluso en el tiempo. Pero es fundamental que el Estado colombiano vea el conflicto de forma integral, comprendiendo la naturaleza de cada actor armado así como la necesidad nacional del desarrollo de unas reformas políticas económicas y sociales.

Colombia no se puede dar el lujo de esperar que las condiciones estén listas para la resolución del conflicto, quizás nunca lo estén, en los términos clásicos analizados por Zartman[11]. No existe un empate mutuamente nocivo, pero aún muchos en las zonas de conflicto, así como aquellos que participan

---

[11]   Véase capítulo 1.

de forma activa en la vida política y civil, sufren permanentemente las consecuencias de la guerra.

¿Podrá Colombia volver al pasado de una relativa democracia en las ciudades mientras se desarrolla una estrategia militar en la vasta parte del territorio nacional? Quizás, pero un equilibrio de esta índole llevaría inevitablemente a un mayor clamor hacia la paz o la guerra.

En Colombia la paz básicamente significa la construcción de un régimen más participativo e incluyente y de una presencia estatal legítima a lo largo y ancho del territorio nacional. Un acuerdo final de paz necesitará abordar áreas esenciales de reformas así como el asunto del poder político, tema que ha sido discutido en el capítulo 2.

La agenda amplia utilizada en el Caguán con las FARC representa un intento por negociar todos los aspectos del Estado, el régimen, la sociedad y la economía. La experiencia muestra que esta agenda debe ser reducida en alguna medida para distinguir cuáles aspectos son justificables de ser negociados en los límites especiales de una mesa de negociaciones y cuáles deben remitirse a una Asamblea Constituyente u otro escenario de mayor representatividad. Como mínimo una mesa de paz en Colombia en la primera década del siglo XXI debe abordar: 1) Reforma agraria y desarrollo rural, que incluya el tema de cultivos ilícitos; 2) Finalización de la guerra sucia y de las violaciones masivas a los derechos humanos y al derecho internacional humanitario, así como la generación de garantías de participación política a los combatientes desmovilizados y otros; 3) Reorientación de la misión estratégica de las fuerzas armadas y la policía en el contexto de la paz interna y pos conflicto; 4) Incorporación de fuerzas guerrilleras y otros actores de la comunidad en la estructura nacional y local del Estado y en la arena electoral; 5) Un marco amplio de acuerdos sobre política social y recursos nacionales. Muy seguramente una agenda que cubra la reestructuración más básica de los poderes institucionales y políticos deberán ratificarse en una Asamblea Constituyente que incorpore una selección más amplia de fuerzas sociales que las representadas por el gobierno y la guerrilla.

Como analizo en el capítulo 4, existe un asunto que es todavía más complicado hoy día que en períodos de negociaciones pasadas. Los derechos humanos y el derecho internacional humanitario han restringido sustancialmente la posibilidad de conceder amnistías generales y perdones. Esto tendrá que ser tratado de forma directa tanto en la mesa de negociaciones como en un escenario más amplio y tendrá que incluir a todos los actores en el largo y doloroso conflicto: guerrilla, paramilitares, actores estatales y víctimas. La justicia no debe ser vista como meramente retributiva, también debe ser restaurativa. En Colombia sólo se podrá construir una sociedad de posconflicto bajo los parámetros de justicia y reconciliación nacional. Lo que está en juego es la oportunidad de alcanzar finalmente la paz después de más de medio siglo de guerra.

BIBLIOGRAFÍA

Alape, Arturo, *La Paz, la Violencia: Testigos de Excepción*, Planeta editores, Bogotá, 1993.

——————— *Las vidas de Pedro Antonio Marín, Manuel Marulanda Vélez, Tirofijo*, Planeta, Bogotá, 1989.

Alta Comisionada de las Naciones Unidas para los Derechos Humanos sobre la Oficina en Colombia, *Informes 2000-2006*.

Arango Z., Carlos, *FARC, veinte años: de Marquetalia a La Uribe*, Ediciones Aurora, Bogotá, 1984.

Aranguren Molina, Mauricio, *Mi confesión: Carlos Castaño revela sus secretos*, La Oveja Negra, Bogotá, 2001.

Archila, Mauricio; Delgado, Álvaro; Prada, Esmeralda y García, Martha Cecilia, *25 años de protestas sociales en Colombia (1975-2000)*, Cinep, Bogotá, 2002.

Arenas, Jacobo, *Diario de la resistencia de Marquetalia*, Ediciones CEIS, Bogotá, 1972.

——————— *Correspondencia secreta del proceso de paz*, La Abeja Negra, Bogotá, 1989.

——————— *Paz, amigos y enemigos*, La Abeja Negra, Bogotá, 1990.

Arenas, Jaime, *La guerrilla por dentro. Análisis del ELN colombiano*, Tercer Mundo Editores, Bogotá, 1975.

Arnson, Cynthia (Ed.), *Comparative Peace Processes in Latin America*, Woodrow Wilson, Stanford University Press, Washington y Stanford, 1999.

Arnson, Cynthia y Zartman, William (Eds.), *Rethinking the Economics of War: The Intersection of Need, Creed, and Greed*, Woodrow Wilson Center Press y Johns Hopkins University Press, Washington y Baltimore, 2005.

Banco Mundial, *Post-Conflict Reconstruction*, Unidad de reconciliación en posconflictos, Banco Mundial, Washington, 1998.

Bejarano, Jesús Antonio, *Una agenda para la paz: aproximaciones desde la teoría de la resolución de conflictos*, Tercer Mundo Editores, Bogotá, 1995.

Bergquist, Charles, *Los trabajadores en la historia latinoamericana*, Siglo XXI, México, 1988.

———————; Peñaranda, Ricardo y Sánchez G., Gonzalo (Comps.), *Violence in Colombia 1990-2000: Waging War and Negotiating Peace*, Scholarly Resources, Wilmington, 2000.

Bouvier, Virginia, *Colombia: Building Peace in a Time of War,* United States Institute of Peace, Washington D.C., [En proceso de publicación].

Brown, Michael (Ed.), *The International Dimensions of Internal Conflicts,* MIT Press, Cambridge, 1996.

Camacho, Álvaro (Ed.), *El conflicto colombiano y su impacto en los países andinos,* Ceso Uniandes, Bogotá, 2003.

Camacho, Álvaro y Leal, Francisco (Comp.), *Armar la paz es desarmar la guerra. Herramientas para lograr la paz*, Fescol, Iepri, Cerec, Bogotá, 1999.

Cano, Alfonso, "La cuestión agraria y la paz: erradicar el latifundio, única alternativa", en *Resistencia*, revista de las FARC, N° 116, agosto-septiembre de 1999.

Carrigan, Ana, *The Palace of Justice: A Colombian Tragedy*, Four Walls, Eight Windows, Nueva York y Londres, 1993.

Chernick, Marc, "Colombia: Does Injustice Cause Violence" en Timothy Wickham-Crowley y Susan Eckstein, (Eds). *What Justice? Whose Justice? Fighting for Fairness in Latin America*, University of California Press, Berkeley, 2003.

——————— "Protracted Peacemaking: The Insertion of the International Community into the Colombian Peace Process" en Sriram, Chandra y Wermeister, Karen (Eds.), *From Promise to Practice: Strengthening UN Capacities for the Prevention of Violent Conflict,* Lynne Reiner and International Peace Academy, Boulder y New York, 2003.

——————— "Resource Mobilization and Internal Armed Conflicts: Lessons from the Colombian Case" en Arnson, Cynthia J., y Zartman, I. William (Eds.), *Rethinking the Economics of War: The Intersection of Need, Creed, and Greed,* Woodrow Wilson Center Press and The Johns Hopkins University Press, Baltimore y London, 2005.

——————— "The FARC-EP: From Liberal Guerrillas to Marxist Rebels to Post-Cold War Insurgents" en Heiberg, Marianne; O'Leary, Brendan y Tirman, John (Eds.), *Terror, Insurgency, and the State: Ending Protracted Conflicts,* University of Pennsylvania Press, Philadelphia, 2007.

——————— "The FARC at the Negotiating Table", en Bouvier, Virginia (Ed.), *Colombia: Building Peace in a Time of War,* United States Institute of Peace Press, Washington D.C., [En proceso de publicación].

——————— (Ed.), *Una metodología de prevención de conflictos y alerta temprana: el caso de Colombia,* Georgetown University, United Nations Development Programme Colombia, [En proceso de publicación].

Chesterman, Simon, *Civilians in War*, Lynne Reinner, Boulder, 2001.

Collier, Paul, "Economic Causes of Civil Conflict and their Implications for Policy", en *World Bank Research Paper*, Washington, 15 de junio de 2000.

Comisión Colombiana de Juristas, *Colombia 2002-2006: Situación de Derechos humanos y Derecho humanitario,* Bogotá, 2007.

Comisión de Conciliación Nacional, *Persistir en la paz negociada, Bogotá, 2003.*

Comisión de Estudios sobre la Violencia, *Colombia: violencia y democracia. Informe presentado al Ministerio de Gobierno*, Universidad Nacional de Colombia, Colciencias, Bogotá, 1989.

Comisión de Superación de la Violencia, *Pacificar la paz*, Cinep, Iepri, Comisión Andina de Juristas (seccional colombiana), Bogotá, 1992.

Comité Internacional de la Cruz Roja, Comisión de Conciliación Nacional y *Cambio 16 Colombia*, "La paz sobre la mesa", 11 de mayo de 1998.

Comisión Internacional de las FARC-EP, *FARC-EP: Esbozo histórico*, 1998.

Crocker, Chester A., Hampson, Fen Osler y Aall, Pamela (Comps.), *Herding Cats: Multiparty Mediation in a Complex World,* United States Institute of Peace Press, Washington, 1999.

Davies, John L. y Gurr, Ted Robert (Eds.), *Preventive Measures*, Rowman and Little Field, Lanham y Oxford, 1998.

Echandía Castilla, Camilo, *El conflicto armado y las manifestaciones de violencia en las regiones de Colombia*, Presidencia de la República, Oficina del Alto Comisionado para la Paz, Bogotá, 1999.

Embajada de Estados Unidos en Colombia, *U.S. Support for Plan Colombia,* U.S. Department of State, Bogotá, Informes 2000 y 2001.

Fals Borda, Orlando, *Subversión y cambio social,* Tercer Mundo Editores, 1968.

Ferro, Juan Guillermo, "Las FARC y su relación con la economía de la coca en el sur de Colombia: testimonios de colonos y guerrilleros", en *L'ordinaire Latino-americain*, Ipealt, Université de Toulouse-Le Mirail, Toulouse, enero-marzo de 2000.

Ferro, Juan Guillermo y Uribe, Graciela, *El orden de la guerra. Las FARC-EP: entre la organización y la política*, Centro Editorial Javeriano, Bogotá, 2002.

García Durán, Mauricio, *De La Uribe a Tlaxcala: procesos de paz*, Cinep, Bogotá, 1992.

García-Peña, Gustavo y Roesel, Mónica (Comps.), *Las verdaderas intenciones de las FARC*, Corporación Observatorio para la Paz, Bogotá, 1999.

Giugale, Marcelo M., Lafourcade, Olivier y Luff, Connie (Comps.), *Colombia: The Economic Foundation of Peace,* Banco Mundial, Washington, 2003.

González Arias, José Jairo, *El estigma de las "repúblicas independientes", 1955-1965,* Cinep, Bogotá, 1992.

Grabe, Vera, *Razones de vida*, Planeta, Bogotá, 2000.

Guerrero, Javier, *Los años del olvido. Boyacá y los orígenes de la Violencia,* Tercer Mundo Editores, Iepri, Bogotá, 1991.

Guevara, Ernesto (Che), *Guerrilla Warfare*, University of Nebraska Press, Lincoln y Londres, 1985.

Guzmán Campos, Germán; Fals Borda, Orlando y Umaña Luna, Eduardo, *La violencia en Colombia: Estudio de un proceso social*, Carlos Valencia, Bogotá, 1980.

Hartlyn, Jonathan, *The Politics of Coalition Rule in Colombia*, Cambridge University Press, Cambridge, 1988.

Heiberg, Marianne; O'Leary, Brendan y Tirman, John (Eds.), *Terror, Insurgency, and the State*, University of Pennsylvania Press, Philadelphia, 2007.

Hernández, Milton, *Rojo y negro: aproximaciones a la historia del ELN,* Nueva Colombia, Bogotá, 1998.

Hobsbawm, Eric J., "The Revolutionary Situation in Colombia", en *The World Today*, Vol. XIX, junio de 1963.

Human Rights Watch, "La 'Sexta División': relaciones militares-paramilitares y la política estadounidense en Colombia", Human Rights Watch, Nueva York, 2001. http://hrw.org/spanish/informes/2001/sexta_division.htm

Informe Nacional de Desarrollo Humano Colombia – 2003, *El Conflicto, un callejón con salida*, PNUD, Bogotá, 2003. Disponible en: www.pnud.org.co/indh2003

Jaramillo, Jaime *et al., Colonización, coca y guerrilla*, Universidad Nacional de Colombia, Bogotá, 1986.

Jiménez, Michael, "The Many Deaths of the Colombian Revolution: Region, Class and Agrarian Rebellion in Central Colombia", en *Columbia University Institute of Latin American and Iberian Studies, Papers on Latin America*, N° 13, 1990.

Kalmanovitz, Salomón, "La economía del narcotráfico en Colombia", en *Economía Colombiana*, N° 226 y 227, febrero-marzo de 1990.

Lara, Patricia, *Siembra vientos y recogerás tempestades: la historia del M-19, sus protagonistas y sus destinos*, Planeta, Bogotá, 1982.

Leal Buitrago, Francisco, *Estado y política en Colombia*, Siglo XXI, Bogotá, 1984.

——————— *La inseguridad de la seguridad. Colombia 1958-2005.* Planeta, Bogotá, 2006.

——————— (Comp.), *Los Laberintos de la Guerra. Utopías e Incertidumbres de la Paz,* Tercer Mundo Editores, Uniandes, Bogotá, 1999.

Licklider, Roy, *Stopping the Killing: How Civil Wars End,* New York University Press, Nueva York y Londres, 1993.

López Michelsen, Alfonso, "¿Por qué no es viable el acuerdo humanitario?". Disponible en: www.farcep.org

MAPP/OEA, *Octavo informe trimestral del secretario general al consejo permanente sobre la misión de apoyo al proceso de paz en Colombia*, Organización de Estados Americanos, Misión de Apoyo al Proceso de Paz, Washington, 14 de febrero de 2007.

Marks, Thomas, *"Sustainability of Colombian Military/Strategic Support for 'Democratic Security'", en Shaping the Regional Security Environment in Latin America. Special Series,* Strategic Studies Institute of the U.S. Army War College, Carlysle, julio de 2005.

Marulanda V., Manuel, *Cuadernos de campaña*, Ediciones CEIS, Bogotá, s.f.

Mason, Ann C., "Colombia State Failure: The Global Context of Eroding Domestic Authority", ponencia presentada en la Conferencia sobre estados fallidos, celebrada en Florencia (Italia) del 10 al 14 de abril de 2001.

Medina Gallego, Carlos, *Autodefensas, paramilitares y narcotráfico en Colombia: Origen, desarrollo y consolidación. El caso "Puerto Boyacá"*, Documentos periodísticos, Bogotá, 1990.

——————— *Elementos para una historia de las ideas políticas del Ejército de Liberación Nacional, ELN. La historia de los primeros comienzos (1958-1978)*, Quito Editores, Bogotá, 2001.

——————— *ELN: una historia contada a dos voces*, Quito Editores, Bogotá, 1996.

Medina Gallego, Carlos y Téllez Ardila, Mireya, *La violencia parainstitucional y parapolicial en Colombia*, Quito Editores, Bogotá, 1994.

Molano, Alfredo, *Selva adentro: una historia oral de la colonización del Guaviare*, El Áncora Editores, Bogotá, 1987.

——————— *Desterrados. Crónicas del desarraigo.* El Áncora Editores, Bogotá, 2001.

Oficina de las Naciones Unidas contra las drogas y el delito, *Reporte Mundial de drogas, 2006.* Disponible en:
http://www.unodc.org/pdf/WDR_2006/wdr2006_volume1.pdf. Página consultada en noviembre de 2006.

Oquist, Paul, *Violencia, conflicto y política en Colombia,* Instituto de Estudios Colombianos, Bogotá, 1978.

Palacios, Germán (Comp.), *La irrupción del paraestado,* Cerec, Ilsa, Bogotá, 1989.

Palacios, Marco, *El café en Colombia (1850-1970). Una historia económica, social y política,* Presencia, Bogotá, 1979.

——————— *Entre la legitimidad y la violencia. Colombia 1875-1994,* Grupo Editorial Norma, 1995.

Pardo Rueda, Rafael, *De primera mano: Colombia 1986-1994: entre conflictos y esperanzas,* Cerec, Norma, Bogotá, 1996.

Paris, Roland, *At War's End: Building Peace After Civil Conflict,* Cambridge University Press, Cambridge y Nueva York, 2004.

Pécaut, Daniel, "Colombia: democracia y violencia", en *Análisis Político,* N° 13, mayo-agosto de 1991.

——————— "Presente, pasado y futuro de la violencia en Colombia", en *Desarrollo Económico-Revista de Ciencias Sociales* (Buenos Aires), Vol. 36, N° 144, enero-marzo de 1997.

——————— *Crónica de dos décadas de política colombiana, 1968-1988,* Siglo XXI, Bogotá, 1988.

——————— *Guerra contra la sociedad,* Planeta, Bogotá, 2001.

Pizarro, Eduardo, "Elementos para una sociología de la guerrilla colombiana", en *Análisis Político,* N° 12, enero-abril de 1991.

——————— *Las FARC: de la autodefensa a la combinación de todas las formas de lucha,* Tercer Mundo Editores, Iepri, Bogotá, 1991.

Presidencia de la República, Oficina del Comisionado para la Paz, *El Gobierno de Belisario Betancur: La Propuesta de Paz 1982–1984. Compilación de Documentos,* Tomo I, Bogotá.

Presidencia de la República, Consejería para la Reconciliación, *El camino de la paz,* Vols. I y II, Bogotá, 1989.

Presidencia de la República, Oficina del Alto Comisionado para la Paz, *Paz Integral y Diálogo Útil. Documentos del Gobierno Nacional y los Grupos Guerrilleros,* Agosto 1994 - Agosto 1997, 4 Tomos, Bogotá.

Presidencia de la República, Oficina del Alto Comisionado para la Paz, *Hechos de paz,* Documentos de Agosto 1998 a Agosto 2002, 19 Tomos, Bogotá.

Presidencia de la República, Departamento Nacional de Planeación, *Plan Nacional de Desarrollo. Bases 1998-2002: cambio para construir la paz,* Bogotá, 1998.

Ramírez, Socorro y Restrepo, Luis Alberto, *El proceso de paz durante el gobierno de Belisario Betancur, 1982-1986*, Siglo XXI, Cinep, Bogotá, 1989.

Ramírez Tobón, William, *Estado, violencia y democracia*, Tercer Mundo Editores, Bogotá, 1990.

Rangel Suárez, Alfredo, *Colombia, guerra en el fin de siglo*, Tercer Mundo Editores, Universidad de los Andes, Facultad de Ciencias Sociales, Bogotá, 1998.

—————— *Guerreros y Políticos. Diálogo y conflicto en Colombia, 1998-2002,* Intermedio Editores, Bogotá, 2003.

—————— (Comp.), *Narcotráfico en Colombia: Economía y Violencia,* Fundación Seguridad y Democracia, Bogotá, 2005.

Reyes, Alejandro, "Paramilitares en Colombia: contexto, aliados y consecuencias", en *Análisis Político*, N° 12, enero-abril de 1991.

Richani, Nazih, "The Political Economy of Violence: The War System in Colombia", en *Journal of Interamerican Studies and World Affairs*, 39.2, verano de 1997.

Ríos, José Noé y García-Peña Jaramillo, Daniel, *Building Tomorrow's Peace: A Strategy for Reconciliation*, Report by the Peace Exploration Comission, Bogotá, 9 de septiembre de 1997.

Romero, Mauricio, *Paramilitares y autodefensas, 1982-2003*, Planeta, Bogotá, 2003.

Salazar J., Alonso, *La parábola de Pablo*, Planeta, Bogotá, 2001.

—————— *No nacimos pa' semillas*, Cinep, Bogotá, 1990.

Sánchez, Gonzalo y Peñaranda, Ricardo (Comp.), *Pasado y presente de la violencia en Colombia*, Cerec, Bogotá, 1986.

Solimano, Andrés (Ed.), *Essays on Conflict, Peace and Development*, Banco Mundial, Washington, 2000.

Sriram, Chandra y Wermeister, Karen (Eds.), *From Promise to Practice: Strengthening UN Capacities for the Prevention of Violent Conflict*, Lynne Reiner and International Peace Academy, Boulder y New York, 2003.

Stedman, Stephen John; Rothchild, Donald y Cousens, Elizabeth M. (Eds.), *Ending Civil Wars: The Implementation of Peace Agreements*, Lynne Reinner, Boulder, 2002.

Thoumi, Francisco, *Economía política y narcotráfico*, Tercer Mundo Editores, Bogotá, 1994.

—————— *et al., Drogas ilícitas en Colombia*, Ariel, Naciones Unidas-PNUD, Ministerio de Justicia, Dirección Nacional de Estupefacientes, Bogotá, 1997.

Tilly, Charles, *From Mobilization to Revolution*, Random House, Nueva York, 1978.

Tokatlian, Juan, *Globalización, narcotráfico y violencia. Siete Ensayos sobre Colombia.* Grupo Editorial Norma, Bogotá, 2000.

Tovar Pinzón, Hermes, *Colombia: droga, economía, guerra y paz*, Planeta Colombiana, Bogotá, 1999.

Uprimny, Rodrigo y Saffon, María P., "¿Al fin, Ley de Justicia y Paz? La ley 975 de 2006 tras el fallo de la corte Constitucional", en *¿Justicia Transicional sin transición? Verdad, justicia y reparación para Colombia*, Centro de Derecho, Justicia y Sociedad, Ministerio de Justicia, Ántropos, Bogotá, 2006.

Valencia, León, *Las columnas de la paz*, Corriente de Renovación Socialista, Bogotá, 1998.

Vargas Meza, Ricardo, *Drogas, conflicto armado y desarrollo alternativo*, Transnacional Institute: Programa Drogas y Democracia, Bogotá, 2003.

Vargas Velásquez, Alejo, *Las Fuerzas Armadas en el Conflicto Colombiano. Antecedentes y Perspectivas*, Intermedio Editores, Bogotá, 2002.

——————— *Guerra o solución negociada. ELN: origen, evolución y procesos de paz,* Intermedio Editores, Bogotá, 2006.

Vásquez Perdomo, María Eugenia, *Escrito para no morir, bitácora de una militancia,* Ministerio de Cultura, ILSA, Ántropos, Bogotá, 2001.

Villamizar, Darío, *Aquel 19 será*, Planeta, Bogotá, 1995.

——————— *Jaime Bateman: biografía de un revolucionario*, Planeta, Bogotá, 2002.

——————— *Un adiós a la guerra*, Planeta, Bogotá, 1997.

——————— (Comp.), *Jaime Bateman: profeta de la paz*, COMPAZ, Compañía Nacional para la Paz, Bogotá, 1995.

Villarraga S., Álvaro y Plazas N., Nelson, *Para reconstruir los sueños: una historia del EPL*, Fundación Progresar y Fundación Cultura Democrática, Bogotá, 1994.

Wallensteen, Peter y Sollenberg, Margareta, "Armed Conflict 1989-2000", en *Journal of Peace Research*, Vol. 38, N° 5, 2001.

Walter, Barbara, "The Critical Barrier to Civil War Settlement", en *International Organization*, Vol. 51, N° 3, verano de 1997.

Wood, Elizabeth Jean, *Forging Democracy from Below: Insurgent Transition in South Africa and El Salvador,* Cambridge University Press, Cambridge y Nueva York, 2000.

Zartman, William, *Ripe for Resolution,* Oxford University Press, Nueva York, 1985.

————— *Elusive Peace: Negotiating an End to Civil Wars,* Brookings Institution, Washington, 1995.